Buch

Eine idyllische Insel vor South Carolina: Nach langen Jahren kehrt die 40jährige Jessie Sullivan in ihre alte Heimat zurück, weil ihre Mutter sie braucht. Schon bald gerät ihr geordnetes Leben aus der Bahn: Sie verliebt sich in einen Mönch, der kurz davor steht, sein ewiges Gelübde abzulegen. Jessie will ihre Ehe nicht aufs Spiel setzen. Doch die Sehnsucht nach einem Seelenverwandten, nach Sinnlichkeit und Spiritualität, droht über die Vernunft zu siegen …

Autorin

Sue Monk Kidd hat sich in den USA bereits mit dem Schreiben von Biografien einen Namen gemacht, ehe ihr mit ihrem ersten Roman, dem Bestseller »Die Bienenhüterin«, der Durchbruch gelang. Zwei ihrer Erzählungen wurden in die »Best American Short Stories« aufgenommen. »Die Bienenhüterin« war in England für den renommierten Orange Prize nominiert. Ihr neues Werk »Die Meerfrau« stand monatelang auf der Times-Bestsellerliste. Sue Monk Kidd lebt mit ihrer Familie in South Carolina.
Besuchen Sie auch die Website der Autorin:
www.suemonkkidd.com

Sue Monk Kidd

Die Meerfrau

Roman

Übersetzt von Astrid Mania

btb

Die amerikanische Originalausgabe erschien 2005 unter dem Titel
»The Mermaid Chair« bei Viking Penguin Inc., New York, N.Y.

FSC

Mix

Produktgruppe aus vorbildlich
bewirtschafteten Wäldern und
anderen kontrollierten Herkünften

Zert.-Nr. GFA-COC-1223
www.fsc.org
© 1996 Forest Stewardship Council

Verlagsgruppe Random House FSC-DEU-100
Das für dieses Buch verwendete FSC-zertifizierte Papier *Munken Print*
liefert Arctic Paper Munkedals AB, Schweden.

1. Auflage
Genehmigte Taschenbuchausgabe März 2008, btb Verlag
in der Verlagsgruppe Random House GmbH, München
Copyright © der Originalausgabe 2005 Sue Monk Kidd Ltd.
First published in the United States under the title »The Mermaid
Chair«
The edition published by arrangement with Viking Penguin,
a member of Penguin Group (USA) Inc.
Copyright © der deutschsprachigen Ausgabe 2005 btb Verlag
Umschlaggestaltung: Design Team München
Umschlagfoto: Getty Images/Goldman
Druck und Einband: Clausen & Bosse, Leck
SR · Herstellung: BB
Printed in Germany
ISBN 978-3-442-73322-4

www.btb-verlag.de

Für Scott Taylor und
Kellie Bayuzick Kidd
In Liebe

Ich liebe dich nicht, wie ich eine Rose aus Salz lieben würde,
einen Topas, einen Nelkenpfeil, der das Feuer entfacht:
ich liebe dich, wie man die dunklen Dinge liebt,
heimlich, zwischen Seele und Schatten.

PABLO NERUDA

Liebende begegnen
sich nicht eines Tages,
irgendwo. Sie sind immer
schon einer im andern.

RUMI

PROLOG

Es kam aus heiterem Himmel. Meine Ehe war in ruhigem Fahrwasser vor sich hin getrieben, und mein Leben hatte darin bestanden, Ehefrau von Hugh und Mutter von Dee zu sein – ich war eine dieser farblosen, unauffälligen Frauen, die wohl kaum den Ehrgeiz entwickeln würden, sich störend im Weltenlauf bemerkbar zu machen – da habe ich mich in einen Benediktinermönch verliebt.

Das war 1988 über den Winter und den Frühling, aber erst heute, erst ein Jahr später bin ich bereit und überhaupt in der Lage, darüber zu sprechen.

Mein Name ist Jessie Sullivan. Ich stehe am Bug der Fähre und sehe über Bull's Bay hinüber nach Egret Island, der Insel der Reiher, dem winzigen Eiland, das der Küste von South Carolina vorgelagert ist. Hier bin ich aufgewachsen. Ich sehe die Insel schon von weitem, sie erhebt sich sichelförmig in warmem Rotbraun und kühlem Meergrün über dem Spiegel des Wassers. Der Wind ist gespickt mit den würzigen Gerüchen meiner Kindheit, das Wasser ist ultramarinblau, es schillert wie schwerer Seidentaft. Ich blicke erwartungsvoll zur Nordwestspitze der Insel: Noch kann ich die Turmspitze der Klosterkirche nicht sehen, aber ich weiß, sie ragt in den hellen Nachmittag.

Ich staune selbst heute noch darüber, was für eine brave und anständige Frau ich doch war, bevor ich *ihm* begegnet

9

bin, mit was für einem schlichten, leidenschaftslosen Leben ich mich beschieden hatte, die Tage glatt und ebenmäßig wie eine Perlenschnur, die kühl durch meine Finger rann. Wenige Menschen ahnen, wozu sie eigentlich fähig sind. Mit meinen zweiundvierzig Jahren hatte ich noch nie etwas getan, das mir den Atem geraubt hätte, und ich glaube, darin hat zumindest teilweise das Problem gelegen – in meiner vollkommenen Unfähigkeit, mich selbst zu überraschen.

Und dann: Ich weiß das wohl, ich habe eine schöne Katastrophe angerichtet. Der Sünde hätte ich mich hingegeben, hat es geheißen, aber das ist noch harmlos formuliert. Ich habe mich ihr nicht hingegeben – ich habe mich in ihre Arme geradezu gestürzt.

Vor sehr langer Zeit, als ich noch mit meinem Bruder in seinem kleinen Kahn durch das Labyrinth der winzigen Buchten auf der Insel gerudert bin, als ich noch wild und ungebändigt war und mir Spanisches Moos in die Zöpfe geflochten habe oder mit langem, wirrem Haar herumgelaufen bin, hat mir mein Vater von den Meerjungfrauen erzählt, die rings um die Insel lebten. Er hat behauptet, er hätte sie einmal von seinem Boot aus gesehen – in den rosaroten Stunden des frühen Morgens, wenn die Sonne wie eine satte Himbeere auf dem Wasser trudelt. Die Meerjungfrauen wären wie Delfine um sein Boot herumgeschwommen, so hat er gesagt, sie wären aus den Wellen aufgetaucht und wieder darin versunken.

Ich habe ihm aufs Wort geglaubt. Ich habe ihm sowieso jede noch so ungeheuerliche Geschichte geglaubt. »Was haben sie denn gewollt? Ich dachte, Meerjungfrauen sitzen auf Felsen und kämmen sich ihr Haar?«, habe ich ihn gefragt. Allerdings gibt es auf der Insel gar keine Felsen, es gibt nur Marschland, dessen Gras sich im Kreislauf der Jahreszeiten färbt – von Grün zu Braun zu Gelb und wieder zu Grün – der ewige, unabänderliche Rhythmus der Insel.

»Aber ja doch, natürlich sitzen Meerjungfrauen auf Felsen und richten sich ihr Haar«, hat mir mein Vater geantwortet. »Aber ihre eigentliche Aufgabe besteht darin, uns Menschen zu retten. Deshalb sind sie ja auch zu meinem Boot gekommen – um da zu sein, falls ich kentern sollte.«

Am Ende haben ihn die Meerjungfrauen dann doch nicht gerettet. Aber ich frage mich, ob sie nicht *mich* gerettet haben. Ich kann nur so viel sagen – sie sind zu mir gekommen, in jenen rosaroten Stunden meines Lebens.

Sie sind mein Trost. Ihretwegen bin ich getaucht, mit weit ausgebreiteten Armen, und ich bin tief getaucht. Als ich in die Fluten gesprungen bin, habe ich jeglichen Anstand, sämtliche Regeln hinter mir gelassen, aber dennoch war dieser Sprung unbedingt notwendig, und er hat mir auf wundersame Weise das Leben gerettet. Wie kann ich das jemals erklären oder gar rechtfertigen? Ich bin gesprungen, und als ich tiefer in das kühle Blau des Wassers gesunken bin, hat mich ein Paar unsichtbarer Arme umfangen.

Die Arme haben mich umschlungen, aber sie haben mich nicht emporgetragen, sondern hinab, bis auf den Meeresgrund, und erst dann haben sie mich wieder ans Licht gehoben.

Als die Fähre am Dock anlegt, trifft mich der Atem der Insel, Fischgeruch, das Flattern der Vögel und der grüne Hauch der Palmettopalmen, und schon jetzt spüre ich ganz deutlich, wie die Vergangenheit auf mich lauert, eine unheimliche Kreatur unter der Wasseroberfläche. Vielleicht kann ich ja diesmal mit ihr abschließen. Vielleicht kann ich mir ja diesmal verzeihen, und dann wird mich die Erinnerung an das, was geschehen ist, in ihren Armen wiegen und mich wärmen, solange ich lebe.

Der Kapitän lässt das Schiffshorn tuten. Er kündigt unsere Ankunft an, und ich denke: Hier bin ich also wieder, die Frau, die bis in die tiefsten Tiefen hinabgetaucht und wieder emporgeschossen ist, zurück zum Licht. Die Meerfrau, die wie Delfine schwimmen, sich aus den Wellen heben und wieder ins Wasser stürzen wollte. Die nur sich selbst gehören wollte.

KAPITEL 1

Es war der 17. Februar 1988, ich schlug die Augen auf. Eine ganze Reihe von Geräuschen hatte mich geweckt: Erst hatte das Telefon auf der anderen Seite des Bettes angefangen zu klingeln, es hatte uns um 5.04 Uhr aus dem Schlaf gerissen, und das konnte eigentlich nur Unheil bedeuten. Dann hatte ich gehört, wie der Regen auf das Dach unseres alten, viktorianischen Hauses trommelte, wie das Wasser rauschend seinen Weg durch Rinnen und Rohre in den Grund fand, und schließlich war es das Pusten gewesen, das Hugh mit der Unterlippe macht, wenn er ausatmet, ein vollkommen gleichmäßiger Rhythmus, wie ein Metronom.

Zwanzig Jahre regelmäßiges Pusten. Ich hörte es ja selbst dann schon, wenn er nicht schlief, wenn er nach dem Essen in seinem Ledersessel saß und sich durch den Stapel der Fachzeitschrift für Psychiatrie las, der vom Boden emporwuchs. Sein Pusten war der Takt, der mein Leben bestimmte.

Das Telefon klingelte erneut, und ich lag da und wartete darauf, dass Hugh abnahm. Sicher war das einer seiner Patienten, vermutlich der paranoide Schizophrene, der schon gestern Abend angerufen hatte, weil er davon überzeugt war, die CIA würde ihn in ein Regierungsgebäude in Atlanta verschleppen.

Beim dritten Klingeln griff Hugh nach dem Hörer. »Ja,

hallo«, sagte er, seine Stimme klang heiser, kam aus den Tiefen des Schlafs.

Ich drehte mich weg und sah auf das fahle, wässrige Licht, das durch das Fenster drang. Mir fiel ein, dass Aschermittwoch war, und mich überfiel das unausweichliche Schuldgefühl.

Mein Vater war an einem Aschermittwoch gestorben, ich war damals neun Jahre alt gewesen, und sein Tod die Folge einer unseligen Verkettung von Umständen, die, was niemand je wirklich begriffen hatte, ich in Gang gesetzt hatte: Ich war an allem schuld.

Auf seinem Boot war ein Feuer ausgebrochen, der Treibstofftank war explodiert – so hatte es jedenfalls damals geheißen. Wrackteile waren erst Wochen später an den Strand gespült worden, und darunter war auch der Teil des Hecks gewesen, auf dem *Jes-Sea* geschrieben stand. Er hatte das Boot nach mir benannt, nicht nach meinem Bruder, noch nicht einmal nach meiner Mutter, die er abgöttisch geliebt hatte, sondern nach mir, Jessie.

Ich schloss die Augen und sah ölige Flammen und grelles, orangefarbenes Licht. In einem Artikel in der Tageszeitung von Charleston hatte gestanden, die Umstände der Explosion wären *fragwürdig,* und es hatte sogar eine Untersuchung gegeben, die jedoch zu keinem Ergebnis geführt hatte – all das wusste Mike und ich aber nur, weil wir den Zeitungsausschnitt in einer Schublade des Frisiertisches meiner Mutter entdeckt hatten, ein merkwürdiger, geheimnisvoller Hort, der zerrissene Rosenkränze, alte Heiligenmedaillons, Heiligenbildchen und eine kleine Jesusstatue, die nur einen Arm hatte, beherbergte. Mutter wäre wohl niemals auf die Idee gekommen, dass wir eines Tages in ihren kleinen Friedhof der Heiligtümer eindringen würden.

Ich war fast jeden Tag an diesen furchtbringenden Schrein gegangen, ein ganzes Jahr lang. Ich war wie besessen gewesen, hatte den Zeitungsartikel immer und immer wieder gelesen, vor allem den einen, entscheidenden Satz: *»Die Polizei nimmt an, dass ein Funken aus der Pfeife ein Leck in der Treibstoffleitung entzündet hat.«*

Ich war es gewesen. Ich hatte ihm die Pfeife zum Vatertag geschenkt. Davor hatte er niemals geraucht.

Ich konnte bis heute nicht an meinen Vater denken, ohne dass mir dabei das Wort »fragwürdig« in den Sinn gekommen wäre. Ich musste immerzu daran denken, dass er an jenem Tag zu Asche geworden war, an dem sich andere Menschen – ich, Mike und meine Mutter – in der Kirche ein Kreuz aus Asche auf die Stirn zeichnen lassen. Eine weitere Ironie des Schicksals in dieser langen Verquickung merkwürdiger, dunkler Ereignisse.

»Aber sicher erinnere ich mich«, hörte ich Hugh am Telefon sagen, und seine Stimme holte mich schlagartig in die Wirklichkeit zurück – der Anruf, der trübe Morgen. »Uns hier geht es gut. Wie geht es denn bei euch so?«

Das klang nicht nach einem Patienten. Und es war auch ganz sicher nicht Dee, unsere Tochter. Dafür war er viel zu förmlich. Ich fragte mich, ob es womöglich einer von Hughs Kollegen war. Oder ein Arzt aus dem Krankenhaus. Gelegentlich rief einer an, um sich über einen Fall zu beraten, aber gewöhnlich *nicht* um fünf Uhr morgens.

Ich schlüpfte unter der Decke hervor und ging barfuß hinüber zum Fenster, um zu sehen, wie groß die Gefahr war, dass der Regen wieder einmal den Keller überfluten und unseren Heißwasserkessel außer Gefecht setzen würde. Ich starrte hinaus auf die kalte, körnige Sintflut, den bläulichen Nebel, auf die Straße, in der das Wasser anschwoll. Ich schauderte und wünschte mir, das Haus wäre einfacher zu beheizen.

Ich hatte Hugh damals fast um den Verstand gebracht, als ich ihn gedrängt hatte, dieses riesige, unpraktische Haus zu kaufen, und obwohl wir jetzt schon seit sieben Jahren darin wohnten, weigerte ich mich immer noch, irgendetwas daran zu bemängeln. Ich fand die fünf Meter hohen Decken und die farbigen Glasfenster wundervoll. Und den kleinen Turm – Gott, was liebte ich diesen Turm! Wie viele Häuser konnten schon mit so etwas aufwarten? Man musste eine Wendeltreppe erklimmen, um in mein Atelier zu gelangen, es war im ausgebauten Dachboden auf der dritten Etage, mit Dachschrägen und einem Oberlicht – so fern ab von der Welt und so verwunschen, dass Dee es den »Rapunzelturm« getauft hatte. Sie zog mich immer damit auf. »He, Mom, wann lässt du endlich dein Haar herunter?«

Dee sagte das zwar nur zum Spaß, aber wir wussten beide, was sie eigentlich damit meinte – nämlich, dass ich allmählich verstaubte. Dass ich mich hinter einer schützenden Wand aus Bequemlichkeit und Gewohnheit verbarg. Als sie zu Weihnachten bei uns gewesen war, hatte ich für sie einen Comic von Gary Larson an den Kühlschrank gepinnt: DIE BESTE MUTTER DER WELT. Auf dem Bild standen zwei Kühe auf einer idyllischen Weide, und eine von ihnen sagte: »Mir ist egal, was all die anderen sagen, ich jedenfalls bin *nicht* glücklich.« Es war als kleiner Scherz gedacht, für Dee.

Ich erinnere mich, dass Hugh darüber gelacht hatte. Hugh, der sonst in anderen las, als wären sie menschliche Rorschachtests, ausgerechnet Hugh hatte nichts darin gesehen. Dee dagegen hatte außergewöhnlich lange vor dem Bild gestanden und mich dann mit einem vielsagenden Blick angesehen. Sie hatte es gar nicht zum Lachen gefunden.

Und ganz ehrlich gesagt, ich *war* auch nicht glücklich, ich war irgendwie rastlos geworden. Es hatte im Herbst angefangen – dieses unbestimmte Gefühl, dass die Zeit vergeht, dass mein Leben immer weiter aufgeschoben wird, dass ich eingesperrt bin. Ich wollte nicht einmal mehr hoch in mein Atelier. Das unfassbare Unbehagen vermeintlich glücklicher Kühe auf der saftigen, grünen Weide. Die das ständige Wiederkäuen so satt haben.

Im Winter hatte sich das Gefühl dann noch verstärkt. Ich brauchte nur einen der Nachbarn joggen zu sehen, und schon stellte ich mir vor, er würde für eine Klettertour am Kilimandscharo trainieren. Dann hatte ich mir von einer Freundin aus meinem Bücherclub auch noch die detailgetreue Beschreibung ihres ersten Bungeesprungs anhören müssen, sie war in Australien todesmutig von einer Brücke gesprungen. Und dann – das war das Schlimmste gewesen – war im Fernsehen ein Bericht über eine unerschrockene Frau gekommen, die ganz alleine durch das tiefe Blau Griechenlands reiste. Ich war von dem Feuerwerk an Lebensfreude, das aus diesen Abenteuern sprühte, überwältigt worden, von diesem Strom kraftvoller Lebendigkeit, von diesem unruhigen Blut, oder was es auch war, das diese Menschen mitriss. Ich hatte ganz deutlich gespürt, dass mir das Gefühl der Grenzenlosigkeit fehlte, mir gingen all die außergewöhnlichen Dinge ab, die andere Menschen in ihrem Leben machten – obwohl ich, wenn ich ehrlich zu mir selber war, eigentlich nichts von alledem tun wollte. Ich hätte damals nicht sagen können, was ich eigentlich wollte, aber in mir war ein unbestimmtes schmerzhaftes Verlangen.

Ich spürte es auch an jenem Morgen. Als ich am Fenster stand, kündigte es sich wieder grummelnd und verstohlen an. Ich wusste nicht, was ich davon halten sollte. Hugh schien zu glauben, dass mein kleines Stimmungstief – oder was ich sonst hatte – damit zusammenhing, dass Dee jetzt auf dem College war. Er war tatsächlich mit dem Klischee von Kindern angekommen, die flügge werden und das Nest verlassen.

Letztes Jahr im Herbst waren Hugh und ich, nachdem wir

Dee im Vanderbilt College gut untergebracht hatten, nach Hause gerast, damit er pünktlich beim »Waverly Harris Herrenturnier« zugunsten der Krebshilfe antreten konnte, dessentwegen er schon den ganzen Sommer über nervös gewesen war. Drei Monate lang war er zweimal in der Woche unerschrocken in die Hitze des Sommers von Georgia hinausgetreten und hatte mit seinem teuren Prince Graphit-Schläger trainiert. Und dann hatte ich den ganzen Nachhauseweg über geweint. Ich hatte immer noch Dee vor mir gesehen, wie sie vor ihrem Schlaftrakt gestanden und uns nachgewunken hatte, als wir losgefahren waren. Sie hatte ihr Auge und ihre Brust berührt und dann auf uns gezeigt – das hatte sie als kleines Mädchen immer gemacht. Auge, Herz, du. Es hatte mich umgehauen. Als wir zu Hause angekommen waren, hatte Hugh trotz meiner Widerrede Scott angerufen, seinen Partner beim Doppel, und ihn gebeten, seinen Platz beim Turnier einzunehmen. Hugh war dann bei mir zu Hause geblieben und hatte sich mit mir einen Film angesehen. *Ein Offizier und Gentleman.* Und er hatte sich auch noch wirklich große Mühe gegeben, so zu tun, als hätte ihm der Film gefallen.

Die tiefe Traurigkeit, die an jenem Tag im Auto über mich gekommen war, hatte noch einige Wochen lang über mir gedräut, aber dann hatte sie sich verzogen. *Natürlich* vermisste ich Dee – das war gar keine Frage – aber ich wollte nicht glauben, dass dies allein die Ursache war.

Vor ein paar Wochen hatte mich Hugh dann dazu gedrängt, Dr. Ilg zu konsultieren, eine Kollegin aus seiner Praxis. Ich hatte mich mit dem Argument geweigert, dass sie in ihrem Büro einen Papagei hielt.

Ich wusste, dass ich ihn damit wahnsinnig machen konnte. Natürlich war das nicht der wahre Grund – ich habe nichts gegen Leute mit Papageien, es sei denn, sie zwingen sie in zu kleine Käfige. Ich benutzte die alberne Ausrede mit dem Papagei lediglich, um Hugh zu zeigen, dass ich seinen Vorschlag nicht ernst nahm. Es war eine der wenigen Gelegenheiten, bei denen ich mich seinem Willen nicht beugte.

»Sie hat einen Papagei, na, und wenn schon?«, sagte er. »Du würdest gut mir ihr klarkommen.« Vermutlich würde ich das sogar, aber ich konnte mich nicht dazu durchringen, so weit zu gehen – all das Herumgestochere in der Buchstabensuppe der Kindheit, aus der dann einzelne Buchstaben herausgefischt werden in der Hoffnung, dass sie sich zu erhellenden Sätzen zusammenfügen lassen, die erklären, warum sich die Dinge so und nicht anders entwickelt haben.

Gelegentlich jedoch malte ich mir im Geiste Sitzungen mit Dr. Ilg aus. Darin erzählte ich ihr von meinem Vater, und sie machte sich grunzend Notizen auf einem kleinen Block – mehr tat sie nicht. Ihren Vogel stellte ich mir als einen strahlend weißen Kakadu vor, der auf der Rückenlehne ihres Stuhls saß und alle möglichen ungeheuerlichen Kommentare ausstieß, ein endloser Widerhall, wie der Chor einer griechischen Tragödie: »Du gibst dir die Schuld, du gibst dir die Schuld, du gibst dir die Schuld.«

Vor kurzem, keine Ahnung, was da in mich gefahren war, hatte ich Hugh von meinen imaginären Sitzungen mit Dr. Ilg erzählt, selbst von dem Papagei. Er hatte gelächelt. »Vielleicht solltest du dir lieber einen Termin bei dem Vogel geben lassen«, hatte er gemeint. »Deine Dr. Ilg klingt ja wie ein völliger Trottel.«

Hugh lag im Bett und hörte der Person am anderen Ende der Leitung zu und gab etwas wie »hm-hm, aha-aha« von sich. Sein Gesicht hatte sich zu dem Ausdruck verschlossen, den Dee »Das Große Stirnrunzeln« nannte, eine Miene konzentrierten und angestrengten Zuhörens, bei der man beinahe sehen konnte, wie die verschiedenen Kolben in seinem Gehirn arbeiteten, sich abwechselnd hoben und senkten: Freud, Jung, Adler, Horney, Winnicott.

Wind pfiff über das Dach, und ich hörte, wie das Haus – wie jedes Mal bei Sturm – mit einer operettenhaften Stimme, die wir »Beverly Schrill« nannten, zu singen begann. Im Haus gab es Türen, die sich widerspenstig dagegen wehrten zuzugehen, alte Toiletten, die sich weigerten zu spülen. »Die Toiletten sind wieder mal anal-regressiv!«, rief Dee dann immer. Und ich musste beständig auf der Hut sein, dass Hugh nicht die Eichhörnchen tötete, die im Kamin seines Arbeitszimmers lebten. Wenn wir uns jemals scheiden lassen würden, sagte er immer zum Spaß, dann wegen der Eichhörnchen.

Aber ich liebte das alles, von ganzem Herzen. Ich hasste nur die allwinterlichen Überflutungen im Keller und den Durchzug. Und jetzt, wo Dee in ihrem ersten Studienjahr in Vanderbilt war, hasste ich auch die Leere.

Hugh hatte sich im Bett hingekauert, seine Ellbogen balancierten auf den Knien, und die zwei oberen Spitzen seiner Nackenwirbel zeichneten sich unter seinem Schlafanzug ab. Er sagte: »Dir ist doch klar, dass das eine sehr ernste Situation ist, oder? Sie muss in Behandlung, zu einem Psychiater, will ich damit sagen.«

In dem Moment war ich mir sicher, dass er mit einem Arzt aus dem Krankenhaus sprach, obwohl ich seinen Tonfall ziemlich belehrend fand, und es war eigentlich nicht Hughs Art, so mit Kollegen zu reden.

Durch das Fenster hindurch sah es aus, als würde die Nachbarschaft in den Fluten versinken, als ob sich die Häuser – einige so groß wie Archen – jeden Augenblick von ihren Fundamenten lösen und die Straße hinuntertreiben würden. Der Gedanke, dass ich in dieses Chaos hinauswaten musste, war mir zuwider, aber selbstverständlich würde ich gehen. Ich würde wie immer zur Kirche der Heiligen Jungfrau Maria fahren, nach Peachtree, um mein Aschekreuz zu bekommen. Als Dee noch klein gewesen war, hatte sie die Kirche einmal aus Versehen »die Feige Jungfrau Maria« genannt. Wir beide sagten das auch heute noch oft zum Spaß, und mir wurde in diesem Moment klar, wie passend der Name doch war. Ich meine, wenn Maria noch unter uns wäre, wie ja so viele Menschen glauben, darunter auch meine katholische Mutter mit ihrer unerschütterlichen Frömmigkeit, *wäre* sie wahrscheinlich feige. Wahrscheinlich, weil man sie auf einen so unendlich hohen Sockel gestellt hatte – vollkommene Mutter, gute Ehefrau, Musterbild sittsamer Weiblichkeit. Sie stand vermutlich dort oben, spähte hinunter und wünschte sich inständig eine Leiter herbei, einen Fallschirm, einfach irgendetwas, womit sie von dort oben herunterkommen könnte.

Seit mein Vater gestorben war, hatte ich keinen einzigen Kirchgang zu Aschermittwoch versäumt – selbst als Dee noch ein Baby gewesen war und ich sie mitnehmen musste. Ich hatte sie in eine feste Trage aus Decken gewickelt und mich mit Schnullern und Flaschen abgepumpter Muttermilch bewaffnet. Ich fragte mich, warum ich mich dem eigentlich immer wieder unterwarf – das gleiche Ritual, Jahr für Jahr in der Kirche der Heiligen Jungfrau Maria. Wenn der Priester in seinem eintönigen Singsang sagte: »Gedenke Mensch, dass du aus Staub bist, und zum Staub wirst du zurückkehren.« Das Aschekreuz auf meiner Stirn.

Ich wusste nur, dass ich all die Jahre die Schuld am Tod meines Vaters wie eine Bürde mit mir herumgetragen hatte.

Hugh war inzwischen aufgestanden. Er sagte: »Willst du selber mit ihr sprechen?« Er sah mich an, und ich spürte, wie auf einmal Furcht in mir aufstieg. Ich sah eine helle Wasserwoge vor mir, die machtvoll die Straße hinunterdrängte, um die Ecke spülte, an der Mrs. Vandiver ihre Laube zu nahe an der Auffahrt errichtet hatte, kein Wellengebirge wie ein Tsunami, eher ein gleißender, drohender Wellenhügel, der auf mich zukam und der die alberne Laube,

21

Briefkästen, Hundehütten, Pflanzstäbe und Azaleenbüsche einfach mit sich forttrug. Ein vernichtendes Rauschen, das über alles hinwegfegte.

»Es ist für dich«, sagte Hugh. Ich rührte mich nicht, dann rief er mich beim Namen. »*Jessie,* der Anruf – es ist für dich.«

Er hielt mir den Hörer entgegen, er stand dort mit seinem dicken Haar, das ihm am Hinterkopf wie einem Kind zu Berge stand, und sah ernst und angespannt aus. Und draußen vor dem Fenster ergoss sich eine Flut von Wasser, eine Trillion Zinntropfen, die vom Dach herunterrannen.

KAPITEL 2

Ich griff nach meinem Bademantel, der über dem Bettpfosten hing, und zog ihn mir über die Schultern. Ich nahm das Telefon, während Hugh unschlüssig vor mir stand und nicht wusste, ob er sich lieber zurückziehen sollte oder nicht. Ich legte die Hand über den Hörer. »Es ist doch niemand gestorben, oder?«

Er schüttelte den Kopf.

»Zieh dich an. Oder geh wieder ins Bett«, riet ich ihm.

»Nein, warte ...«, sagte er, aber ich hatte schon »Hallo« ins Telefon gesagt. Er drehte sich um und ging ins Badezimmer.

»Du Arme, da hab' ich dich schon vor Tagesanbruch aus dem Schlaf gerissen«, sagte eine Frauenstimme. »Aber nur damit du's weißt, das war keine Absicht. Ich war so lange auf, dass ich darüber glatt vergessen hab', dass es ja noch früh am Morgen ist.«

»Entschuldigen Sie bitte«, sagte ich. »Aber wer spricht denn da?«

»Herr im Himmel, ich bin ja so eine unverbesserliche Optimistin, da hab' ich doch echt geglaubt, du würdest meine Stimme erkennen. Hier ist Kat. Egret Island Kat. Deine Patentante Kat. Die Kat, die deine vollgeschissenen Windeln gewechselt hat.«

Meine Lider schlossen sich. Sie war von jeher die beste

Freundin meiner Mutter gewesen – eine zierliche Frau in den Sechzigern, die zu Stöckelschuhen Söckchen mit Spitzenmuster trug und diese dann auch noch nach unten rollte. Sie erweckte dadurch zwar äußerlich den Eindruck einer eleganten, exzentrischen und ältlichen Dame, deren Energie und Durchsetzungsvermögen proportional zu ihrer Knochendichte abgenommen hatten, aber dieser Anschein täuschte ganz gewaltig.

Ich sank auf das Bett. Ich wusste, es konnte nur einen Grund für ihren Anruf geben. Es musste etwas mit meiner Mutter zu tun haben, und aus Hughs Verhalten schloss ich, Kat brachte keine guten Nachrichten.

Mutter lebte noch immer auf Egret Island, dort, wo wir einst als Familie glücklich gewesen waren, eine ganz »gewöhnliche« Familie eigentlich, bis auf die Tatsache, dass wir direkt neben einem Benediktinerkloster gelebt hatten.

Die Wrackstücke vom Boot meines Vaters waren an das Grundstück der Abtei gespült worden. Mehrere Mönche hatten die Planke gebracht, auf der *Jes-Sea* stand. Sie hatten sie meiner Mutter wie die Fahne bei einem Soldatenbegräbnis präsentiert. Mutter hatte dann ganz ruhig ein Feuer im Kamin entzündet und Kat und Hepzibah angerufen, die Dritte in ihrem Bunde. Ihre Freundinnen waren gekommen und hatten gemeinsam mit den Mönchen zugeschaut, wie Mutter das Holz feierlich den Flammen übereignet hatte. Ich hatte zugesehen, wie die Buchstaben schwarz wurden, wie das Holz vom Feuer verzehrt wurde. Die Erinnerung daran überkam mich manchmal mitten in der Nacht, sogar während meiner Hochzeit hatte ich daran denken müssen. Es hatte für meinen Vater ja keine Beerdigung gegeben, keine Totenwache, mir blieb nur dieser Moment, um seiner zu gedenken.

Bald darauf hatte Mutter angefangen, den Mönchen das Mittagessen zu kochen, und das tat sie jetzt seit nunmehr dreiunddreißig Jahren. Es schien ihre Lebensaufgabe zu sein.

»Unsere kleine Insel hier könnte im Meer versinken, und es würde dich nicht weiter kratzen«, meinte Kat. »Wie lange isses jetzt her? Fünfeinhalb Jahre und eine Woche, seit du das letzte Mal einen Fuß auf die Insel gesetzt hast?«

»Das könnte hinkommen«, meinte ich. Mein letzter Besuch, anlässlich des siebzigsten Geburtstags meiner Mutter, hatte sich zu einer Katastrophe biblischen Ausmaßes entwickelt.

Ich hatte Dee mitgenommen, die damals zwölf gewesen war, und wir hatten meiner Mutter einen wunderschönen fernöstlich inspirierten Schlafanzug aus roter Seide von Saks Fifth Avenue geschenkt. Auf dem Oberteil war ein chinesischer Drache aufgestickt. Mutter hatte sich geweigert, das Geschenk anzunehmen. Und zwar aus einem völlig albernen Grund. Es war wegen des Drachens gewesen, den sie abwechselnd als »Bestie«, »Dämon« oder als »Kreatur großer sittlicher Verderbtheit« bezeichnet hatte. Die Heilige Margareta von Antiochien war von Satan in Gestalt eines Drachens verschlungen worden, hatte sie gesagt. Ob ich denn allen Ernstes erwarten würde, dass sie in dem Teil schlafen würde?

In solchen Situationen hatte es keinen Zweck, mit ihr zu streiten. Sie hatte den Schlafanzug in den Mülleimer geschleudert, ich hatte unsere Sachen gepackt.

Mutter hatte auf der Veranda gestanden und mir nachgerufen: »Wenn du jetzt gehst, brauchst du nie mehr wiederzukommen!« Das war das letzte Mal gewesen, dass ich meine Mutter gesehen hatte. Und Dee, die arme Dee hatte furchtbar geweint.

Kat hatte uns dann in ihrem Golfwägelchen zum Boot gebracht – in dem Gefährt, das sie wie eine Irre über die Schotterpisten der Insel steuerte. Sie hatte immer wieder auf die Hupe gedrückt, um die arme, tränenüberströmte Dee ein wenig abzulenken.

Und jetzt schalt mich ausgerechnet Kat zum Spaß, dass ich der Insel so lange fern geblieben war – dabei war das mein Sicherheitsabstand, der mir lieb und teuer war und den ich tunlichst einhielt.

Ich hörte, wie die Dusche im Badezimmer losbrauste. Sie übertönte sogar noch den Regen, der hart an die Fensterscheiben schlug.

»Wie geht's Benne?«, wollte ich wissen. Ich versuchte, Zeit zu schinden, versuchte, das beängstigende Gefühl zu ignorieren, das sich über mir zusammenbraute und kurz davor war, auf mich niederzustürzen.

»Bestens«, sagte Kat. »Sie übersetzt noch immer jeden einzelnen Gedanken von Max.«

Trotz meiner wachsenden Sorge musste ich lachen. Kats Tochter, die jetzt wohl vierzig Jahre alt sein musste, war von Geburt an »nicht ganz richtig« gewesen, wie Kat es nannte. Der korrekte Ausdruck hierfür lautete »anders begabt«, und in der Tat besaß Benne ganz außergewöhnliche und seltsame Talente. Sie hatte eine seherische Gabe von geradezu unheimlicher Treffsicherheit. Manches wusste sie einfach, sie schien ihr Wissen irgendwie mit Hilfe geheimnisvoller Antennen aus der Luft zu beziehen, Antennen, die wir anderen nicht besaßen. Und sie hatte eine ganz besondere Gabe, die Gedanken von Max zu entschlüsseln, dem Inselhund, der allen und niemandem gehörte.

»Was hat Max denn dieser Tage so zu sagen?«

»Ach, das Übliche – ›Kann mir mal wieder jemand die Ohren kraulen? Die Eier lecken? Und warum soll ich eigentlich euren bescheuerten Stock zurückholen?‹«

Ich sah Kat im Geiste vor mir, in ihrem Haus, das auf Pfählen stand, wie alle Häuser auf der Insel. Ihres war zitronengelb. Ich stellte sie mir an ihrem langen Eichentisch in der Küche vor, an dem sie, Hepzibah und meine Mutter im Laufe der Jahre Zehntausende blauer Krabben gepult hatten. »Die drei Egreterinnen«, hatte mein Vater sie immer genannt.

»Hör zu, ich ruf' wegen deiner Mutter an.« Sie räusperte sich. »Du musst nach Hause kommen und dich um sie kümmern, Jessie. Und keine Ausrede.«

Ich ließ mich rückwärts auf das Bett fallen. Ich fühlte mich wie ein Zelt, das in sich zusammenbricht. Der Mittelpfosten knickt ein, das Dach senkt sich.

»Meine Ausrede«, fing ich an, »ist die, dass sie mich nicht sehen will. Sie ist ...«

»*Unmöglich.* Ich weiß. Aber du kannst trotzdem nicht so tun, als gäbe es deine Mutter nicht.«

Ich hätte beinahe laut losgelacht. Das zu behaupten war so, als würde man behaupten, im Meer gäbe es kein Salz. Meine Mutter beherrschte mein Denken und mein Tun. Manchmal hörte ich geradezu, wie ihre Stimme durch meine Knochen pfiff, und das warf mich jedes Mal fast um.

Ich sagte: »Ich habe Mutter letztes Jahr zu Weihnachten eingeladen. Ist sie gekommen? Natürlich nicht. Ich habe ihr Geschenke zum Geburtstag geschickt, zum Muttertag – selbstverständlich alles ohne Drachen, um das gleich klarzustellen – und ich habe nie auch nur ein Wort von ihr gehört.«

Ich war heilfroh, dass Hugh noch unter der Dusche stand und mich nicht hören konnte. Ich war bestimmt gerade ein wenig laut geworden.

»Sie braucht deine Geschenke und deine Anrufe auch nicht – sie braucht dich.«

Mich.

Warum konnte sie nicht Mike in Kalifornien anrufen und ihm eine Predigt halten? Als ich das letzte Mal mit Mike telefoniert hatte, hatte er mir gesagt, er wäre zum Buddhismus übergetreten. Ein Buddhist hätte doch sicher sehr viel mehr Geduld mit ihr als ich.

Kat schwieg. Ich hörte, wie die Dusche abgestellt wurde, wie es in den Rohren klopfte.

»Jessie«, sagte sie schließlich. »Der eigentliche Grund, weshalb ich anrufe, ist ... Deine Mutter hat sich gestern einen Finger abgetrennt, mit einem Fleischmesser. Den rechten Zeigefinger.«

Schlechte Nachrichten dringen immer sehr langsam zu mir durch, ich höre zwar die Worte, aber ich verstehe ihre Bedeutung nicht. Sie schweben immer eine Weile im Zimmer, unterhalb der Decke, während sich mein Körper auf die Wucht ihres Aufpralls vorbereitet. Ich hörte mich fragen: »Ist mit ihr sonst alles in Ordnung?«

»Das wird schon alles wieder, aber sie musste im Krankenhaus, drüben in Mount Pleasant, an der Hand operiert werden. Natürlich hat sie wieder mal eine ihrer berühmten Szenen geliefert und sich geweigert, über Nacht dazubleiben, also hab' ich sie mit zu mir genommen. Im Moment liegt sie in Bennes Bett und schläft, sie hat jede Menge Schmerzmittel im Leib, aber in der Minute, in der sie wach wird, wird sie wohl nach Hause wollen.«

Hugh öffnete die Badezimmertür, und ein Dampfschwall drang ins Schlafzimmer. »Alles klar?«, fragte er, ich nickte. Er schloss die Tür wieder, und ich hörte, wie er seinen Rasierapparat am Waschbecken ausschlug. Dreimal, wie jeden Tag.

»Die Sache ist die ...«, Kat hielt inne und holte tief Luft. »Also, ich will es geradeheraus sagen. Das war kein Unfall. Deine Mutter ist rüber in die Klosterküche gegangen und hat sich den Finger abgeschnitten. Absichtlich.«

In dem Moment traf sie mich, die volle Wucht. Mir wurde bewusst, tief im Innern hatte ich schon seit Jahren darauf gewartet, dass sie irgendetwas Verrücktes tun würde. Aber doch nicht so etwas.

»Aber warum? Warum sollte sie so etwas tun?« Ich spürte, wie mir allmählich übel wurde.

»Das ist wohl ziemlich kompliziert, glaub' ich, aber der Arzt, der sie operiert hat, vermutet, dass es was mit ihrer Schlaflosigkeit zu tun hat. Nelle hat seit Tagen, vielleicht seit Wochen nicht richtig geschlafen.«

Mein Magen zog sich zusammen, ich ließ das Telefon aufs Bett fallen und rannte ins Badezimmer. Vorbei an Hugh, der am Waschbecken stand, ein Handtuch um die Hüften geschlungen. Schweiß rann mir am Körper hinunter, ich warf den Bademantel von mir und beugte mich über die Toilette. Nachdem ich das bisschen, was mein Magen hergab, erbrochen hatte, würgte ich schließlich nur noch Luft.

Hugh reichte mir einen kalten Waschlappen. »Es tut mir leid«, sagte er. »Ich hätte es dir gerne schonend beigebracht, aber sie hat darauf bestanden, es dir selber zu sagen. Ich hätte es nicht zulassen sollen.«

Ich wies durch die Tür Richtung Bett. »Ich brauche nur einen kleinen Augenblick, dann geht es schon. Sie ist noch am Telefon.«

Er ging zum Bett und nahm den Hörer, während ich mir einen kalten Lappen über den Nacken rieb. Ich sank auf den Rattanstuhl im Badezimmer und wartete darauf, dass die Magenkrämpfe aufhörten.

»Es ist nicht leicht für sie, das zu verdauen«, hörte ich ihn sagen.

Mutter war immer schon mit einer Frömmigkeit gesegnet gewesen, die man als inbrünstig bezeichnen könnte. Zu unserer Kinderzeit mussten Mike und ich für die »Heidenkinder« Münzen in leeren Milchflaschen sammeln, und jeden Freitag mussten wir in der Kirche Herz Jesu Kerzen entzünden, und wir mussten uns mit ihr in ihrem Schlafzimmer hinknien, während sie alle fünf Strophen des Rosenkranzes aufsagte und ihr Kruzifix küsste, auf dem Jesus von so viel religiöser

Hingabe schon zu einem dünnen Stöckchen zusammengeschrumpft war. Manche Menschen waren eben so. Aber das hieß ja nicht, dass sie verrückt waren.

Nach dem Feuer auf dem Boot hatte sich meine Mutter in eine Art Johanna von Orleans verwandelt – dabei führte sie weder Armee noch Krieg, sie war nur von diesem seltsamen, religiösen Eifer, einer Art Mission getrieben. Aber selbst damals hatte ich sie immer noch für normal verrückt gehalten, ihre Frömmigkeit lediglich für noch ein paar Grad heißer als glühend. Als sie sich dann so viele Heiligenmedaillons an ihren Büstenhalter heftete, dass sie bei jedem Schritt klimperte, und als sie angefangen hatte, im Kloster zu kochen, und sich benahm, als gehörte es ihr, hatte ich mir gesagt, sie wäre eben nur eine übereifrige Katholikin, die doch recht arg von ihrem Seelenheil besessen war.

Ich ging zurück ins Schlafzimmer und streckte die Hand nach dem Telefon aus, und er reichte es mir zurück. »Das kann man ja wohl kaum einen schweren Fall von Schlaflosigkeit nennen«, schimpfte ich los, mitten in den Satz hinein, den Kat gerade zu Hugh gesagt haben musste. »Jetzt hat sie endgültig den Verstand verloren.«

»Sag das niemals wieder!«, fuhr mich Kat an. »Deine Mutter hat den Verstand *nicht* verloren. Sie quält etwas. Das ist etwas ganz anderes. Vincent van Gogh hat sich ein Ohr abgeschnitten – glaubst du etwa auch, dass der den Verstand verloren hatte?«

»Ja, allerdings glaube ich das.«

»Nun, eine ganze Menge sehr gebildeter Menschen sind da anderer Meinung und glauben, dass ihn etwas *gequält* hat«, sagte sie.

Hugh stand noch immer vor mir. Ich winkte ihm zu, er solle weggehen, ich konnte mich nicht konzentrieren, wenn er da stand und auf mich heruntersah. Er schüttelte den Kopf und ging ins Ankleidezimmer.

»Und was bitte quält meine Mutter?«, wollte ich wissen.

»Sag mir bitte nicht, der Tod meines Vaters. Das war vor dreiunddreißig Jahren.«

Ich hatte immer das Gefühl gehabt, dass Kat ein Wissen um meine Mutter barg, das für mich unerreichbar war, es war wie eine Wand, hinter der eine verschlossene Kammer lag. Kat antwortete nicht sogleich, und ich fragte mich, ob sie es mir womöglich diesmal sagen würde.

»Du suchst nach einem Grund«, sagte sie, »aber das hilft ihr im Moment nicht. Das ändert nicht das Hier und Heute.«

Ich seufzte, und im gleichen Moment kam Hugh aus dem Ankleidezimmer, in einem langärmeligen, blauen Oxfordshirt, das bis zum Kragen zugeknöpft war, einem Paar weißer Boxershorts und auf dunkelblauen Socken. Er stand da, schloss seine Armbanduhr und machte dieses Geräusch, dieses Pusten.

Diese Szene war beinahe so unabänderlich und regelmäßig wie der Weltenlauf. Ich hatte sie schon Tausende Male gesehen, aber jetzt, wo mir das Drama mit meiner Mutter in den Schoß gefallen war, ausgerechnet jetzt spürte ich wieder das Gefühl der Unzufriedenheit, das sich den Winter über in mir aufgestaut hatte. Es erwischte mich mit solcher Macht, dass ich mich fühlte, als hätte mich jemand geschlagen.

»Und«, sagte Kat, »kommst du nun oder nicht?«

»Ja, ich komme. Natürlich komme ich.«

Noch während ich die Worte aussprach, erfasste mich eine Welle der Erleichterung. Nicht angesichts der Tatsache, dass ich nach Hause, nach Egret Island fahren und mit dieser grotesken Situation umgehen musste. Nein, dieses bemerkenswerte Gefühl der Erleichterung kam, so wurde mir klar, einzig und allein von der Tatsache, *dass* ich wegfahren würde. Punkt.

Ich saß auf dem Bett mit dem Hörer in der Hand, staunte über mich selbst und schämte mich. So schrecklich diese Sache mit meiner Mutter auch war, ich war beinahe dankbar dafür. Denn sie hatte mir etwas geboten, von dem ich bis zu diesem Moment nicht gewusst hatte, dass ich es so dringend brauchte: einen Grund zu gehen. Einen guten, geradezu edlen Grund, meine idyllische Weide zu verlassen.

KAPITEL 3

Als ich nach unten kam, war Hugh bereits dabei, Frühstück zu machen. Ich konnte die Würstchen schon von der Treppe aus zischen hören.

»Ich hab' keinen Hunger«, sagte ich nur.

»Aber du musst etwas essen«, erwiderte er. »Du wirst dich schon nicht wieder übergeben, glaub mir nur.«

Wann immer es eine Krise gab, machte Hugh ein reichhaltiges, mächtiges Frühstück. Er glaubte fest an dessen belebende Kräfte.

Und er hatte mir schon einen Hinflug nach Charleston gebucht und dann dafür gesorgt, dass seine Patiententermine am Nachmittag verlegt würden, damit er mich zum Flughafen bringen konnte.

Ich setzte mich an unsere Frühstückstheke und schob die Bilder beiseite: das Fleischmesser, Mutters Finger.

Der Kühlschrank öffnete sich mit einem leisen, schmatzenden Geräusch, dann schloss er sich wieder. Ich sah zu, wie Hugh vier Eier zerschlug. Er stand mit dem Pfannenwender am Herd und schob die Eier in der Pfanne hin und her. Eine Reihe feuchter, brauner Locken fiel über seinen Hemdkragen. Mir lag auf der Zunge zu sagen, dass er ruhig mal wieder zum Friseur gehen könnte, dass er wie ein alternder Hippie aussähe, aber ich verkniff es mir. Vielleicht aber verpufften die Worte auch einfach nur, noch ehe ich sie ausgesprochen hatte.

Stattdessen starrte ich Hugh nur an. Hugh wurde ständig angestarrt – in Restaurants, an der Theaterkasse, in der Buchhandlung. Ich ertappte zumeist Frauen dabei, wie sie ihn musterten. Sein Haar und seine Augen hatten diesen warmen Herbstton, der einen unwillkürlich an glückliche Ernten und goldene Füllhörner denken ließ, und in der Mitte des Kinns hatte er ein hinreißendes Grübchen.

Einmal hatte ich ihn sogar damit aufgezogen, ich hatte gesagt, dass mich niemand zur Kenntnis nehmen würde, wenn wir gemeinsam einen Raum betraten, weil er so viel besser aussähe als ich, und er hatte sich genötigt gefühlt, mir zu sagen, ich wäre schön. Aber ich konnte Hugh wirklich nicht das Wasser reichen. Jetzt hatten auch noch Krähenfüße ihre gezackten Muster in die Haut um meine Augen herum eingeschrieben. Manchmal setzte ich mich vor den Spiegel und schob die Haut an meinen Schläfen mit den Fingern nach hinten. Mein Haar hatte, solange ich denken konnte, immer eine ungewöhnliche Muskatfarbe besessen, aber jetzt wurde es von den ersten Spuren von Grau durchzogen. Zum ersten Mal in meinem Leben spürte ich, wie sich mir eine Hand in den Nacken legte und mich langsam an jenen geheimnisvollen Ort zog, wo Frauen in den Wechseljahren leben. Meine Freundin Rae war schon dorthin entschwunden, und dabei war Rae gerade erst fünfundvierzig Jahre alt geworden.

Mit Hugh dagegen schien das Alter viel gnädiger umzugehen. Sein gutes Aussehen verwandelte sich einfach nur in Reife und Charakter, aber es war diese Mischung aus Intelligenz und Freundlichkeit, die er ausstrahlte, die ihn so besonders attraktiv machte. Das hatte auch mich damals sofort für ihn eingenommen.

Ich beugte mich vor, die Kälte des gesprenkelten Granits auf unserer Frühstückstheke drang bis in die Knochen meiner Ellbogen, und ich dachte daran, wie wir uns kennen gelernt hatten. Ich *musste* mir ins Gedächtnis zurückrufen, wie es einst gewesen war. Wie *wir* einst gewesen waren.

Er war auf meiner ersten so genannten Ausstellung aufgetaucht. Eigentlich hatte ich mir bloß einen schäbigen Stand auf dem Flohmarkt gemietet. Ich hatte gerade meinen Abschluss an der Kunsthochschule gemacht, und mein Traum war es damals gewesen, meine Arbeiten zu verkaufen und als freie Künstlerin zu leben. Aber den ganzen Tag über hatte sich kein Mensch meine Kunstkistchen wirklich angesehen, mit Ausnahme einer Frau, die sie als »Schaukästen« bezeichnet hatte.

Hugh, der in seinem zweiten Jahr als Assistenzarzt in der Psychiatrie am Klinikum der Emory Universität arbeitete, war an dem Tag auf den Markt gegangen, um Gemüse zu kaufen. Als er an meinem Stand vorbeigeschlendert kam, waren seine Augen an meinen »Küssenden Gänsen« hängen geblieben. Eine merkwürdige Arbeit, aber sie war auch mein Lieblingsstück gewesen.

Ich hatte das Innere der Kiste wie ein viktorianisches Interieur gestaltet – englische Tapeten mit Rosenmuster und Stehlampen mit Fransen –, dann hatte ich ein samtenes Sofa aus einem Puppenhaus davor gestellt und zwei Plastikgänse auf die Kissen geklebt. Ich hatte sie so arrangiert, dass es aussah, als wären sie in einem Schnabelkuss versunken.

Meine Inspiration war eine Zeitungsgeschichte über eine Wildgans gewesen, die ihren Schwarm verlassen hatte, um bei ihrem Partner zu bleiben, der auf einem Parkplatz verletzt worden war. Ein Angestellter hatte den kranken Vogel in ein Tierheim gebracht, aber seine Gefährtin war eine Woche lang über den Parkplatz gewandert und hatte kläglich geschnattert, bis sich der Angestellte endlich erbarmt und auch diese Gans in das Heim gebracht hatte. In dem Artikel hatte es geheißen, man hätte ihnen ein gemeinsames »Zimmer« gegeben.

Den Zeitungsartikel hatte ich ausgeschnitten und außen auf die Kiste geklebt, und auf dem Deckel hatte ich eine Tute angebracht, die wie eine quäkende Gans klang. Viele Leute, die an meinem Stand vorbeigekommen waren, hatten auf die Tute gedrückt. Ich fand, das sagte eine Menge über sie aus. Dass sie verspielter waren als andere, weniger gehemmt.

Hugh hatte sich über die Kiste gebeugt und den Artikel gelesen, während ich abgewartet hatte, was er wohl tun würde. Er hatte gleich zweimal auf die Hupe gedrückt.

»Wie viel wollen Sie dafür haben?«, hatte er gefragt.

Ich hatte tief Luft geholt, meinen ganzen Mut zusammengenommen und dann gesagt: »Fünfundzwanzig Dollar.«

»Sind vierzig genug?«, hatte er erwidert und nach seinem Portemonnaie gegriffen.

Ich hatte erneut gezögert, völlig verblüfft angesichts der Tatsache, dass jemand so viel für meine küssenden Gänse bezahlen wollte.

»Fünfzig?«

Ich hatte keine Miene verzogen. »In Ordnung, fünfzig.«

Wir hatten uns noch für denselben Abend verabredet. Vier Monate später waren wir verheiratet. Jahrelang hatten die »Küssenden Gänse« auf seiner Kommode gestanden, bis sie irgendwann auf ein Bücherregal in seinem Arbeitszimmer umzogen. Vor ein paar Jahren hatte ich ihn einmal dabei überrascht, wie er sorgfältig alle losen Teile wieder anklebte.

Er hatte mir eines Tages gestanden, dass er nur deshalb so viel Geld geboten hatte, damit ich mich mit ihm verabredete, dabei liebte er das Kistchen wirklich. Und die Tatsache, dass er auf die Hupe gedrückt hatte, *hatte* sehr viel über ihn ausgesagt, hatte eine Seite an ihm offenbart, die nur wenige Menschen sahen. Sie sahen immer nur seinen bemerkenswerten Verstand, seine Fähigkeit zu sezieren und zu analysieren, dabei machte er gerne Späße, und oft kam er mit völlig verrückten Vorschlägen: *Eigentlich könnten wir doch ausgehen und den Mexikanischen Unabhängigkeitstag feiern, oder möchtest du lieber zum Matratzenrennen?* Wir hatten dann einen ganzen Samstagnachmittag bei einer Rallye verbracht, deren Teilnehmer Räder an Betten montiert hatten und damit durch das Zentrum von Atlanta gerast waren.

Wenigen nur fiel auch auf, wie tief und ernst er empfand. Er weinte immer noch, wenn sich einer seiner Patienten das Leben nahm, und es stimmte ihn unendlich traurig, in was für dunkle, schauerliche Winkel sich manche Menschen zurückzogen.

Im vergangenen Herbst war ich, während ich die Wäsche wegräumte, auf Hughs Schmuckkästchen gestoßen, ganz hinten in der Schublade mit seinen Unterhosen. Ich hätte das natürlich nicht tun sollen, aber ich hatte mich auf das Bett gesetzt und die Schatulle durchstöbert. Sie enthielt sämtliche von Dees Milchzähnen, so klein und gelb wie Maiskörner, und mehrere Zeichnungen, die sie auf seinem Rezeptblock gemacht hatte. Da waren die Anstecknadel seines Vaters aus Pearl Harbor, die Taschenuhr seines Großvaters und die vier Paar Manschettenknöpfe, die ich ihm zu verschiedenen Anlässen geschenkt hatte. Ich hatte ein Gummiband von einem kleinen Bündel Papiere gezogen und ein zerknittertes Foto entdeckt. Darauf war ich, während unserer Flitterwochen in den Blue Ridge Mountains, und posierte vor der Hütte, die wir uns gemietet hatten. Der Rest waren Karten und kleine Liebesbriefchen, die ich ihm im Laufe der Jahre geschickt hatte. Er hatte sie alle aufbewahrt. *Er* war es auch gewesen, der zuerst »Ich liebe dich« gesagt hatte, zwei Wochen, nachdem wir uns kennen gelernt hatten, noch bevor wir überhaupt miteinander geschlafen hatten. Wir waren in einem Diner in der Nähe des

Campus gewesen und hatten in einer Nische am Fenster gefrühstückt. Er hatte gesagt: »Ich weiß so gut wie nichts von dir, aber ich liebe dich.« Und von dem Moment an war es ihm ernst gewesen. Bis heute verging kaum ein Tag, an dem er es mir nicht sagte.

Am Anfang unserer Beziehung war ich geradezu hungrig nach ihm gewesen, ein heißes, unstillbares Verlangen, das sich erst gelegt hatte, als Dee geboren wurde. Erst da war es allmählich abgeflaut und gezähmt worden. Wie bei Tieren, die man aus der Wildnis holt und in künstliche Habitate steckt, die ihnen ihre ursprüngliche Umgebung vorgaukeln und in denen sie genügsam und passiv werden, weil sie genau wissen, wann und woher ihre nächste blutleere Nahrung kommt. Für die Jagd und das Wilde ist darin kein Platz mehr.

Hugh stellte mir einen Teller mit Eiern und Würstchen hin. »So, dann iss mal schön«, sagte er.

Wir aßen, Seite an Seite, die Fenster noch verhangen von der Dunkelheit des frühen Morgens. Regen rauschte die Abflussrohre hinunter, und ich hörte ein Geräusch, das klang, als schlüge irgendwo ein Fensterladen.

Ich legte die Gabel nieder und lauschte.

»Auf der Insel haben unsere Sturmläden auch immer so gegen das Haus geschlagen, wenn ein Hurrikan kam«, sagte ich, und meine Augen füllten sich mit Tränen.

Hugh hörte auf zu kauen und sah mich an.

»Mutter hat dann immer ein großes Tuch über den Tisch gelegt und ist mit mir und Mike darunter gekrochen, dann hat sie eine Taschenlampe angemacht und uns vorgelesen. Sie hatte ein Kruzifix von unten an den Tisch genagelt, und wir haben immer auf dem Boden gelegen und es angesehen, während sie uns vorgelesen hat. Es hieß bei uns ›das Sturmzelt‹. Wir haben uns dort immer vollkommen sicher gefühlt, dort würde uns nichts geschehen.«

Hugh streckte den Arm aus, und meine Schulter schob sich in die Grube an seinem Schlüsselbein, mein Kopf rutschte in die Rundung seines Halses, eine automatische Bewegung, so alt wie unsere Ehe.

So saßen wir eine Weile aneinander geschmiegt da. Unterdessen wurden die Eier kalt, und das merkwürdige Klappern kam und ging, bis ich schließlich die schwerfällige Verflechtung unserer Leben spürte – unfähig zu sagen, was seine Schulter war und was mein Kopf. Es war das gleiche Gefühl, das ich als Kind immer gehabt hatte, wenn mein Vater seinen Finger der Länge nach an meinen gedrückt hatte. Wenn wir unsere Finger dann aneinander rieben, hatte es sich angefühlt, als wäre es ein einziger Zeigefinger.

Ich rückte abrupt weg und setzte mich aufrecht hin. »Ich kann einfach nicht fassen, dass sie so etwas getan hat«, sagte ich. »Liebe Güte, Hugh, glaubst du, wir müssen sie einliefern lassen?«

»Das kann ich nicht beurteilen, ohne mit ihr gesprochen zu haben. Aber es klingt sehr nach einer Zwangsstörung.«

Ich merkte, dass Hugh auf meinen Schoß blickte. Ich hatte die Serviette um meinen Finger gewickelt, als ob ich versuchen würde, eine Blutung zu stoppen. Ich band sie los, beschämt darüber, wie viel meine Körpersprache verriet.

»Warum um alles in der Welt ihren *Finger*?«, sagte ich.

»Es muss nicht notwendigerweise einen triftigen Grund dafür geben. Das liegt in der Natur zwanghaften Verhaltens – es ist im Allgemeinen völlig irrational.« Er stand auf. »Hör zu, warum komme ich nicht einfach mit? Ich nehme mir ein paar Tage frei. Wir fahren gemeinsam.«

»Nein«, sagte ich. Ein wenig zu heftig. »Sie wird niemals mit dir darüber reden, das weißt du doch. Und außerdem musst du dich um deine Patienten kümmern.«

»Na schön, aber wohl ist mir nicht bei dem Gedanken,

dass du das alleine regeln musst.« Er küsste mich auf die Stirn.

Nachdem er in die Praxis gefahren war, packte ich meinen Koffer und stellte ihn neben die Tür, dann stieg ich die Stufen hoch in mein Atelier, um nachzusehen, ob das Dach wieder geleckt hatte.

Ich machte eine Lampe an, und ein Schwall wächsernen, gelben Lichts ergoss sich über meinen Arbeitstisch – meinen Schatz aus schwerer Eiche, den ich in einem Gebrauchtmöbelmarkt entdeckt hatte. Eine unfertige Kiste lag darauf, völlig verstaubt.

Ich hatte aufgehört, daran zu arbeiten, als Dee Weihnachten nach Hause gekommen war, und irgendwie war ich seitdem nicht mehr hier hoch gekommen.

Ich war gerade dabei, den Fußboden nach Wasserlachen abzusuchen, als das Telefon klingelte. Ich nahm das schnurlose Telefon und hörte Dees Stimme. »Du wirst es nicht glauben«, sagte sie.

»Was denn?«

»Dad hat mir einfach so Geld geschickt, und da hab' ich mir eine blaue Marinejacke gekauft.«

Ich stellte mir vor, wie sie mit überkreuzten Beinen auf ihrem Bett saß, wie ihr die langen Haare über die Schultern fielen. Alle sagten, sie sähe aus wie Hugh. Sie hatten beide dieses makellose Aussehen.

»Eine Marinejacke? Sag mir bitte, dass du dich endlich von deiner Harley-Davidson-Jacke getrennt hast.«

»Und das sagst gerade *du*? Was ist denn mit dieser roten Wildlederjacke mit den Ich-mach'-einen-auf-Cowboy-Fransen?«

Ich musste lächeln, aber die Leichtigkeit, die ich in Dees Gegenwart immer verspürte, wich, als ich an Mutter denken musste. »Schatz, hör zu, ich wollte dich sowieso gleich anrufen. Ich fahre heute auf die Insel, um mich um Großmutter zu kümmern. Es geht ihr nicht so gut.« Mir kam in den Sinn, dass Dee möglicherweise denken musste, ihre Großmutter läge im Sterben, also erzählte ich ihr die Wahrheit.

Die ersten Worte aus Dees Mund waren: »Oh Mann, fuck.«

»Dee!«, sagte ich, ein wenig zu entrüstet vermutlich, aber sie hatte mich wirklich schockiert. »Das Wort ist unter deiner Würde.«

»Ich weiß«, meinte sie, »und ich wette, du hast es noch nie im Leben in den Mund genommen.«

Ich stieß einen langen Seufzer aus. »Ich wollte dir keine Predigt halten.«

Sie war einen Augenblick lang still. »Na schön, entschuldige, aber was Oma getan hat, ist so verrückt. Warum sollte sie so etwas tun?«

Dee war sehr scharfsichtig, aber in ihrer Großmutter sah sie erstaunlicherweise eine wundervoll verschrobene, alte Frau. Ich hatte eigentlich angenommen, das hier würde ihre Illusionen ein und für alle Mal zunichte machen.

»Ich hab' wirklich nicht die leiseste Ahnung«, sagte ich. »Ich wünschte, es wäre anders.«

»Du kümmerst dich doch um sie, oder?«

Ich schloss die Augen und sah meine Mutter vor mir, im Sturmzelt. Dort hatte ich sie entdeckt, unmittelbar nachdem Vater gestorben war. Es war ein wolkenloser, windstiller Tag gewesen.

»Ich versuche es«, sagte ich zu Dee.

Nachdem ich aufgelegt hatte, setzte ich mich an meinen Arbeitstisch und starrte auf die Spiegelscherben und die Eierschalen, die ich in die leere Kiste geklebt hatte, bevor ich die Arbeit daran hatte ruhen lassen.

Ich *hatte* das Wort in den Mund genommen. Im vergangenen Dezember, als Dee zu Hause gewesen war. Ich hatte unter der Dusche gestanden, und Hugh war ins Badezimmer geschlüpft, hatte seine Sachen ausgezogen und war hinter mich getreten, und dabei hatte er mich so erschreckt, dass ich nach vorne gefallen war und die Shampooflasche von dem Gestell gestoßen hatte, das in der Dusche hing.

»Fuck«, hatte ich gesagt. Was gar nicht meine Art war. Das Wort kam in meinem Sprachschatz überhaupt nicht vor, und ich weiß nicht, wer in dem Moment fassungsloser war, ich oder Hugh.

Nach einer kleinen Weile hatte Hugh dann gelacht. »Genau. Fuck ist genau das, woran ich gerade gedacht hatte.«

Ich hatte nichts gesagt, mich nicht umgedreht. Seine Finger waren meine Rippen entlanggewandert und über meine Brüste. Ich hatte gehört, wie leise, stöhnende Geräusche aus seinem Hals gekommen waren. Ich hatte wirklich versucht, ihn zu wollen, aber ich konnte mir nicht helfen, ich hatte einfach in dem Moment das Gefühl gehabt, er wäre in meinen Bereich eingedrungen. Ich hatte starr unter dem Wasserstrahl gestanden, wie ein toter Baumstamm, der allmählich versteinert.

Nach einigen Minuten dann hatte sich die Tür der Dusche geöffnet und wieder geschlossen.

In den darauf folgenden Tagen hatte ich mich zu ernsthaften Bemühungen ermahnt. Ich hatte nicht nur einmal mit Hugh geduscht, sondern gleich zweimal, und mich dabei in verrückte Yoga-Positionen verbogen. Nach dem zweiten Mal hatte ich, als ich aus der Dusche kam, auf dem Rücken einen roten Abdruck, der vom Wasserhahn stammte. Eine Tätowierung, die bezeichnenderweise sehr einem verletzten Vogel ähnelte.

Und an einem anderen Tag, als Dee mit ihren Freunden im nachweihnachtlichen Ausverkauf nach Schnäppchen jagte, war ich in Hughs Praxis erschienen, als der letzte Patient gegangen war, und hatte vorgeschlagen, dass wir auf der Stelle und auf der Couch miteinander schlafen sollten, und wahrscheinlich wäre es auch so weit gekommen, wenn nicht in dem Moment Hughs Piepser losgegangen wäre. Eine Patientin hatte versucht, sich das Leben zu nehmen. Ich war nach Hause gefahren, und all meine guten Absichten waren verpufft.

Am Tag darauf war Dee wieder ins College zurückgekehrt.

Ich hatte zugesehen, wie ihr Auto aus der Auffahrt rollte, die Straße hinunter. Nachdem es um die Ecke gebogen war, war ich ins Haus gegangen, in eine Stille, die in ihrer Intensität verstörend war.

Die gleiche Stille breitete sich jetzt in meinem Atelier aus. Ich sah hoch zum Oberlicht. Es war von einer dicken Schicht Ulmenblätter bedeckt, durch die ein zähes, pastoses Licht drang. Der Regen und der Wind hatten sich gelegt, und ich hörte, wie die Stille um meinen Kopf herum gerann.

Dann drang von draußen das Knirschen von Reifen zu mir, Hughs Volvo bog in die Auffahrt ein. Die Autotür knallte, und ich spürte, wie sich die Vibration durch die Mauern hindurch fortsetzte. Als ich die Treppen hinunterstieg, hatte ich das Gefühl, als würden unsere gemeinsamen Jahre im ganzen Haus zu Haufen aufgeschichtet herumliegen, sie füllten alles an, und ich dachte, wie seltsam es doch war, dass die sorgsame Durchdringung von Liebe und Gewohnheit ein Leben ausmachen konnte.

KAPITEL 4

Ich zögerte, als ich die Fähre betrat, einen Fuß noch auf dem schwankenden Dock, einen schon auf dem Boot. Ich war gefesselt von der Lichtfülle über Bull's Bay. Ein halbes Dutzend großer, weißer Reiher erhob sich mit tiefen, krächzenden Rufen aus dem nahen Schilf der Marsch. Ich ging an Bord und sah ihnen durch die Kunststofffenster hindurch nach, es war der vertraute Anblick, wie sie sich bei ihrem Flug über die Bucht zu einem Keil formierten und wie sie dann, wie auf ein unsichtbares Kommando hin, alle gemeinsam Richtung Egret Island abdrehten.

Die Fähre war eigentlich ein altes Pontonboot, das *Lauf der Gezeiten* hieß. Ich stellte meinen Koffer neben einen schmutzig-weißen Kühler, unter zwei rote Gezeitenuhren aus Pappe, die an die Bordwand genagelt waren. Ich setzte mich auf eine Bank. Hugh hatte einen Fahrer bestellt, der mich vom Flughafen abgeholt und zur Fähre in Awendaw gebracht hatte. Ich hatte es gerade noch zum letzten Auslaufen geschafft. Es war vier Uhr nachmittags.

Auf dem Boot waren außer mir nur fünf andere Passagiere. Es war Winter, und da fielen die Touristen noch nicht in Scharen auf der Insel ein. Sie kamen gewöhnlich erst im Frühling und im Sommer, um die Reiher zu sehen, von denen es im Marschland nur so wimmelte und die in dichten Schwärmen in den Bäumen entlang der kleinen Buchten hockten, zu hell schimmernden Flecken zusammengedrängt. Einige Touristen – unerschrockene Geschichtsinteressierte, die tröpfchenweise von Charleston herüberkamen – wollten Hepzibahs Gullah-Führung mitmachen, die einen Besuch auf dem Sklavenfriedhof einschloss. Hepzibah war die Hüterin der Kultur auf der Insel oder, wie sie es ausdrückte, der afrikanische Griot. Sie kannte unzählige volkstümliche Sagen und Erzählungen und sprach fließend Gullah, die Sprache, die von den Sklaven aus dem Englischen und ihren afrikanischen Muttersprachen gebildet worden war.

Ich besah mir die übrigen Passagiere und fragte mich, ob wohl auch ein paar der Inselbewohner darunter waren und ob ich sie wiedererkennen würde. Weniger als hundert Menschen, von den Mönchen einmal abgesehen, lebten noch auf der Insel, und die meisten hatten schon zu meiner Kinderzeit dort gelebt. Ich entschied, dass die Passagiere auf dem Boot sämtlich Touristen waren.

Einer von ihnen trug ein T-Shirt mit dem Aufdruck des Hard-Rock-Cafés in Cancun und hatte einen roten Schal um den Kopf gewickelt. Ihm schien schrecklich kalt zu sein. Er merkte, dass ich ihn ansah und fragte: »Haben Sie schon mal im *Inselhund* übernachtet?«

»Nein, aber es ist nett da, wird Ihnen gefallen«, sagte ich, ich musste die Stimme heben, um den Motor zu übertönen.

Das zweigeschossige, blass-blaue Haus mit seinen weißen Sturmläden war die einzige Pension auf der ganzen Insel. Ich fragte mich, ob sie immer noch Bonnie Langston gehörte. Sie war, was man auf Gullah eine *comya* nannte, jemand, der von einem fremden Ort kommt. Wenn die Vorfahren von der Insel stammten, dann war man eine *binya*. Es gab nur wenige *comyas* auf Egret Island, aber es gab sie. Von dem Tag an, als ich zehn Jahre alt geworden war, hatte mein einziges Ziel darin bestanden zu gehen, die Insel zu verlassen. »Ich möchte eine *goya* sein«, hatte ich einmal zu Hepzibah gesagt, und zuerst hatte sie gelacht, dann aber war sie still geworden und hatte mich ernst angeblickt, bis hinunter in den kranken Teil meines Herzens, den es in die Ferne zog. »Du kannst dein Zuhause nicht verlassen«, hatte sie ganz sanft gesagt. »Du kannst woanders hin, sicher, du kannst bis ans Ende der Welt gehen, aber dein Zuhause kannst du nicht verlassen.«

Hier auf der Fähre hatte ich das Gefühl, dass ich ihr das Gegenteil bewiesen hatte.

»Und Sie müssen unbedingt in *Max's Café* essen«, sagte ich dem Touristen, »und Krabben auf Hafergrütze bestellen.«

In Wahrheit war das Café der einzige Ort, wo man überhaupt auf der Insel essen konnte. Wie die Pension war auch das Café nach Max benannt worden, dem schwarzen Labrador, dessen Gedanken Benne angeblich lesen konnte. Er kam zweimal am Tag zum Pier, immer pünktlich, wenn die Fähre eintraf, und er war so etwas wie eine lokale Berühmtheit. Bei warmem Wetter, wenn im Café die Tische nach draußen gestellt wurden, stolzierte er unter Aufbietung seiner ganzen Hunde-Würde herum und gab den niederen, menschlichen Gestalten Gelegenheit, ihn zu bewundern. Und die wühlten dann ihre Kameras hervor, als ob ihnen gerade Lassie erschienen wäre. Aber er war nicht nur berühmt wegen der Zuverlässigkeit, mit der er jedes Mal mit seinem geradezu unheimlichen Gespür für den rechten Zeitpunkt auf die Fähre wartete, sondern auch wegen seiner Unsterblichkeit. Angeblich war er siebenundzwanzig Jahre alt. Bonnie beschwor es, aber in Wahrheit war unser derzeitiger Max der vierte seiner Art. Seit meiner Kindheit hatte ich eine ganze Reihe von Maxen geliebt.

Vor der Insel lag ein Sandstrand, der *Bone Yard Beach* hieß, der *Hort der Gebeine,* weil sich das Treibholz dort zu großen, seltsam verzerrten Skulpturen formierte. Kaum jemand ging jedoch dorthin, wegen der Strömung war an Schwimmen nicht zu denken, und der Strand war voller Sandmücken. Wenn man dort am Ufer stand, erkannte man, dass sich das Meer die Insel eines Tages zurückholen würde.

Die meisten Touristen aber kamen wegen der Führung durch das Kloster, die Abtei St. Senara. Sie war nach einer keltischen Heiligen benannt, die vor ihrer Bekehrung eine Meerjungfrau gewesen sein soll. Das Kloster war als Außenposten – oder, wie die Mönche sagten, Tochterhaus – einer Abtei im britischen Cornwall gegründet worden. Die Mönche hatten es selbst in den dreißiger Jahren auf einem Stück Land erbaut, das ihnen eine katholische Familie aus Baltimore geschenkt hatte, die im Sommer oft dorthin zum Angeln und Zelten gekommen war. Im Ursprung war das Kloster bei den Inselbewohnern – allesamt Protestanten – 30 unbeliebt gewesen, dass sie es »St. Sünde« getauft hatten. Jetzt aber waren die Protestanten weitgehend ausgestorben.

In Fremdenführern wurde das Kloster zu einer örtlichen Sehenswürdigkeit hochgespielt, vor allem wegen des Stuhls der Meerjungfrau, der in einer Seitenkapelle der Kirche stand. Der Stuhl sei »betörend«, hieß es in den Broschüren, und das war er wirklich. Er war die Replik eines sehr alten, halbwegs bedeutenden Stuhls im Mutterhaus der Abtei. Die Lehnen waren in Form zweier geflügelter Meerjungfrauen geschnitzt, die farbig gefasst waren – der Fischschwanz leuchtete zinnoberrot, die Flügel weiß, das Haar gold-orange.

Als Kinder hatten Mike und ich uns immer, wenn die Kirche leer war, in die Kapelle geschlichen, getrieben, natürlich, von dem erregenden Gedanken, die nackten Brüste der Meerjungfrauen zu sehen – und ihre Brustwarzen, vier

schimmernde Granatsteine. Ich hatte Mike immer damit ge-
neckt, dass er, wenn er auf dem Stuhl saß, seine Hände um
die Brüste der Meerjungfrauen legte. Bei der Erinnerung daran musste ich laut lachen, und ich sah verstohlen auf, ob es
einer der übrigen Passagiere bemerkt hätte.

Wenn die Touristen Glück hatten und die Kapelle nicht
abgesperrt war, durften sie sich sogar auf den Stuhl setzen
und ein Gebet zu Senara sprechen, der heiligen Meerjungfrau. Es hieß, sie würde Wünsche erfüllen. So lautete zumindest die Überlieferung. Für die meisten war es so, als
würde man Geld in einen Brunnen werfen und sich dabei
etwas wünschen, aber hin und wieder sah man auch einen
wirklichen Pilger, jemanden, der in einem Rollstuhl von der
Fähre geschoben wurde, oder jemanden, der eine Sauer-
stoffmaske tragen musste.

Die Fähre bewegte sich gemächlich durch die Buchten,
vorbei an winzigen Eilanden aus Marschland, auf denen
gelbes Schlickgras wogte. Die Flut hatte sich zurückgezogen und legte endlos lange Austernbänke frei. Alles sah
nackt aus und entblößt.

Als sich die Bucht zum offenen Meer hin weitete, legten
wir an Fahrt zu. Braune Pelikane flogen zu Keilen formiert
um uns herum und überholten das Boot. Ich schaute ihnen
nach, und als sie meinem Blick entschwunden waren, musterte ich die Rettungsringe, die im Innern der Fähre hingen.
Ich wollte nicht über meine Mutter nachdenken. Noch im
Flugzeug war ich von Angst und Sorge überwältigt gewesen, aber hier beruhigte ich mich ein wenig, vielleicht wegen des Winds und der Weite des Wassers.

Ich legte meinen Kopf wieder gegen das Fenster und atmete den schwefeligen Geruch des sumpfigen Marschlands
ein. Der Kapitän, der eine verblichene, rote Mütze und eine
verspiegelte Sonnenbrille trug, hielt nun seine kleine An-
sprache, die er für die Touristen auswendig gelernt hatte.

Seine Stimme segelte aus einem kleinen Lautsprecher über meinem Kopf. Er erklärte, wo man die Golfwägelchen leihen konnte, mit denen man über die Insel fahren durfte, und dann folgte eine kleine Abhandlung über die Reiherkolonie und wo und wie man angeln durfte.

Er schloss mit dem gleichen Witz, den ich schon letztes Mal gehört hatte, als ich nach Hause gekommen war: »Und Leute, denkt dran, auf der Insel gibt's Alligatoren. Ich glaub' ja nicht, dass Sie um die Jahreszeit einen sehen, aber wenn, denken Sie dran, der Alligator is' immer schneller. Seh'n Sie nur zu, dass Sie schneller sind als Ihre Begleitung.«

Die Touristen kicherten und nickten sich zu, plötzlich fiel ein ganz neues Licht auf den Besuch dieser winzigen Insel vor Carolina, er wurde geradezu zu einem Abenteuer.

Als die Fähre in die enge Wasserstraße glitt, die das Marschland auf der Rückseite der Insel durchschnitt, stand ich auf und ging hinaus aufs Deck. Wogen dunklen Wassers, in der Farbe von würzigem Tee, glitten an mir vorbei. Als ich zum Heck zurückschaute, als ich sah, was für eine Entfernung wir zurückgelegt hatten, wurde mir bewusst, wie abgeschnitten die Insel lag, auf der ich aufgewachsen war, eine Insel ohne Brücke. Als Kind war ich vollständig von Wasser umfangen gewesen, und doch hatte ich mich niemals einsam gefühlt, bis ich dann auf dem Festland in die Highschool ging. Ich erinnerte mich, wie Shem Watkins uns Kinder, wohl kaum ein halbes Dutzend, jeden Morgen in seinem Krabbenboot über Bull's Bay geschippert und nachmittags wieder abgeholt hatte. Wir hatten es unseren »Kleine-Krabben-Bus« genannt.

Mike und ich hatten uns immer vorgestellt, wir wären die Schweizer Familie Robinson aus »Dschungel der 1000 Gefahren«, wenn er sein Boot durch die Buchten ruderte und anhielt, um Winkerkrabben zu fangen, die wir als Angelköder für fünfzig Cents das Pfund auf dem Dock der Fähre verkauften. Wir kannten jeden Kanal und jede Sandbank, wir wussten genau, wo die Muschelbänke bei Ebbe an unser Boot kratzen würden. In jenem Sommer, bevor alles zusammengebrochen war, war ich neun Jahre alt gewesen. Wir waren unbezähmbar gewesen, hatten nach Spuren von Truthähnen und nach Alligatorfährten gesucht. Nachts, wenn die Palmettopalmen unruhig gegen unser Haus schlugen, waren wir aus dem Fenster geklettert und hatten uns zum Sklavenfriedhof geschlichen, wo wir versuchten, die Geister aus ihren Gräbern zu locken.

Was ist bloß aus diesem Mädchen geworden? Als ich in das sämige Wasser blickte, hatte ich eine furchtbare Sehnsucht nach ihr.

Ich war überrascht, wie viel Macht dieser Ort über mich hatte. Er drängte mir seine schrecklichen Erinnerungen an meine Familie auf. Ich sah meinen Vater vor mir, wie er seine sechs Meter lange *Chris Craft* steuerte, die Meerschaumpfeife, die ich ihm gekauft hatte, im Mundwinkel, und ich sicher zwischen seiner Brust und dem Steuerrad. Ich konnte geradezu hören, wie er rief: »Jessie, die Delfine sind da!«, sah, wie ich zur Reling stürzte, auf ihr Prusten wartete, die dunklen Schatten, bevor sie an die Oberfläche tauchten.

Als die Nordwestseite der Insel in Sicht kam, war ich in Gedanken schon bei dem Tag, als sein Boot explodiert war, bei dem Zeitungsausschnitt aus der Schublade. ›*Die Polizei nimmt an, dass ein Funken aus der Pfeife ein Leck in der Treibstoffleitung entzündet hat.*‹ Ich ließ meine Augen über die Stelle auf dem Wasser wandern, wo es passiert war, dann sah ich weg.

Ich ging die Reling der Fähre der Länge nach ab und sah, wie die Insel immer näher kam. Sie war nur fünf Meilen lang und zweieinhalb Meilen breit, aber vom Boot aus sah sie noch kleiner aus. Die Dächer der kleinen Läden hinter dem Fährdock kamen in Sicht, Lachmöwen segelten darüber, und dahinter das wogende Dickicht aus Eichen, Palmen und Myrte, das grüne Herz der Insel.

Der Motor erstarb, als sich das Pontonboot dem Dock näherte. Jemand warf ein Seil, und ich hörte das Knirschen alten Holzes, als wir gegen die Planken geworfen wurden.

Auf dem Pier saßen einige Angler in Liegestühlen und ließen Schnüre ins Wasser baumeln, sie fischten nach Roten Umberfischen. Aber keine Spur von Kat, auch nicht von Benne. Dabei hatte Kat versprochen, mich abzuholen. Ich ging zurück ins Innere des Boots, holte meinen Koffer, stellte mich ans Fenster und sah zu, wie die anderen Passagiere von Bord gingen.

Wenige Augenblicke später kamen sie herbeigeeilt, Max im Schlepptau. Sie hielten sich an den Händen, und es sah aus, als würde Benne Kat hinter sich herziehen, die wie üblich ihre Stöckelschuhe und die dünnen Söckchen trug. Ihr Haar war zu einem dunkelroten Knoten gewunden – meine Mutter hatte Kats Haarfarbe immer »Portwein« genannt. Einige Strähnen hatten sich gelöst und fielen ihr ins Gesicht.

Am Rand des Docks kamen sie schließlich zum Stehen und sahen zum Boot hinauf. Max setzte sich zwischen sie und wedelte mit dem oberen Teil seines Schwanzes, als ob sich in dessen Mitte ein Gelenk befände.

Als Kat mich am Fenster entdeckte, röteten sich ihre Wangen. »Na, steh da nicht rum! Komm schon raus!«, rief sie.

Benne verfiel in einen merkwürdigen Tanz, sie marschierte auf der Stelle und sang dazu »Jes-sie, Jes-sie«. Max fing an zu bellen, woraufhin ein großer Schwarm Möwen, der auf dem Dock gesessen hatte, erschrocken aufflatterte. Die übrigen Passagiere blieben stehen und sahen einander peinlich berührt an.

Zu Hause. Es blieb mir nichts weiter übrig, als meinen Koffer zu nehmen und mitten hineinzuwaten.

Unter Kats Augen lagen gelbliche Schatten wie kleine Halbmonde. Sie umarmte mich, und in dem gleichen Moment durchdrang mich das Aroma der Insel, ein machtvolles Gebräu aus dem Geruch von Schlick, alten Krabbentöpfen, salziger Luft und zähen Schlammfladen, in denen es von stacheligen Kreaturen nur so krabbelte und wimmelte.

»Da bist du ja«, sagte Kat, und ich lächelte sie an.

Benne legte ihr rundes Gesicht an den Ärmel meines Mantels und hängte sich wie eine Klette an mich. Ich legte meinen Arm um sie und drückte sie.

»Du hast nicht kommen wollen«, sagte sie. »Du kannst es hier nicht ausstehen.«

Kat räusperte sich. »Gut, Benne, genug.«

Benne war allerdings noch nicht fertig. »Mama steht genau in dem Blutfleck«, sagte sie.

Ich blickte nach unten. Wir alle blickten nach unten. Unter Kats Schuh kam ein dunkler, unregelmäßiger Umriss hervor. Ich stellte mir vor, in was für einer wahnsinnigen Eile sie zum Dock gerast sein mussten, dann die Überfahrt, Mutters Hand eingewickelt in ein Badetuch.

Kat zog ihren Fuß zurück, und so standen wir dort an einem späten Nachmittag, in einem Moment vollkommener Stille, und starrten auf das Blut meiner Mutter.

KAPITEL 5

Wir kletterten in Kats Golfwägelchen, das am Ende des Piers geparkt war. Benne setzte sich mit meinem Koffer nach hinten, und ich stieg auf den Vordersitz und schielte argwöhnisch nach der Hupe, weil ich an unsere letzte, überstürzte Fahrt mit Kats Wagen denken musste.

»Keine Sorge«, meinte Kat. »Ich werd' nur dann auf die Hupe drücken, wenn irgendein Verrückter vor mir auf die Straße springt.«

»Ich hasse das widerliche Ding«, sagte ich.

»Na meinetwegen, aber es hat unzähligen Touristen das Leben gerettet.«

»Mama hat früher Jagd auf Touristen gemacht«, sagte Benne.

»Hab' ich *nicht*!«

»Soweit ich weiß, ist Benne nicht fähig zu lügen«, ich grinste, und Kat spielte die Beleidigte, als sie rechts in die enge Straße abbog.

Über uns färbte sich der Himmel orange. Ich hatte das Gefühl, als würde die Dunkelheit mit Macht herandrängen, als lauerte sie schon hinter dem späten Licht. Als wir an den Geschäften der Insel vorbeifuhren, sprach niemand ein Wort, nicht einmal Benne.

An den Fassaden der Läden prangten Blumenkästen, die mit üppigen violetten Stiefmütterchen gefüllt waren, selbst an dem kleinen Postamt. Shems Anglerbedarf, *Köder & Haken*, war in der Farbe von Persimonen gestrichen, und der hölzerne braune Pelikan vor der gleichnamigen Gemischtwarenhandlung der Insel hatte jetzt einen Sattel, damit Kinder darauf sitzen konnten. Wir kamen an einer Hand voll Touristen vorbei, die vor *Egret Expeditionen* standen und Bootstouren und vogelkundliche Wanderungen buchten. Selbst im tiefsten Winter schien der Ort doch irgendwie belebt.

Ich zeigte auf ein kleines Geschäft, das zwischen *Max's Café* und der Pension *Zum Inselhund* klemmte. Es hatte eine blau-weiß gestreifte Markise, und im Fenster hing ein Schild, auf dem *Meerjungfrauenschuppen* stand. »War da nicht früher der Fischladen?«

»Die haben dichtgemacht«, sagte Kat.

»Das ist jetzt Mamas Geschäft«, sagte Benne.

»Ernsthaft? Das ist dein Laden? Du verkaufst Andenken?« Ich war verblüfft. Ich kannte Kat schon mein ganzes Leben, und sie hatte niemals auch nur das geringste Interesse an geschäftlichen Dingen gezeigt. Nachdem ihr Mann gestorben war – was jetzt mindestens zwanzig Jahre her sein musste –, hatten sie und Benne ganz zufrieden von seiner Pension und ein bisschen Sozialhilfe gelebt.

»Ich hab' letztes Frühjahr aufgemacht«, sagte Kat.

»Wer passt denn jetzt auf den Laden auf?«

»Wenn ich da bin, ist offen, wenn nicht, ist zu«, sagte sie.

»Mir gefällt der Name«, sagte ich.

»Ich wollte ihn erst *Nix-Appeal* nennen, aber deine Mutter hat's mir glatt verboten. Die Frau hat einfach keinen Sinn für Humor.«

»Hatte sie noch nie.«

»Das ist nicht wahr. Früher, da hatte sie sogar einen *großartigen* Sinn für Humor«, sagte Kat.

Sie sauste die Straße hinunter, dem dämmerigen Licht

entgegen. Ich sah, wie sie sich nach vorne legte, als wollte sie, dass ihr Wägelchen unbedingt die Geschwindigkeitsbegrenzung von achtzehn Meilen überschritt, und mir trieben unendlich viele Dinge im Kopf herum – Fetzen von Gelächter, meine Mutter in Zeiten, in denen sie noch normal und glücklich gewesen war. Es stimmte – Mutter *hatte* einen großartigen Sinn für Humor gehabt. Ich musste daran denken, wie sie uns einmal ihre Kokoskrabben in einem Hularock serviert hatte. Damals war Mike acht Jahre alt gewesen, und in dem Jahr hatte er seinen Penis in einer Colaflasche eingeklemmt, als er dort hineingepinkelt hatte. Sein Penis hatte sich, wie soll man sagen, in der Flasche etwas ausgedehnt. Mutter hatte so getan, als sei sie ernsthaft besorgt, aber dann war sie in schallendes Gelächter ausgebrochen und hatte zu Mike gesagt: »Mike, los, geh in dein Zimmer und denk an Mutter Teresa, dann wird dein Penis schon wieder aus der Flasche kommen.«

»Am besten gehen die gelben Straßenschilder, *Achtung Meerjungfrauen*«, sagte Kat zu mir. »Und unsere Meerjung frauenbüchlein. Erinnerst du dich noch an Pater Dominikus? Er hat die Geschichte von St. Senara für uns aufgeschrieben, und wir haben ein kleines Büchlein drucken lassen, *Die Legende unserer Meerjungfrau.* Wir kommen kaum mit der Lieferung nach. Und Dominikus erscheint jetzt immer im Laden, mit diesem bescheuerten Hut auf dem Kopf, und will seine Bücher signieren. Ich sag' immer zu ihm, ›In Herrgotts Namen, Dominikus, du bist doch nicht *Pat Conroy*‹.«

Ich musste lachen. Als Kind war ich oft auf Pater Dominikus gestoßen, wenn ich auf dem Klostergelände spielte und darauf wartete, dass Mutter in der Küche fertig würde, er hatte immer einen Scherz mit mir gemacht. Aber er hatte auch eine andere Seite, ihn umgab etwas Düsteres, das ich nicht näher benennen konnte. Er war einer von den

Mönchen gewesen, die zu uns gekommen waren und die Überreste vom Boot meines Vaters gebracht hatten, und er hatte auch dabeigestanden, als Mutter die Holzplanken im Kamin verbrannt hatte.

»Trägt er noch immer diesen Strohhut?«

»Genau den. Der fängt schon an zu gammeln«, meinte Kat.

Wir verfielen wieder in Schweigen, während wir den dunklen Saum der Insel entlangfuhren, ein wirres Durcheinander vom Wind verformter Bäume. Wir kamen um eine Kurve, an der sich die Bäume zu einer Prärie goldbrauner Gräser hin öffneten, und dahinter lag das Meer. Das Wasser färbte sich dunkelviolett, und auf einmal fiel es mir schlagartig wieder ein. Warum ich hier war. Was Mutter mit dem Messer getan hatte.

Ich fragte mich, ob irgendetwas von alledem geschehen wäre, wenn ich ihr eine bessere Tochter gewesen wäre. Hätte ich denn nicht sehen müssen, dass so etwas kommen würde? Schließlich konnte es durchaus sein, dass sie sich in genau diesem Moment zu Hause auch noch die übrigen Finger abtrennte.

Warum ihren Finger?, fragte ich mich. *Warum?*

Benne sang auf dem Rücksitz vor sich hin. Ich beugte mich hinüber zu Kat. »Was ist mit dem Finger passiert? Mit dem, den sie sich abgeschnitten hat?«

»Er ist in einem Mayonnaiseglas neben ihrem Bett«, erklärte sie sachlich.

Die Turmspitze der Klosterkirche kam in dem Moment in Sicht, als die Teerstraße endete. Kat machte keinerlei Anstalten, langsamer zu fahren, und so machten wir einen Hüpfer, als wir auf den festgebackenen Schotter kamen. Staubwolken stoben auf. »Halt dich gut fest«, rief sie Benne zu.

Kats Haar löste sich aus den Haarnadeln und wehte hinter ihr her, als wir an der Klosterpforte vorbeisegelten.

Direkt dahinter stand die Kapelle *Stern der See*, der weiße Schindelbau, in dem die Mönche die Messe für die Inselbewohner lasen und in der alle Kinder von Egret Island die Grundschule besuchten. Alle Klassen wurden von Anna Legare unterrichtet, die mir eines Tages, ich war damals zehn Jahre alt, geradeheraus gesagt hatte, ich wäre zur Künstlerin geboren. Sie hatte dann ein Jahr später meine unzähligen Zeichnungen von Bootswracks in der Schule aufgehängt und die gesamte Insel zur »Ausstellung« eingeladen. Kat hatte damals eine Zeichnung erworben, für fünfundzwanzig Cent.

»Was ist eigentlich aus meinem Bild geworden, das du damals gekauft und in die Küche gehängt hast?«

»Das hab' ich immer noch. Es hängt jetzt im Laden.«

Als wir an ihrem Haus vorbeifuhren, fiel mir das Schild *Achtung Meerjungfrauen* auf, das auf einem Pfosten neben dem Briefkasten befestigt war.

Wenige Sekunden später hielten wir vor dem Haus meiner Mutter, einem Cottage, erbaut in den zwanziger Jahren des 19. Jahrhunderts, wie die meisten Häuser auf der Insel. Es stand zum Schutz vor Fluten auf Pfählen. Es war umgeben von einem Wald aus Palmettopalmen, hatte Mansardenfenster, schwarze Fensterläden, und über die ganze Vorderfront erstreckte sich eine große Veranda.

Das Haus war einst in einem kräftigen Grünton gestrichen worden, jetzt war es nur noch verwaschen blau. Der Vorgarten war übersät von wuchernden Yucca-Disteln und Pfennigwurz, und mitten darin stand ihre widerliche Badewannen-Grotte.

Vor gut zehn Jahren hatte sie Shem dazu beordert, eine Badewanne aufrecht halb in die Erde einzugraben, und da er nicht begriffen hatte, wozu das Ganze dienen sollte, hatte er das Ende mit den Wasserhähnen hervorstehen lassen. Mutter hatte das jedoch nicht davon abhalten können, eine

Marienstatue in diese Keramikhöhle zu stellen. Die Wanne hatte mittlerweile Rostflecken, und an den Wasserhahn waren Plastikblumen gebunden.

Als ich die Wanne zum ersten Mal gesehen hatte, hatte ich zu Mutter gesagt, dass all die weinenden Marienstatuen ihre Tränen nur deshalb vergössen, weil ihre Verehrerinnen ihnen so viel schlechten Geschmack zumuteten. Dee hatte die Badewannen-Madonna natürlich *total abgefahren* gefunden.

Als wir anhielten und Benne von der Rückbank sprang, sah ich, dass Hepzibah auf der Veranda stand. Sie trug eines ihrer afrikanischen Kleider, ein Batikgewand in Scharlachrot und Safran, das ihr bis auf die Knöchel reichte, und dazu hatte sie ein passendes Tuch um den Kopf gewickelt. Sie war eine große und prächtige Erscheinung.

»Na, wenn das nicht unsere Hottentottenkönigin ist«, meinte Kat und winkte ihr zu. Sie legte mir eine Hand auf den Arm. »Jessie, wenn deine Mutter sagt, Fische können fliegen, nick einfach und sag, ›Klar doch, Fische können fliegen‹. Streite bloß nicht mit ihr, hörst du?«

»Manche Fische *können* fliegen«, sagte Benne. »Das hab' ich in einem Buch gelesen.«

Kat beachtete sie nicht. Sie blickte mich starr an. »Reg sie bloß nicht auf.«

Ich drehte mich weg. »Ich hab' nicht vor, irgendjemanden hier aufzuregen.«

Hepzibah kam mir auf halbem Weg auf den Stufen der Veranda entgegen, ihr folgte der Geruch von Gumbo, dem Okra-Eintopf. Sie hatte uns Essen gekocht. »We glad fa see oona – Wie schön, dich zu sehen«, wie immer, wenn sie mich begrüßte, war sie in Gullah verfallen.

Ich lächelte und sah an ihr vorbei zu dem erleuchteten Fenster hinter ihr. Ich starrte auf den Fensterrahmen, der leicht gerissen war, auf einen kleinen Flecken auf dem Glas, und mir kamen die Tränen, gerade so viele, dass ich sie nicht verbergen konnte.

»Na, na, was soll denn das?«, sagte Hepzibah und zog mich in das Schwindel erregende Muster ihres Kleids.

Ich trat zurück. Das war ja wohl eine völlig überflüssige Frage. Ich hätte am liebsten gesagt: *Na, also erst mal, steht da drin ein Mayonnaiseglas mit einem Finger meiner Mutter,* aber das wäre wohl doch ziemlich unhöflich und unangebracht gewesen, und außerdem war es nicht wegen meiner Mutter. Sondern wegen meines Vaters.

Als ich Joseph Dubois zum letzten Mal gesehen hatte, hatte er an diesem Fenster gesessen und einen Apfel geschält, ohne dass die Schale brach – eine kleine Kostprobe aus seinem Repertoire an Tricks und Findigkeiten. Ich hatte an jenem Abend im Schein der Lampe auf dem Fußboden gesessen und gebannt zugesehen, wie die Schale von der Klinge seines Messers kam, in gespannter Erwartung, ob er es auch dieses Mal bis zum Schluss schaffen würde. Als er ans letzte Stück gekommen war, hatte ich mich aufgerichtet. Wenn es ihm gelang, würde ich die rote Spirale bekommen, um sie in mein Schlafzimmerfenster zu hängen, zu all den anderen, die er für mich gemacht hatte. Sie hingen alle an einem Nähfaden und baumelten, manche mehr, manche weniger verschrumpelt, vor meiner Fensterscheibe.

»Hier, genauso schön wie du, mein Wildäpfelchen«, hatte er mich bei meinem Kosenamen genannt und mir die Schale in die Handflächen fallen lassen.

Das war das Letzte gewesen, was er je zu mir gesagt hatte.

Ich war in mein Zimmer gestürzt, ohne mich auch nur einmal umzudrehen, ohne ihn wissen zu lassen, dass der Moment, den ich an diesem Ritual am meisten mochte, der war, wenn er mich sein Wildäpfelchen nannte. Dass ich mir vorstellte, dass er auch mit mir so sorgsam umging wie mit all den Äpfeln, die er mir schälte, und dass deren Schalen vor meinem Fenster eine einzige Aneinanderreihung seiner Liebeserklärungen an mich waren.

Als sie meine Tränen sah, stöckelte Kat auf ihren Absätzen die Treppe hinauf, sie schwebte mit flatternden Armen über mir. Sie erinnerte mich an eine Klapperralle, einen der lautesten Vögel im Marschland, eine gewaltige Henne, und ich spürte, wie meine Wut auf sie schmolz. »Jessie, ich rede einfach zu viel und kann nicht die Klappe halten. Natürlich würdest du deine Mutter nicht aufregen. Ich ...«

»Ist schon gut«, sagte ich. »Das war's nicht. Ehrlich.«

Benne stapfte die Treppen hoch und zerrte mein Gepäck hinter sich her. Sie stellte es an der Tür ab. Ich dankte ihnen allen und sagte, sie könnten jetzt gehen, ich käme schon zurecht. Ich sagte, ich wäre nur völlig übermüdet, das wäre alles.

Sie fuhren in Kats Golfwägelchen davon und rumpelten über eine Reihe von Baumwurzeln – »Verkehrsberuhigung auf Inselart«, wie Kat es nannte. Ich fand, ich sollte wohl besser ins Haus gehen, aber ich blieb noch einige Minuten lang auf der Veranda in einer kühlen und dunklen Brise stehen, die nach der Marsch roch und die den kleinen Anflug von Traurigkeit, der mich gerade überkommen hatte, mit sich forttrug – meine kleine Tränentaufe.

KAPITEL 6

Bruder Thomas

Er lag der Länge nach auf dem Fußboden der Kirche, er lag wie ein Kreuz, die Arme zu den Seiten ausgestreckt. Es war die Strafe für etwas, das er in sein kleines, ledergebundenes Notizbüchlein geschrieben hatte. Pater Sebastian, der Prior des Klosters, hatte es auf der Theke im Geschenkeladen des Klosters entdeckt, wo Bruder Thomas es kurz abgelegt hatte, als er einem Touristen den Weg zur Toilette am Ende des Ladens gewiesen und dann die Fragen eines anderen zu den handgeknüpften Netzen beantwortet hatte, die im Geschäft zum Verkauf angeboten wurden. Seit wann machten die Mönche schon diese Netze? Hatten sie diese Kunst von den Inselbewohnern gelernt oder aus Cornwall mitgebracht? Verkauften sie denn wirklich genug, um davon leben zu können? Jetzt wünschte er sich, er hätte diesem Mann nicht so viel Zeit und Aufmerksamkeit gewidmet.

Es war Februar, Aschermittwoch, und der Boden fühlte sich kalt, ja sogar ein wenig feucht an durch seinen Habit hindurch. Er lag, während die Mönche ihr Abendgebet sangen, im Gang zwischen dem Chorgestühl, das sich auf beiden Seiten des Kirchenschiffs gegenüberstand, Bruder Timotheus schmalzte so pathetisch wie ein schlechter Alleinunterhalter: »O gütige, o milde, o süße Jungfrau Maria.«

Als sie das »Salve Regina« beendet hatten, hörte er, wie sich die Mönche erhoben, wie die Sitze quietschten, dann hörte er das müde Schlurfen von Füßen, während sich die Mönche aufreihten, um vom Abt mit Weihwasser gesegnet zu werden. Schließlich wurden die Lichter gelöscht, mit Ausnahme der Lampe neben dem Stuhl des Abts, und Bruder Thomas war alleine in beinahe vollkommener Dunkelheit, in einer machtvollen Stille.

Mit vierundvierzig Jahren war er der Jüngste der Mönche, und auch derjenige, der dem Kloster zuletzt beigetreten war. Er war noch ein so genannter Profitent, der bisher erst die zeitliche Profess abgelegt hatte. Seine ewige Profess, *usque ad mortem,* würde er in vier Monaten ablegen. Was hatte er sich nur dabei gedacht, diesem Mann im Geschenkeladen einen derart langen Vortrag zu halten, als ob er schon sein halbes Leben hier im Kloster verbracht hätte?

Er lag da und verfluchte sich selbst. Er hatte Pater Sebastian, der, wie Thomas fand, beim Militär wesentlich besser aufgehoben wäre als unter Mönchen, dadurch nur unnötig Gelegenheit gegeben, in seinem Notizbüchlein zu blättern und mit jeder Seite in immer größere Empörung über den Zustand seiner Seele zu geraten. Sebastian hatte es natürlich gleich zum Abt gebracht, der in vieler Hinsicht sehr altmodisch und schulmeisterlich war und dazu noch durch und durch Ire. Thomas war auf der Stelle in sein Büro zitiert worden, ins Allerheiligste, wie er es manchmal im Stillen bei sich nannte. Und jetzt lag er hier.

Ermahnt worden war er vom Abt bestimmt schon ein Dutzend Mal, aber diesmal war er zum ersten Mal auch bestraft worden. Aber so schlimm war es gar nicht, hier zu liegen. Er musste nur ausharren, bis der Abt der Meinung wäre, er hätte nun lange genug über die Gefahren meditiert, die aus Zweifel und Unglauben erwachsen, und jemanden schicken würde, ihn zu erlösen. Er lag bestimmt schon seit einer Stunde da, vielleicht sogar noch länger.

Der Boden der Kirche roch schwach säuerlich. Er roch

nach Seife und leicht nach Schlamm: eine Mischung aus Schlick aus der Marsch und Dünger aus dem Garten. Sie musste im Verlauf der letzten fünfzig Jahre von den Mönchen an den Schuhen in die Kirche getragen worden sein und hatte sich dann in den kleinen Ritzen und Rillen des Holzbodens abgelagert.

Hier an diesem erhabenen Ort – an dem sie glaubten, durch ihre endlosen Litaneien und Gesänge und Gebete im Glanz der Heiligkeit zu baden –, hier gab es Schlamm und Kuhscheiße. Er konnte gar nicht sagen, wie sehr ihm dieser Gedanke gefiel. Einmal hatte Bruder Thomas von den Füßen Christi geträumt – nicht von der Kreuzigung oder der Auferstehung oder dem Herz Jesu Christi, nein, von seinen *Füßen.*

Der Geruch, der aus dem Kirchenboden drang, ja sogar die Füße aus seinem Traum erfüllten ihn mit Ehrfurcht und brachten ihm die Religion viel näher. Die anderen Mönche, Sebastian etwa, hätten die Ablagerungen in den Bodenritzen als profan abgetan, aber als Thomas jetzt dort lag, begriff er: Er roch die Erde.

Er lebte jetzt schon fast fünf Jahre in der Abtei St. Senara auf jener kleinen Insel vor South Carolina, und jedes dieser Jahre war ihm vorgekommen, als hätte er sich durch einen Tunnel voller Dunkelheit gegraben. *Und noch immer war er nicht zum Licht gedrungen,* obwohl, hin und wieder spürte er doch, dass ihn ein einzelner Strahl traf. So wie gerade eben, als er den Geruch wahrgenommen hatte.

Seitdem sein anderes Leben zu Ende gegangen war, das mit seiner Frau und seinem ungeborenen Kind, war er zu einem verzweifelt Getriebenen geworden. Manchmal schien ihm seine Suche so aussichtslos, als ob ein Auge versuchen würde, in sein Inneres zu schauen, wo es dann doch nur sich selbst erblickte. Alles, was er bisher erkannt hatte, war, dass Gott sich im Verborgenen zeigte und dabei verstörend gewöhnlich war. Das war alles.

Sein richtiger Name war Whit O'Conner. Früher, in seinem anderen Leben, hatte er als Rechtsanwalt in Raleigh gearbeitet und war im Auftrag diverser Umweltschutzgruppen gegen Flächenumnutzung und Umweltzerstörung durch die Industrie zu Felde gezogen. Da hatte es ein Haus aus roten Ziegeln gegeben, einen liebevoll angelegten Garten und seine Frau, Linda, im siebten Monat schwanger. Sie hatte die Praxis eines Kieferorthopäden geführt, aber nach der Geburt, hatte sie gesagt, wollte sie lieber zu Hause bleiben und sich um ihr Kind kümmern, selbst wenn das altmodisch und konservativ zu sein schien. Genau das hatte er an ihr so gemocht – dass sie sich nicht um Moden scherte. Sie hatten sich an der Duke University kennen gelernt und gleich am Sonntagnachmittag, nachdem sie beide ihren Abschluss gemacht hatten, in der kleinen Methodistischen Kirche, in die ihre Familie ging, geheiratet. Seit ihrer Hochzeit waren sie keinen Tag voneinander getrennt gewesen, bis dann der Lastwagen vor ihr auf dem Highway einen Reifen verloren hatte. Der Rettungssanitäter, der als Erster an der Unfallstelle gewesen war, hatte ihm immer wieder versichert, dass es ein schneller Tod gewesen wäre, als ob ihm das ein Trost hätte sein können.

Das Gefühl der Verlassenheit war grenzenlos gewesen. Er hatte nicht nur Linda und mit ihr die Verheißung einer Familie verloren, sondern auch Gott, an den er geglaubt hatte – so wie man das tut, bevor man etwas ganz und gar Unerträgliches erleiden muss.

Linda hatte ihn an dem Tag noch von der Arbeit aus angerufen und ihm gesagt, dass sie sicher wäre, sie bekämen ein Mädchen. Bis dahin hatte sie es nicht genau sagen können, obwohl er von Anfang an davon überzeugt gewesen war, es würde ein Junge. Als sie an jenem Morgen unter der Dusche gestanden hatte, hatte sie ihren Bauch berührt und es einfach gewusst. Bei dem Gedanken daran musste er lächeln, und seine Lippen streiften sanft über den Boden. Nach der Beerdigung hatte ihm der Leichenbeschauer gesagt, dass sie Recht gehabt hatte.

Er konnte nicht mehr genau sagen, wann ihm zum ersten Mal durch den Kopf gegangen war, hierher zu kommen, aber es war ungefähr ein Jahr nach ihrem Tod gewesen. Er hatte seinen Tauf- und seinen Konfirmationsschein geschickt, die Empfehlungsschreiben von zwei Priestern und einen langen, sorgsam aufgesetzten Brief. Und trotzdem waren alle hier, selbst der Abt, der Meinung gewesen, dass er nur seinem Schmerz entfliehen wollte. Sie hatten ja keine Ahnung, wovon sie sprachen! Er hatte sich seinem Schmerz derart übereignet, dass er ihn beinahe liebte. Er weigerte sich, seinen Schmerz aufzugeben, denn das würde bedeuten, sie aufzugeben. Manchmal konnte er es selbst nicht fassen, warum er sein Schicksal ausgerechnet mit dem dieser alternden Männer verknüpft hatte. Manche von ihnen waren so grantig und übellaunig, dass er ihnen lieber ganz aus dem Weg ging, und mindestens vier Monche konnten nur noch mit Gehhilfen herumschleichen und lebten ganz auf der Krankenstation. Und dann war da Bruder Fabian, der ständig Briefe an den Papst schrieb, in denen er sich über die Missetaten seiner Mitbrüder beklagte, Kopien davon legte er in den Gängen aus. Bruder Basilius hatte einen seltsamen Tic und rief manchmal während der Messe oder während anderer, andächtiger Momente »Miep!«. *Miep.* Was sollte das? Anfangs hatte es Thomas verrückt gemacht. Aber Basilius war wenigstens freundlich und milde, nicht so wie Sebastian.

Thomas hatte das Klosterleben im Vorfeld niemals verklärt, aber selbst wenn, die Illusion wäre hier nach spätestens einer Woche verflogen.

Sein Schmerz und seine Trauer hatten ihn an den Rand eines tiefen Abgrunds geführt.

»Ich bin nicht an diesen Ort gekommen«, hatte er im ersten Jahr in sein Notizbuch geschrieben, »um Antworten zu finden, sondern um einen Weg zu finden, in einer Welt ohne Antworten zu leben.«

Um der Wahrheit Genüge zu tun, er war im Laufe von drei Jahren gleich dreimal abgelehnt worden, bevor ihn der Ehrwürdige Abt Antonius endlich aufgenommen hatte. Thomas war sich ziemlich sicher, das war nicht geschehen, weil der Abt seine Meinung geändert hatte, sondern weil er ihn einfach erweicht hatte. Und auch, weil sie einen jüngeren Mann im Kloster brauchten, jemanden, der mit einer Leiter in das hölzerne Dachgestühl der Kirche klettern, der Glühbirnen wechseln konnte und etwas von Computern verstand, der wusste, dass bei einem Computervirus keine Erkältungswelle drohte, wie das einige der alten Mönche glaubten. Vor allem aber brauchten sie jemanden, der mit dem Boot in die kleinen Buchten rudern und die Eier in den Gelegen der Reiher messen, Küken zählen und den Salzgehalt des Wassers prüfen konnte, Arbeiten, zu denen sich das Kloster der Umweltbehörde von South Carolina gegenüber verpflichtet hatte, um ein zusätzliches Einkommen zu generieren. Thomas machte diese Arbeit gerne. Er liebte es, in der Vogelkolonie abzutauchen.

Nun spürte er einen leichten Schmerz an den Ellbogen. Er veränderte seine Lage ein wenig und drehte den Kopf in die andere Richtung. Er sah die Kirche so, wie eine Maus sie sehen musste. Oder ein Käfer. Er hob den Blick zur Decke, ohne den Kopf zu bewegen, und hatte das Gefühl, er läge am Grund der Erde und sähe empor. »Ich krieche um den Leitergrund« – hatte Yeats es nicht so ausgedrückt? Er hatte hier viel Zeit mit Lesen verbracht, besonders mit Gedichten, er hatte sich einfach der Reihe nach durch die Bände in der Bibliothek gearbeitet. Yeats war sein Lieblingsdichter.

Hier unten auf dem Boden fühlte er, wie unbedeutend er

eigentlich war, und ihm kam der Gedanke, dass alle Menschen, die sich selbst zu wichtig nahmen, Kongressabgeordnete, die Schranzen im Vatikan oder auch Mitarbeiter der Post, ruhig einmal eine Zeit lang hier liegen sollten.

Bevor er ins Kloster gekommen war, hatte auch er sich für außerordentlich wichtig gehalten, das musste er ehrlicherweise zugeben. Die Fälle, die er verfochten hatte, – viele davon von großer Tragweite – hatten ihn oft auf die Titelseiten der landesweiten Tageszeitungen gebracht, und manchmal dachte er auch heute noch mit Wehmut an dieses Leben. Er erinnerte sich an einen Fall, bei dem er einen großen Konzern daran gehindert hatte, Klärschlamm aus New York in North Carolina abzulagern, sein Sieg hatte ihm einen Artikel in der *New York Times* eingebracht, und dann erst all die Fernsehinterviews, die er hatte geben müssen! Er hatte sich in seinem Ruhm gesonnt.

An dem Tag, als er sich hierher aufgemacht hatte, auf der Fähre, war ihm der Gedanke an den mythischen Fluss Styx gekommen und an den Fährmann, der die Verstorbenen an ihre letzte Heimstatt bringt. Er hatte sich vorgestellt, wie er sein altes Leben hinter sich lassen und am Ufer eines neuen ankommen würde, eines Lebens, das dort jenseits des Wassers auf ihn wartete, verborgen vor der Welt. Es war albern und melodramatisch gewesen, aber ihm hatte der Vergleich gefallen. Dann hatte er feststellen müssen, dass es gar nicht so sehr das Wasser war, sondern dass es die Bäume waren, die den größten Eindruck auf ihn machten, mit ihren vom Meereswind zu sonderbaren Spiralen gewundenen und verdrehten Zweigen. Als er die Bäume gesehen hatte, hatte er die Insel verstanden. Dies war ein Ort, an dem das Leben hart war. Wo man Durchhaltevermögen brauchte.

Den Namen Bruder Thomas hatte er natürlich angenommen, weil er zweifelte. Es war zwar eigentlich fast zu klischeehaft, aber er hatte es trotzdem getan. Denn er zweifelte an Gott. Vielleicht würde er feststellen müssen, dass es niemals einen Gott gegeben hatte. Oder er würde seinen Gott verlieren, einen anderen aber finden. Er wusste es nicht. Er fühlte die Gegenwart Gottes so, wie die alten arthritischen Mönche in ihren Knochen fühlen konnten, wenn es Regen gab. Es war eine unbestimmte Ahnung, nichts weiter.

Auf die erste Seite seines Notizbuchs hatte er »Weltliches Tagebuch« geschrieben, zu Ehren von Thomas Merton, dem Mönch, der ein Buch mit diesem Titel geschrieben hatte. Er hatte den Abt zu seiner Verteidigung auf diesen Umstand aufmerksam gemacht, aber geholfen hatte es ihm nicht. Wenn man ungestraft ketzerische Ideen behaupten will, muss man wohl schon so lange tot sein, dass sich die Nachwelt über die angebliche Häresie beruhigen und die Schriften dann wiederentdecken kann.

Er versuchte, sich an die größten Verfehlungen in seinem eigenen Büchlein zu erinnern. Das mussten all die Fragen sein, die ihn nachts oft wach hielten. Häufig saß er bei offenem Fenster und lauschte dem durchdringenden Klang der Heulbojen draußen in der Bucht, und dann schrieb er alles auf, was ihn bedrängte. Die Frage nach dem Ursprung des Bösen, ob es ohne Gottes Billigung überhaupt existieren könnte, Nietzsches These, Gott sei tot, selbst Theorien, dass Gott kein himmlisches Wesen sei, sondern lediglich ein leitender Aspekt in der Persönlichkeit des Menschen.

Bei dem Gedanken, dass der Abt dies alles gelesen hatte, überkam ihn Bestürzung. Am liebsten hätte er sich auf der Stelle erhoben und den Abt aufgesucht. Aber was hätte er ihm sagen können?

Draußen kam Wind auf, er wehte von der Bucht herüber und rauschte über das Dach. Thomas stellte sich vor, wie er das Meer aufwühlte. Die Klosterglocke läutete, sie rief die

Mönche zur Nachtruhe, sagte ihnen, dass das Silentium nun begann, und er fragte sich, ob sie ihn vergessen hatten.

Schatten hatten sich in die Kirche geschlichen, die langen Schlitze matten Glases in den Fenstern leuchteten nicht mehr. Seine Gedanken schweiften in die Kapelle hinter dem Chor, dort, wo der Stuhl der Meerjungfrau auf einem mit Teppich überzogenen Podium stand. Er ging gerne dorthin und setzte sich in den Stuhl, wenn keine Touristen da waren. Er hatte sich immer gefragt, warum die Lokalheilige in ihrer Gestalt als Meerjungfrau in den Stuhl geschnitzt worden war, und noch dazu als *halb nackte* Meerjungfrau. Er hatte ganz und gar nichts gegen diese Darstellung; sie gefiel ihm sogar sehr. Es war nur so völlig gegen die Sitten eines Benediktinerordens, Brüste derart zu betonen.

Von dem Moment an, als er den Stuhl der Meerjungfrau zum ersten Mal gesehen hatte, hatte er Senara geliebt, nicht nur wegen ihrer mythischen Zugehörigkeit zum Meer, sondern dafür, dass sie angeblich die Gebete der Bewohner von Egret Island erhörte und sie vor allerlei Unhill bewahrte, vor Hurrikans, aber auch vor Golfplätzen.

Anfangs hatte er jedes Mal, wenn er sich in den Stuhl setzte, an seine Frau denken müssen und daran, wie sie sich geliebt hatten. Jetzt vergingen manchmal Wochen, ohne dass er an sie denken musste. Wenn er sich jetzt bisweilen vorstellte, wie es wäre, mit einer Frau zu schlafen, dann ging es einfach nur um eine Frau, irgendein weibliches Wesen, nicht um Linda.

Damals, als er als Novize ins Kloster gekommen war, war es ihm gar nicht schwer gefallen, auf Sex zu verzichten. Er hatte sich damals ohnehin nicht vorstellen können, wie er jemals eine andere Frau als Linda körperlich lieben könnte. Ihr Haar, das über das Kissen fiel, ihr Geruch – all das gab es nicht mehr. Sex gab es nicht mehr. Er hatte all das hinter sich gelassen.

Er spürte, wie sich sein Unterleib zusammenzog. Wie dumm war es gewesen zu glauben, der Wunsch nach Sex hätte ihn für immer verlassen! Manche Dinge sinken hinab, so wie die kleinen Gewichte, die die Mönche an ihren Netzen befestigten, aber sie bleiben nicht für immer dort. Alles, was in die Tiefe sinkt, kommt auch wieder hoch. Er musste über den Kalauer, den er gerade in aller Unschuld gemacht hatte, fast lachen.

In den letzten Monaten hatte er viel zu viel an Sex denken müssen. Ohne Sex zu leben war zu einem echten Opfer geworden, aber trotzdem gab es ihm nicht das Gefühl, dafür etwas Heiliges zu erringen, und er fühlte sich eigentlich nur wie ein ganz gewöhnlicher Mönch, der sich am Gebot des Zölibats aufreibt. Im Juni würde er sein ewiges Gelübde ablegen. Und damit wäre das dann auch erledigt.

Als er endlich Schritte hörte, schloss er die Augen und öffnete sie erst wieder, als Stille einkehrte. Er sah zwei Schuhspitzen, Reeboks, und den Saum eines Habits, der darauf auflag.

Der Abt sprach mit seinem schweren, irischen Akzent, der sich im Laufe all der Jahre nicht auch nur im mindesten abgeschliffen hatte. »Ich hoffe, dies war dir eine fruchtbringende Zeit, mein Sohn.«

»Ja, Ehrwürdiger Vater.«

»Nicht zu hart?«

»Nein, Ehrwürdiger Vater.«

Thomas wusste nicht, wie alt der Ehrwürdige Abt Antonius war, aber als er nun auf Thomas hinunterschaute, sah er sehr alt aus, seine Haut hing wie Kräuselkrepp von Kinn und Wangen. Manchmal sprach er von Dingen, die aus einer anderen, zeitlosen und fernen Welt zu kommen schienen. Einmal hatte er gesagt: »Es begab sich zu jener Zeit, als der Heilige Patrick aus Irland die Schlangen austrieb, dass er all die alten, heidnischen Frauen in Meerjungfrauen verwandelte.« Thomas hatte das erstaunlich gefunden – und ein wenig sonderlich. Glaubte der Abt so etwas wirklich?

»Geh nun zu Bett«, sagte Abt Antonius.

Thomas erhob sich vom Boden und ging hinaus in die vom Wind gerüttelte Nacht. Er zog sich seine Kapuze über den Kopf und ging den Kreuzgang entlang, in Richtung der kleinen Cottages, die unter den gewundenen Eichen nahe des Marschlands verstreut lagen.

Er folgte dem Pfad zu dem Cottage, das er sich mit Bruder Dominikus teilte. Dominikus war der Bibliothekar der Abtei und auch der Spaßmacher des Klosters. »Jeder Hof braucht einen Narren«, sagte Dominikus gerne. Er hatte Ambitionen zur Schriftstellerei und hielt Thomas nachts häufig mit seinem Geklapper auf der Schreibmaschine wach. Thomas hatte keine Vorstellung, woran Dominikus arbeitete, drüben auf der anderen Seite des Cottage, aber er war sich ziemlich sicher, es müsse ein Kriminalroman sein – um einen irischen Abt, der eines Tages tot im Refektorium aufgefunden wird, erdrosselt mit seinem eigenen Rosenkranz. So etwas in der Art.

Der Pfad war mit Zementplatten belegt, auf denen die einzelnen Stationen des Kreuzwegs geschrieben standen. Thomas bewegte sich entlang der Platten durch kleine Nebelfetzen, die der Wind vom Meer herübergetragen hatte, und dachte daran, wie Dominikus einmal kleine, lachende Gesichter auf die Steine gemalt hatte. Natürlich hatte ihn der Ehrwürdige Abt die Platten augenblicklich sauber scheuern lassen, und das Chorgestühl gleich mit, während sich alle anderen im Fernsehen *Meine Lieder – Meine Träume* anschauen durften. Warum konnte *er* denn nicht einmal wegen etwas in Schwierigkeiten geraten, das mehr der Art von Dominikus entsprach, wegen etwas Albernem und Leichtherzigem? Warum musste es bei ihm dieser existenzialistische Mist sein, den er in sein Büchlein schrieb?

Eine Zeit lang hatte er geglaubt, er würde wegen der Baseballkarte Schwierigkeiten bekommen, die er in seinem Gebetbuch als Lesezeichen benutzte, aber das schien niemanden zu stören, nicht einmal den Abt. Es hatte Thomas überrascht, wie sehr er einfache Dinge wie Baseball vermisste. Einmal hatte er ein Spiel im Fernsehen ansehen dürfen, aber es war nicht das Gleiche. Dale Murphy hatte im vergangenen Jahr vierundvierzig Home Runs gehabt, und er hatte nur einen einzigen davon gesehen.

Linda hatte ihm die Karte zu Weihnachten geschenkt, es war ihr letztes gemeinsames Weihnachten gewesen. Eddie Matthews, 1953 – sie musste ein Vermögen dafür bezahlt haben.

Er beneidete Dominikus, der mindestens achtzig Jahre alt sein musste und der überall mit diesem zerfransten Strohhut herumlief, außer natürlich in der Kirche. Er war es auch gewesen, der den Abt dazu gebracht hatte, einen Fernseher im Musikzimmer aufzustellen. Einmal hatte Dominikus nachts an Thomas' Tür geklopft, nach dem Silentium. Er hatte versucht, ihn dazu zu überreden, mit ihm hinüberzuschleichen und sich eine Sendung anzuschauen, in der es um Fotoaufnahmen für eine Sportzeitschrift gehen sollte – für die Bademoden-Ausgabe. Thomas war nicht mitgegangen. Er bedauerte es bis heute.

Er war schon fast an seinem Cottage, als er abrupt stehen blieb, weil er glaubte, eine Stimme gehört zu haben, die Stimme einer Frau, die in der Ferne rief. Er blickte gen Osten in Richtung der Vogelkolonie, sein Habit flatterte im Wind.

Ein Ziegenmelker sang. Hepzibah Postell, die Gullah-Frau, die auf der Insel lebte und sich um den Sklavenfriedhof kümmerte, hatte ihm einmal gesagt, dass die Ziegenmelker die Seelen der Geliebten wären, die in den Himmel auffahren. Natürlich hatte er das nicht geglaubt, und er war sich ziemlich sicher, sie selber tat das auch nicht, aber ihm gefiel der Gedanke, dass Linda dort draußen sang. Dass es ihre Stimme war, die dort in der Ferne rief.

Thomas stellte sich seine Frau, oder war es einfach nur irgendeine Frau?, in einem Badeanzug vor. Er stellte sich ihren Schenkel vor, die Stelle gleich über dem Knie, die weiche Haut. Und er stellte sich vor, wie er sie dort küsste.

Es war Silentium, und er stand neben einem vom Wind gebeugten Baum und dachte daran, wie es wäre, sich wieder ins Leben zu stürzen. Dann hörte er es erneut, eine Frauenstimme. Nicht der Gesang eines Vogels oder das Seufzen des Windes, eine Frau.

KAPITEL 7

Der Geruch von Okra hing in grünen, taudicken Schwaden im Haus, und ich hatte das Gefühl, ich könnte mich daran bis in die Küche schwingen. Ich stellte meinen Koffer auf den beigefarbenen Teppich und ging den Flur hinunter zu Mutters Zimmer. »Mutter? Ich bin's, Jessie«, rief ich, und meine Stimme klang heiser und müde.

Sie lag nicht in ihrem Bett. Die Decke war zurückgeschlagen, und die weißen Laken waren zu einem wirren Durcheinander verknäuelt, als ob eine Horde wilder Kinder im Bett auf- und abgesprungen wäre.

Die Badezimmertür war geschlossen, fluoreszierendes Licht drang unter der Tür hindurch. Ich wartete darauf, dass sie herauskommen würde, und streckte meine schmerzenden Schultern und meinen Rücken. Ein Paar ausgetretener Frottee-Hausschuhe lag achtlos weggeworfen auf dem Teppich, der genauso beige war wie sein Gegenstück im Wohnzimmer. Teppiche, die nicht beige waren, mochte Mutter nicht. Das gleiche galt für Wände oder Vorhänge, wenn sie eine andere Farbe als Weiß, Creme oder Ecru hatten. Außen am Haus konnte sie durchaus mit grüner Farbe leben, aber im Innern musste alles mehr oder weniger in der Farbe von Leitungswasser gehalten sein. Ein Ton, so fade wie ihr Leben.

Ich betrachtete den altmodischen Frisiertisch und den Rock, der zusammengefaltet darauf lag – war er beige, oder war er einmal weiß gewesen und im Laufe der Jahre verschossen? In der Mitte des Tischs stand Mutters Madonna, die ein feistes Jesuskind auf ihrer Hüfte abstützte und dreinschaute, als litte sie an postnatalen Depressionen. Daneben stand eine Fotografie von meinem Vater auf seinem Boot. Das Wasser war marineblau und umwogte sein Boot auf ewig.

Mir fiel gar nicht weiter auf, wie ruhig sich Mutter hinter der Badezimmertür verhielt. Ich war vollkommen von den Gefühlen überwältigt, die dieses Zimmer, durch das ich wieder in ihr Leben watete, in mir auslöste, und von meinen Bemühungen, nicht in den Widersprüchen unterzugehen, die sie immer schon in mir hervorgerufen hatte: ein Zwiespalt aus inniger Zuneigung und heftiger Abneigung. Ich blickte auf dem Nachttisch umher: ihr alter Rosenkranz aus rosa Perlen, zwei Arzneifläschchen, eine Rolle Mullbinden, Pflaster, Schere, eine Digitaluhr. Ich suchte nach dem Mayonnaiseglas. Es schien nirgendwo zu stehen.

»Mutter?«

Ich klopfte an die Badezimmertür. Als Antwort erhielt ich nur Schweigen, und dann spürte ich einen Schwall klebriger Angst. Ich drehte den Türknauf und ging hinein. Nichts, nur das kleine Badezimmer. Es war vollkommen leer.

Ich ging in die Küche – die so unverändert war, als wäre die Zeit stehen geblieben. Es war, als würde man in die fünfziger Jahre zurückversetzt. Noch immer derselbe Dosenöffner an der Wand, die Dosen mit dem Hahnenmotiv, ein kupferner Teekessel, ein Brotkasten aus Blech, schmuddelige Teelöffel in einem hölzernen Gestell. Die Wanduhr neben dem Kühlschrank hatte die Gestalt einer schwarzen Katze mit einem schwingenden Schwanz-Pendel. Der unsterbliche Felix. Ich hatte erwartet, dass Mutter an ihrem Esstisch sitzen würde, mit einem Teller Okra-Eintopf vor sich, aber auch dieser Raum war leer.

Ich stürzte ins Esszimmer, sah in den beiden übrigen Schlafzimmern nach – die ehemaligen Kinderzimmer von Mike und mir. Sie musste doch hier gewesen sein, als Hepzibah im Haus gewesen war – das war doch erst zehn Minuten her? Ich ging zurück in die Küche und suchte nach Hepzibahs Nummer, aber als ich nach dem Telefon griff, sah ich, dass die Hintertür nur angelehnt war.

Ich nahm mir eine Taschenlampe, ging die Hintertreppe hinunter und leuchtete durch den Garten. Der Gürtel von Mutters blauem Bademantel lag zusammengerollt auf der unteren Stufe. Ich hob ihn auf. Der Wind hatte zugenommen. Er riss mir den Gürtel aus der Hand. Ich sah zu, wie er schlängelnd in der Dunkelheit verschwand.

Wo konnte sie bloß hingegangen sein?

Mir fiel ein, wie Dee mir als Fünfjährige einmal im Einkaufszentrum entwischt war. Eine unglaubliche Panik hatte mich damals befallen, gefolgt von einer fast übernatürlichen Ruhe, durch die hindurch mir eine Stimme in meinem Innern gesagt hatte, die einzige Möglichkeit, Dee zu finden, bestünde darin, wie Dee zu denken. Ich hatte mich auf eine Bank gesetzt und wie Dee gedacht, und dann war ich schnurstracks in den Kinderschuhladen gegangen, wo ich sie tatsächlich bei den Tennisschuhen mit Sesamstraßenmotiven entdeckt hatte – sie war gerade dabei gewesen, sich Ernie und Bert an ihre kleinen Füße zu stecken. Wo also war Mutter? Es gab nur eins, das Mutter so sehr liebte, wie Dee damals Ernie und Bert geliebt hatte.

Der Weg, der zum Kloster führte, begann am hinteren Ende des Gartens. Es war kein langer Weg, aber er wand sich durch wuchernde Wachsmyrte, Lorbeer und Ranken von Kratzbeeren. Die Mönche hatten für meine Mutter eine große Öffnung in die Klostermauer geschlagen, damit sie nicht den weiten Weg zum Haupteingang gehen musste, wenn sie zu ihnen kam, um zu kochen. Der Durchgang hieß

bei ihnen »Nelles Pforte«. Das fand Mutter natürlich großartig. Sie hatte es mir bestimmt schon fünfzigmal erzählt.

Als ich durch die Pforte trat, rief ich nach ihr. Ich hörte
ein Tier im Gebüsch rascheln, dann einen Ziegenmelker,
und als der Wind einen Augenblick lang nachließ, das entfernte Rauschen und Tosen des Meeres, den ewigen Rhythmus der See.

Ich folgte Mutters Trampelpfad zum Hauptweg, der zwischen dem Kloster und den Wohnhäusern der Mönche hin-
durchführte. Ich blieb ein- oder zweimal kurz stehen, um
nach ihr zu rufen, aber der Wind trug meine Stimme zu mir
zurück. Der Mond war aufgegangen. Er hing tief über dem
Marschland, ein wunderlicher Kreis aus milchigem Licht.

Als ich die rückwärtige Mauer der Klosterenklave sah,
schaltete ich die Lampe aus und rannte los. Alles glitt an
mir vorbei – die kleinen Platten mit den Stationen des
Kreuzwegs, die Nebelfetzen, der Seewind, der holperige
Boden. Ich fegte vorbei an dem verputzten Haus mit der In-
schrift FORTUNA, MARIA, RETIA NOSTRA, in dem die Mönche ihre Netze machten.

Die Statue der Heiligen Senara befand sich in einem um-
mauerten Garten gleich neben der Kirche. Ich trat durch
das Tor in einen lichten Hain aus Rosenbüschen, die ihre
nackten Glieder von sich streckten und Schatten an die
gegenüberliegende Wand warfen, die wie vielarmige Ker-
zenleuchter aussahen. Die Mönche hatten den Garten so
angelegt, dass die Statue in seiner Mitte prangte, während
sechs gleichmäßig voneinander entfernte Wege zu ihr führten. Sie sah aus wie die Nabe eines prachtvollen Blumenra-
des.

Ich hatte als Kind oft hier gespielt. Während Mutter in
der Klosterküche schuftete, war ich hierher gekommen und
hatte Dutzende von Rosen abgepflückt und mit ihren Blü-
tenblättern einen Korb aus Süßgras gefüllt – ein wahres

Potpourri an Farben. Ich hatte die Blüten für meine geheimen Zeremonien gebraucht, bei denen ich sie auf das Marschland hinter der Kirche streute, um die Stümpfe ehrwürdiger, bärtiger Eichen herum und auf den Sitz des Stuhls der Meerjungfrau. Aus irgendeinem Grund war dies für mich der Ort gewesen, den ich immer am meisten ehren wollte. Ich hatte Beerdigung gespielt, es war ein düster-feierliches Spiel, in das ich mich versenkt hatte, nachdem mein Vater gestorben war. Die Blütenblätter waren seine Asche, und ich hatte damals gedacht, ich würde ihm auf diese Weise Lebewohl sagen, aber vielleicht hatte ich ja auch genau das Gegenteil davon getan – vielleicht hatte ich ja versucht, ihn mit meinem Spiel an den verborgensten Orten zu verstecken, die ich kannte. Noch nach Wochen hatte ich manchmal irgendwo Rosenblätter gefunden, braune, getrocknete Blütensplitter.

Die Nacht kam mir nun fahler vor, als ob der Wind die Dunkelheit mit sich fortgetragen hätte. Ich blieb stehen und ließ meine Augen über die Rosenbüsche wandern, entlang den Pfaden, die vom Mondlicht gepflügt wurden. Nirgendwo eine Spur von meiner Mutter.

Ich wünschte mir, ich hätte Hepzibah und Kat angerufen, anstatt hier hinauszustürmen und kostbare Zeit zu verschwenden. Aber ich war mir so sicher gewesen, dass sie hier sein würde, viel sicherer noch als damals bei Dee. Mutter hatte sich zur Hüterin der Statue ernannt, ungefähr zur gleichen Zeit, als sie auch angefangen hatte, in der Klosterküche zu arbeiten. Oft kam sie mit einem Eimer Seifenwasser her, um Vogeldreck von der Statue abzuwaschen, und viermal im Jahr rieb sie Senara mit einer Paste ein, die nach Orangenschale und Limonen roch. Anstatt in die Kirche zu gehen und mit Gott Zwiesprache zu halten, kam Mutter hierher, um Senara ihr Herz auszuschütten und die vielen Qualen ihres Lebens abzuladen. Senara spielte in der strengen Hierarchie der Heiligen eigentlich überhaupt keine Rolle, aber Mutter glaubte fest an sie.

Leidenschaftlich gerne erzählte sie die Geschichte von meiner Geburt als Beweis für Senaras Macht, denn ich hatte verkehrt herum gelegen und war während der Geburt stecken geblieben. Mutter hatte zu Senara gebetet, die mich auf der Stelle umgedreht hatte, so dass ich dann Kopf voran in die Welt gepurzelt war.

Hier draußen in der Mitte des Gartens wirkte die Statue wie ein Staubgefäß, das aus dem Innern einer riesigen Blüte hervorragt, die der Winter getötet hat. Mir wurde bewusst, dass Senara auf die gleiche Weise über meine Kindheit geragt hatte, ihr Schatten hatte über der Leere gelegen, die mein Leben ausgehöhlt hatte, seit ich neun Jahre geworden war.

Die schlimmste Strafe, die Mike und ich je von Mutter erfahren hatten, hatten wir bekommen, weil wir der Statue einen Bikini, eine Sonnenbrille und eine blonde Perücke angezogen hatten. Wir hatten das Bikinihöschen in zwei Hälften geschnitten und um Senaras Hüften herum wieder zusammengesteckt. Sogar einige der Mönche hatten diesen Aufzug zum Lachen gefunden, aber Mutter hatte wegen so viel Respektlosigkeit getobt und uns zur Strafe fünfhundert Mal am Tag das *Agnus Dei* schreiben lassen, eine ganze Woche lang: *Lamm Gottes, du nimmst hinweg die Sünde der Welt, erbarme dich unser.* Aber anstatt Reue zu empfinden, war ich eher verwirrt gewesen, denn ich hatte das Gefühl gehabt, Senara zwar irgendwie schon Unrecht getan, sie aber gleichzeitig auch befreit zu haben.

Als ich am Rand des Gartens stand und mich fragte, was ich bloß tun sollte, da Mutter offensichtlich nicht hier war, hörte ich ein leises, scharrendes Geräusch, das ganz aus der Nähe der Statue kam, als ob ein kleiner Vogel auf der Suche nach Gewürm und Insekten den Boden aufkratzen würde.

Ich trat um die Statue herum, und da saß Mutter auf dem Boden, neben ihr stand das Mayonnaiseglas, ihr weißes Haar leuchtete wie Neon in der Dunkelheit.

Sie trug ihren blauen Regenmantel über einem langen Bademantel aus Chenille und saß mit weit von sich gestreckten Beinen da, wie ein Kind, das im Sandkasten spielt. Mit der linken Hand grub sie in der Erde. Sie benutzte dabei etwas, das wie eine Suppenkelle aussah. Der Verband an ihrer rechten Hand war so groß wie ein Baseballhandschuh für Kinder und völlig verdreckt.

Sie sah mich nicht, sie war vollkommen in ihre sonderbare Tätigkeit vertieft. Ich starrte ihre Silhouette mehrere Sekunden lang an, und meine Erleichterung darüber, dass ich sie gefunden hatte, verwandelte sich in ein neues Entsetzen. Ich sagte:»Mutter, ich bin's, Jessie.«

Sie fuhr zusammen, die Kelle fiel ihr in den Schoß. »Jesus, Maria und Josef!«, schrie sie. »Du hast mich zu Tode erschreckt! Was machst du hier?«

Ich setzte mich neben sie auf die Erde. »Dich suchen«, antwortete ich und versuchte, so normal und entspannt wie möglich zu klingen. Ich versuchte sogar, mir ein Lächeln abzuringen.

»Na, jetzt hast du mich ja gefunden«, erwiderte sie, nahm die Kelle wieder in die Hand und grub weiter an dem kleinen Mäuseloch, das sie am Fuß der Statue angelegt hatte.

»Schön, jetzt wissen wir, was *ich* hier mache. Aber was machst *du* hier?«, fragte ich.

»Geht dich eigentlich nichts an.«

Als ich Dee damals in dem Schuhgeschäft gefunden hatte, war ich auf sie zugestürzt und hatte sie bei den Schultern gepackt, ich hatte den ganz dringenden Wunsch verspürt, sie anzuschreien, weil sie mir solche Angst gemacht hatte. Der gleiche, irrationale Ärger flammte jetzt in mir auf. Ich wollte meine Mutter schütteln, bis ihr sämtliche Zähne ausfielen.

»Wie kannst du so was sagen?«, hielt ich ihr entgegen. »Hepzibah muss dir doch erzählt haben, dass ich hier bin, und du bist verschwunden, noch bevor ich auch nur einen Fuß ins Haus setzen konnte. *Du* hast auch *mich* zu Tode erschreckt.«

Das da. Was war *das*? Ich machte die Taschenlampe wieder an und leuchtete auf das Mayonnaiseglas. Darin lag ihr Finger. Er sah ganz sauber aus, der Nagel schien vor kurzem erst gefeilt worden zu sein. Als ich das Glas auf Augenhöhe hielt, konnte ich den schrumpeligen Hautrand und ein Stück Knochen sehen, dort, wo das Messer eingedrungen war.

In mir stieg wieder Übelkeit auf, ähnlich dem Gefühl vom frühen Morgen. Ich schloss die Augen und sagte kein Wort, Mutter kratzte weiter seelenruhig auf dem Boden herum. Schließlich sagte ich: »Ich weiß ja nicht, was du hier tust, aber du bist nicht gut drauf, und du solltest jetzt aufstehen und mit mir zusammen nach Hause gehen.«

Plötzlich fühlte ich mich vor Erschöpfung ganz matt.

»Was soll das heißen, ich bin nicht gut drauf?«, fragte sie. »Mir geht es hervorragend.«

»Ach, *wirklich?* Seit wann geht es jemandem, der sich absichtlich einen Finger abschneidet, hervorragend?«, seufzte ich. »*Allmächtiger!*«

Sie fuhr herum. »Warum siehst du nicht nach jemandem, den du *kennst*?«, fragte sie mich in einem schneidend scharfen Ton. »Niemand hat dich gebeten zurückzukommen.«

»Kat hat mich darum gebeten.«

»Die soll lieber ihren eigenen Laden in Ordnung halten.«

Ich schnaubte. »Na, jetzt hat sie ja reichlich Gelegenheit dazu.«

Ich hörte, wie ein Lachen in ihrer Kehle aufstieg, ein seltener, schmelzender Klang, den ich so lange nicht gehört hatte, und er nahm mir völlig den Wind aus den Segeln.

Ich rutschte zu ihr hinüber, bis sich unsere Schultern berührten, und legte meine Hand auf ihre, in der sie noch immer die Kelle hielt. Ich dachte, sie würde ihre Hand sicher wegziehen, aber das tat sie nicht. Ich spürte die dünnen Knöchelchen ihrer Hand, das zarte Gitterwerk der Adern. »Es tut mir leid. Wegen allem«, sagte ich. »Wirklich.«

Sie drehte sich zu mir und sah mich an, und ich sah, dass ihre Augen wie kleine Spiegel glänzten. Sie war die Tochter, ich die Mutter. Wir hatten die natürliche Ordnung der Dinge verkehrt, und ich würde es nicht mehr richten, nicht mehr rückgängig machen können. Der Gedanke traf mich wie ein Schwert.

Ich sagte: »Erzähl es mir. Hörst du? Sag mir, warum du dir das angetan hast.«

Sie sagte: »Joe – dein Vater«, und dann fiel plötzlich ihr Kiefer hinunter, als wäre sein Name zu schwer für ihren Mund. Sie sah mich an und versuchte es noch einmal. »Pater Dominikus ...«, sagte sie, aber ihre Stimme versagte.

»Was? Was ist mit Pater Dominikus?«

»Nichts«, sie weigerte sich weiterzusprechen. Ich konnte mir nicht vorstellen, warum ihr solche Angst in den Knochen steckte, oder auch, was ausgerechnet Pater Dominikus damit zu tun haben könnte.

»Ich habe heute kein Aschekreuz bekommen«, sagte sie, und mir fiel auf, ich auch nicht. Es war das erste Mal seit dem Tod meines Vaters, dass ich den Gottesdienst zu Aschermittwoch versäumt hatte.

Sie nahm die Kelle wieder in die Hand und schabte damit über den Boden. »Die Erde ist zu hart.«

»Versuchst du, deinen Finger zu begraben?«, fragte ich.

»Ich möchte ihn bloß in ein Loch legen und mit Erde bedecken.«

Jessie, wenn deine Mutter sagt, Fische können fliegen, nick einfach und sag, ›Klar doch, Fische können fliegen‹.

Ich nahm ihr das kleine Schäufelchen ab. »Na, dann los.«

Ich vergrößerte die kleine Öffnung, die sie am Fuß der Statue gegraben hatte, bis das Loch etwa fünfzehn Zentimeter tief war. Sie schraubte den Deckel auf und holte ihren Finger heraus. Sie hielt ihn hoch, und wir beide starrten ihn an. Mutter mit einer Miene düsterer Ehrerweisung, ich fügsam, beinahe taub.

Wir beerdigen Mutters Finger, schoss es mir durch den Kopf. *Wir sind hier draußen im Garten des Klosters und begraben einen Finger, und es hat etwas mit meinem Vater zu tun. Und mit Pater Dominikus.* Wir hätten die Fingerspitze anzünden und den Finger wie eine dünne Kerze abbrennen können, es wäre mir wohl kaum merkwürdiger vorgekommen.

Als Mutter den Finger in das Erdloch legte, drehte sie ihn mit dem Knöchel nach oben und fuhr mit den Fingern ihrer gesunden Hand der Länge nach darüber, ehe sie ihn mit Erde bedeckte. Ich sah zu, wie der Finger verschwand, und in meinem Kopf tauchte das Bild von einem kleinen Mund auf, der sich öffnet und der den Teil von meiner Mutter schluckt, den sie nicht länger ertragen konnte.

Der Boden war übersät von getrockneten Rosenblättern, als ob rote Flammen von ihren Kerzen gefallen wären. Ich schabte eine Hand voll zusammen. »Gedenke Mensch, dass du aus Staub bist und zum Staub wirst du zurückkehren« sagte ich und drückte meiner Mutter ein Blütenblatt auf die Stirn, dann mir. »So, jetzt hast du dein Aschekreuz.«

Mutter lächelte mich an.

Der Garten wurde plötzlich ganz still und ruhig, trotzdem hatten wir ihn beide nicht bemerkt. Wir hörten ihn erst, als er schon fast neben uns stand. Mutter und ich blickten im gleichen Moment auf und sahen, wie er hinter der Statue hervortrat, er löste sich in seinem langen Habit aus den Schatten, und sein Gesicht strahlte in der hellen Nacht.

KAPITEL 8

Ich stand auf, während Mutter einfach auf dem Boden sitzen blieb. Der Mönch sah zu ihr hinunter. Er musste mindestens einen Meter fünfundachtzig oder sogar neunzig groß sein und war schlank und drahtig wie ein Athlet, ein Schwimmer oder Langstreckenläufer.

»Nelle?«, sagte er. »Ist alles in Ordnung?«

Er fragte nicht, was wir dort machten, dort unten auf dem Boden, mit einer Suppenkelle, einem leeren Mayonnaiseglas und einem Haufen frischer Erde.

»Alles bestens«, antwortete Mutter ihm. »Ich bin nur gekommen, um die Statue zu sehen, sonst nichts.«

Er schlug die Kapuze zurück und lächelte sie an, mit einem ehrlichen, einem wundervoll ansteckenden Lächeln. Sein Haar war dunkel und makellos kurz geschnitten.

Er sah auf Mutters bandagierten Arm. »Das mit deiner Verletzung tut mir sehr leid. Wir haben dich bei der Messe in unsere Gebete eingeschlossen.«

Er wandte sich zu mir, und wir starrten einander ein paar Sekunden lang an. In dem klaren Mondlicht konnte ich erkennen, dass seine Augen hellblau waren und sein Gesicht von der Sonne gebräunt. An ihm war etwas unwiderstehlich Jungenhaftes, aber ich spürte, dass ihn eine Aura von schwermütigem Ernst und leidenschaftlicher Gefühlstiefe umgab.

»Bruder Thomas«, sagte er und lächelte wieder, und ich spürte einen seltsamen Stich in der Brust.

»Ich bin Nelles Tochter«, erwiderte ich. »Jessie Sullivan.«

Später bin ich diese Begegnung in Gedanken immer wieder durchgegangen. Ich meinte mich zu erinnern, dass sich in dem Moment, als ich ihn zum ersten Mal gesehen hatte, die kleinen, dunklen Dochte in meinen Körperzellen in dem instinktiven Wissen aufgerichtet hatten, dass *er* da war – derjenige, auf den man ein Leben lang gewartet hat, derjenige, der einen entzünden würde, aber heute bin ich mir nicht mehr sicher, ob das wirklich so war oder ob ich es mir nur lange genug eingeredet habe. Ich weiß, dass ich unsere erste Begegnung in meiner Fantasie viel zu sehr ausgeschmückt habe. Aber den Stich in meiner Brust, den habe ich gespürt. Ich habe ihn angesehen, und etwas ist geschehen.

Mutter versuchte aufzustehen, und er bot ihr seine Hand, zog sie hoch und ließ nicht los, bis sie sicher auf den Füßen stand.

»Wer kocht denn jetzt euer Essen?«, fragte sie ihn.

»Bruder Timotheus.«

»Oh, nein, doch nicht der!«, rief sie entsetzt aus. »Er ist ja bestimmt ganz brauchbar beim Küchendienst, und er deckt die Tische wirklich sehr ordentlich und gießt auch die Milch immer sauber ein, aber kochen kann er wirklich nicht.«

»Natürlich nicht«, meinte Thomas. »Deshalb hat ihn der Abt ja auch ausgesucht. Heute hat er einen rätselhaften Eintopf gemacht. Damit ist uns der Beginn der Fastenzeit förmlich aufgetragen worden.«

Mutter gab ihm einen Knuff mit der gesunden Hand, und ich bekam eine Ahnung davon, wie viel sie den Mönchen wirklich bedeutete. Ich war überrascht. Ich hatte immer geglaubt, sie wäre das klebrig-anhängliche Klostermaskottchen, aber sie schien für die Mönche weitaus mehr zu sein.

»Mach dir keine Sorgen«, sagte sie. »In ein paar Tagen schwinge ich wieder für euch die Kochlöffel.«

»Nein, das wirst du ganz sicher nicht«, entgegnete ich, ein wenig zu abrupt. »Es kann Wochen dauern, bis deine Hand heilt.« Ihre Augen funkelten mich an.

Thomas seufzte: »Wochen! Bis dahin sind wir doch alle verhungert! Wir werden sicher geheiligt und geläutert sein, aber auch völlig ausgezehrt.«

»Ich werde Jessie mitnehmen«, sagte Mutter. »Sie kann mir ja beim Kochen helfen.«

»Nein, nein, du wartest schön, bis deine Hand richtig verheilt ist«, sagte er ihr. »Ich wollte dich ja bloß ein wenig aufziehen.«

»Wir müssen heim«, stammelte ich.

Ich folgte ihnen durch das schmiedeeiserne Tor, den Pfad hinunter zum Haus. Thomas führte Mutter am Ellbogen. Sie plauderte mit ihm. Ich hielt das Glas und die Kelle in der einen Hand und wies, die Taschenlampe in der anderen, den Weg.

Er kam die ganze Strecke mit uns, bis zu Nelles Pforte. Mutter blieb kurz stehen, bevor sie hindurchging. »Segne mich«, sagte sie.

Er sah unbehaglich aus, und ich dachte: *Ich habe noch nie einen Mönch gesehen, der sich in seinem Habit so unwohl fühlt.* Er hob die rechte Hand über ihren Kopf und machte unbeholfen das Kreuzzeichen in der Luft. Ihr schien es zu genügen, und sie huschte davon, durch den Garten zurück zum Haus.

Ich trat durch die Pforte und sah ihn von der anderen Seite der Mauer aus an. Sie war aus Ziegeln und reichte mir gerade bis zur Hüfte.

»Danke, dass Sie uns begleitet haben«, sagte ich. »Das wäre wirklich nicht nötig gewesen.«

Er lächelte wieder, und die Lachfalten um seinen Mund

vertieften sich. »Das war keine Mühe, das war mir ein Vergnügen.«

»Sie fragen sich sicher, was Mutter und ich da drüben gemacht haben.« Ich stellte das Glas und die dreckige Kelle auf der Mauer ab, dann legte ich die Taschenlampe hin, deren Lichtkegel in die Bäume schien. Ich weiß nicht, warum ich plötzlich das Gefühl hatte, ich müsste es ihm erklären, vermutlich war es reine Verlegenheit.

»Sie hat nicht nur die Heilige Senara besucht. Als ich sie gefunden habe, hat sie neben der Statue gekniet und versucht, ihren Finger zu begraben. Sie schien mir so besessen von der Idee, dass ich am Ende für sie das Loch gegraben habe. Ich weiß nicht, ob das wirklich so klug von mir war, ob ich nicht am Ende alles nur noch schlimmer gemacht habe.«

Er schüttelte sanft den Kopf. »Ich hätte an Ihrer Stelle vermutlich dasselbe getan. Meinen Sie, sie hat ihren Finger der Heiligen Senara darbringen wollen?«

»Um ehrlich zu sein, ich habe *keine Ahnung,* was im Kopf meiner Mutter vor sich geht.«

Sein Blick blieb einen Moment lang auf mir ruhen, der gleiche fesselnde Blick wie zuvor. »Wissen Sie, bei uns im Kloster meinen viele, wir hätten sehen müssen, dass etwas passieren würde. Wir haben Nelle doch jeden Tag um uns, und nicht einer von uns hat geahnt, dass sie so ...«

Ich dachte, er würde sagen, verrückt ist. Oder senil.

»Verzweifelt ist«, sagte er.

»›Verzweifelt‹ ist noch gelinde formuliert«, meinte ich zu ihm.

»Damit haben Sie wohl Recht. Na, jedenfalls, wir machen uns Vorwürfe.«

Zwischen uns entstand ein Moment des Schweigens, Kühle stieg um uns herum auf. Ich blickte zurück zum Haus. Gelbes Licht strömte aus den Fenstern und schwängerte die Luft. Mutter war schon die Hintertreppe hochgegangen und in der Küche verschwunden.

Ich wollte ganz und gar nicht ins Haus gehen. Ich lehnte den Kopf zurück und sah hinauf in den Himmel, in den milchigen Sternenschimmer, und hatte einen kurzen Augenblick lang das Gefühl zu schweben, meinem Leben davonzutreiben. Als ich wieder nach unten schaute, sah ich, dass seine starken, gebräunten Hände auf den Ziegeln lagen, ganz dicht neben meinen, und ich fragte mich, wie es wohl wäre, sie zu berühren.

»Hören Sie, wenn Sie irgendetwas brauchen, wenn ich irgendwie helfen kann, sagen Sie Bescheid«, sagte er.

»Sie sind ja nur einen Steinwurf weit entfernt«, antwortete ich und klopfte auf die Mauer.

Er lachte und zog sich die Kapuze wieder über den Kopf. Sein Gesicht verschwand in dem dunklen Futteral.

Ich sammelte meine Sachen von der Mauer auf, drehte mich schnell um und eilte über die Wiese. Ohne mich auch nur einmal umzusehen.

KAPITEL 9

Als ich am nächsten Morgen in meinem alten Kinderzimmer wach wurde, ging mir auf, dass ich von Bruder Thomas geträumt hatte.

Ich lag still da, während das Tageslicht allmählich mein Zimmer füllte, und sah es alles noch einmal vor mir: Wir treiben auf einem Floß auf dem Meer, wir liegen dicht beieinander. Ich trage einen Bikini, der dem, den Mike und ich vor all den Jahren der Heiligen Senara angezogen hatten, verdächtig ähnlich sieht. Bruder Thomas trägt seinen schwarzen Habit, die Kapuze über den Kopf gezogen. Er dreht sich zu mir, stützt sich auf den Ellbogen und sieht zu mir hinunter, sieht mir ins Gesicht. Das Wasser schaukelt uns in einem trägen Rhythmus, der mich einlullt, Pelikane tauchen und fangen Fische. Er schlägt die Kapuze zurück und lächelt auf die gleiche betörende Weise wie gestern im Garten. Dann berührt er meine Wange und sagt meinen Namen. *Jessie.* Seine Stimme ist tief und heiser, und ich spüre, wie sich mein Rücken wölbt. Seine Finger gleiten langsam unter mich und öffnen das Oberteil meines Bikinis. Sein Mund ist an meinem Ohr, ich spüre die Hitze seines Atems. Ich drehe mich zu ihm, um ihn zu küssen, aber dann ändert sich der Traum mit einer unberechenbaren Logik, und ich sitze plötzlich aufrecht auf dem Floß, von Panik ergriffen, von dem Gefühl durchdrungen, dass mir die Zeit entgleitet.

Um uns herum ist nichts als das unendlich wogende Meer, so weit ich sehen kann.

Ich erinnere mich selten an meine Träume. Für mich sind sie fruchtlose Trugbilder, die an der Grenze zum Erwachen schweben und die sich immer gerade in dem Moment auflösen, wenn ich die Augen aufschlage. Aber dieser Traum war mir bis ins Detail im Gedächtnis haften geblieben. Im Geiste sah ich immer noch die Perlen aus Meerwasser, die sich auf der schwarzen Wolle seines Habits aufreihten, die blaue Flamme in seinen Augen. Ich spüre immer noch seine Finger, die über meinen Rücken streichen.

Ich fragte mich einen Augenblick lang, wie Hugh, oder sogar Dr. Ilg, einen Traum wie diesen analysieren würden, entschied dann aber, dass ich es lieber gar nicht wissen wollte. Ich setzte mich auf und suchte mit den Füßen nach meinen Hausschuhen. Ich fuhr mir mit den Fingern durch mein Haar, entwirrte mehrere Knoten, lauschte, ob ich meine Mutter hörte, aber das Haus lag vollkommen still.

Mutter und ich waren letzte Nacht gleich ins Bett gefallen, wir waren viel zu müde, um noch zu reden. Bei dem Gedanken, dass ich heute ein Gespräch mit ihr führen musste, wäre ich am liebsten gleich wieder unter die Laken gekrochen und hätte mich zusammengekauert. Was sollte ich denn sagen? *Hast du die Absicht, dir noch weitere Körperteile abzutrennen?* Das klang brutal und Grauen erregend, aber genau das musste ich wissen – ob sie eine Gefahr für sich selbst darstellte, ob sie an einen Ort gebracht werden musste, wo man sich um sie kümmern würde.

Ich schlurfte in die Küche und suchte im Schrank herum, bis ich eine Tüte Maxwell-Kaffee fand. Ich musste mir meinen Kaffee in einem fünfundzwanzig Jahre alten Brühautomaten machen, dessen Stromkabel langsam brüchig wurde. Ich fragte mich, ob Mutter schon einmal die Anschaffung einer modernen Kaffeemaschine erwogen hatte. Als der

Automat sein tropfendes *Blop-blop* begann, schlich ich mich an die Tür von Mutters Schlafzimmer und lauschte. Ihr Schnarchen schallte durch das Zimmer. Falls sie zuvor an Schlaflosigkeit gelitten hatte, schien diese jetzt jedenfalls mitsamt ihrem Finger verschwunden zu sein.

Ich ging zurück in die Küche. Der Raum lag schummerig im erwachenden Licht da, die Luft war kühl. Ich zündete ein Streichholz an, um den Heizofen anzumachen, und horchte, wie die Gasflammen der Reihe nach aufflackerten, das vertraute, blaue Geräusch aus meiner Kindheit. Ich schob zwei Scheiben Brot in den Toaster und beobachtete, wie die Drähte in seinem Innern rot glühten, und dachte an Thomas, den Mönch, und wie seltsam diese Begegnung gewesen war – als er plötzlich wie aus dem Nichts erschienen war.

Mir ging durch den Kopf, wie wir beide uns unterhalten hatten, wie mich sein ernster Blick durchfahren hatte. Der Aufruhr in meinem Körper. Und dann auch noch dieser Traum.

Das Toastbrot sprang hoch. Ich schüttete mir Kaffee ein, trank ihn schwarz und nagte an dem Brot herum. Der Heizofen hatte die Küche mittlerweile in einen subtropischen Zypressensumpf verwandelt. Ich stand auf und schaltete ihn wieder aus. Warum musste ich an Bruder Thomas denken – einen *Mönch*? Und dann noch auf *diese* Weise, mit diesem Lodern in mir.

Ich sah Hugh vor mir, unser Zuhause, und auf einmal fühlte ich mich furchtbar verletzlich. Mir war, als ob ein sorgsam behüteter Ort in meinem Innern nun bloß und angreifbar wäre.

Ich stand auf und ging ins Wohnzimmer. Das schwankende Gefühl aus meinem Traum überkam mich wieder, dieses entsetzliche Gefühl, meine Verankerung zu verlieren. An einer der Wände hingen fünfzehn oder zwanzig gerahmte

Fotos in einem chaotischen Durcheinander, viele der Foto-
grafien hatten schon einen schmuddeligen, sepiafarbenen
Rand. Die meisten waren alte Schulfotos von Mike und mir.
Grauenvolle Frisuren. Die Augen halb zu. Zerknitterte,
weiße Blusen. Zahnspangen. Dee nannte es »Die Wand der
Peinlichkeiten«.

Das einzige Foto an der Wand, das nach den sechziger
Jahren aufgenommen worden war, war von Hugh, Dee und
mir, es stammte aus dem Jahr 1970, als Dee noch ein Baby
gewesen war. Ich starrte voller Entschlossenheit auf uns
drei, rief mir ins Gedächtnis, wie Hugh den Selbstauslöser
an der Kamera eingestellt hatte und wir auf dem Sofa po-
siert hatten, Dee dicht zwischen uns gedrückt, ihr kleines,
verschlafenes Gesicht unter unsere geklemmt.

Am gleichen Abend, als wir das Foto gemacht hatten, hatten wir zum ersten Mal seit Dees Geburt wieder miteinander geschlafen. Eigentlich hätten wir sechs Wochen warten
sollen. Aber dann war es doch schon zwei Tage vorher passiert.

Ich war am Kinderzimmer vorbeigekommen und hatte
gesehen, wie Hugh über Dees Krippe lehnte. Obwohl sie
tief und fest geschlafen hatte, hatte er ihr sanft etwas vorgesungen. Das bernsteinfarbene Licht von der kleinen Nacht-
leuchte hatte wie eine Schicht schimmernder Staubkörnchen auf seinen Schultern gelegen.

Hitze war in meinem Körper aufgestiegen, ein machtvolles, sexuelles Verlangen. Es war diese Sanftheit in Hugh, die
mich so heftig durchfahren hatte, zu sehen, wie er jemanden bedingungslos liebte, ohne dass der andere darum
wusste.

Ich war plötzlich wie besessen von der Intimität, die zwischen uns geherrscht hatte, als wir sie gezeugt hatten, von
dem Gedanken, dass sich ihr Leib aus unserer Lust gebildet
hatte. Ich war zu ihm gegangen und hatte meine Arme um sei-

ne Taille geschlungen. Als ich meine Wange an seinen Rücken gedrückt hatte, hatte ich gespürt, wie er sich zu mir drehte. Seine Hände waren langsam über meinen Körper gekreist. Er hatte geflüstert: »Wir müssen doch noch zwei Tage warten«, und als ich gesagt hatte, ich könnte nicht mehr warten, hatte er mich hochgehoben und zum Bett getragen.

Ihn zu lieben war anders gewesen – weniger hemmungslos, dafür tiefer, reiner empfunden. Es hatte mit Dee zu tun gehabt, so, als ob Hugh und ich durch sie auf neue Weise zusammengehören würden, und der Gedanke war mir damals grenzenlos und berauschend erschienen.

Danach hatten wir quer auf dem Bett gelegen. Dee war wach geworden und weinte. Während ich sie stillte, hatte Hugh die Kamera aufgebaut. Ich hatte einen pfirsichfarbenen Hausanzug getragen, ich hatte ihn noch nicht einmal wieder ganz zugeknöpft, und Hugh – seinen Gesichtsausdruck kann man kaum beschreiben, so zufrieden und selig blickte er drein. Das Foto hatte in mir immer das Bild einer verschworenen, ehelichen Gemeinschaft hervorgerufen, stets hatte sich ein kleiner Glücksmoment in meiner Brust wie ein exotischer Papierfächer entfaltet. Ich stand da und wartete darauf, dass sich das Gefühl einstellen würde.

Das Ereignis war so lange her. Es war wie ein kunstvolles Flaschenschiff. Ich wusste weder, wie es dort hineingelangt war, noch, wie ich es wieder herausholen konnte.

Ich ging zum Telefon und wählte unsere Nummer.

»Hallo?«, sagte Hugh, und seine Stimme verfestigte den Boden unter meinen Füßen wieder.

»Ich bin's«, sagte ich.

»Ich hab' gerade an dich gedacht. Geht es dir gut? Ich hab' versucht, gestern Abend anzurufen, aber es ist niemand rangegangen.«

Na prima, ich musste also eine vernünftige Kaffeemaschine *und* einen Anrufbeantworter kaufen.

»Wir waren im Kloster«, erzählte ich. »Ich hab' Mutter dabei überrascht, wie sie ihren Finger beerdigen wollte.«

»Du meinst, ein Loch in die Erde graben und dann wieder zuschütten?«

»Genau das.«

Es gab eine lange Pause. »Wahrscheinlich ist das sogar ein gutes Zeichen, im Moment wenigstens«, sagte er schließlich. »Es könnte sogar bedeuten, dass sie sich beruhigt, dass sich ihre Obsession unter die Oberfläche zurückzieht.«

Ich hob die Augenbrauen, der Gedanke faszinierte mich, gab mir ein wenig Hoffnung. »Meinst du wirklich?«

»Es könnte durchaus sein«, sagte er. »Aber Jessie, sie braucht dringend professionelle Hilfe, einen Psychiater. Im Laufe der Zeit könnte sich daraus ein Muster entwickeln.«

Ich zog das Telefonkabel über den Tisch und setzte mich. »Du meinst, sie könnte sich noch einen Finger abschneiden?«

»Na ja, im Prinzip schon, es könnte aber auch sein, dass sie etwas ganz anderes tut. Solcherlei Obsessionen sind ichdyston, vollkommen willkürlich.«

Ich hörte ein leises Klopfen, und ich wusste, er stand mit dem schnurlosen Telefon am Waschbecken und rasierte sich, während wir sprachen.

»Aber ich glaube nicht, dass sie sich den Finger einfach so abgeschnitten hat. Ich bin davon überzeugt, dass es dafür einen Grund gibt«, sagte ich.

»Oh, das bezweifle ich«, er wies den Gedanken zurück, wies mich zurück.

Ich sank in den Stuhl und seufzte. »Ich rede heute mit ihr und seh' mal, ob ...«

»Na, das kann sicher nicht schaden, aber ich dachte gerade ... Ich komme am Wochenende zu euch auf die Insel. Du solltest das nicht alleine regeln.«

Er hatte mich unterbrochen.

»Nein, das halte ich nicht für eine gute Idee, dass du kommst«, sagte ich. »Ich glaube, sie würde eher ...«

»Es ist viel zu kompliziert, als dass du das alleine bewältigen könntest, Jessie.«

Natürlich war es das. Es war, als ob ich eine mathematische Gleichung lösen musste, die einen halben Meter lang war. Was in ihrem Innern vor sich ging, war ein Geheimnis, das mir so dermaßen verschlossen war, dass es einfach nur zum Heulen war. Ich war kurz davor, zu ihm zu sagen: *Ja, ja, komm her und regle du das alles.* Aber es kam mir falsch vor. Zum Teil lag es daran, dass ich das Gefühl hatte, dass ich mit meinem Laienwissen Mutter wirklich besser helfen könnte als Hugh, der Fachmann. Dass ich die Dinge besser alleine enträtseln könnte.

Vielleicht aber wollte ich Hugh auch einfach nicht hier haben. Ich wollte diese Zeit für mich, ich wollte alleine sein – war das denn so schlimm?

Ich redete mir ein, das hatte gar nichts mit dem Mönch zu tun und mit dem, was am Abend vorher passiert war. Dabei – es *war* ja auch nichts passiert. Nein, hier ging es um mich, einmal nur musste ich auf meinen Instinkt hören.

Ich stand auf. »Ich *habe gesagt,* ich komme schon klar. Ich will nicht, dass du kommst.« Es klang viel ärgerlicher, als ich beabsichtigt hatte.

»*Herrgott*«, sagte er. »Du brauchst mich doch nicht gleich anzuschreien.«

Ich sah mich um in Richtung Schlafzimmer und hoffte, dass ich Mutter nicht geweckt hatte. »Vielleicht habe ich ja *Lust* zu schreien«, sagte ich. Ich wusste auch nicht, warum ich Streit anfing.

»Ich hab' ja bloß versucht zu helfen. Was ist denn los mit dir?«

»Nichts«, ich zuckte zurück. »Nichts ist mit mir los.«

»Nun, scheinbar *doch*«, sagte er, und jetzt wurde auch seine Stimme ein wenig lauter.

»Was du sagen willst, ist, wenn ich nur ein einziges Mal deine Hilfe nicht brauche, dann stimmt mit mir was nicht.«

»Das ist doch lächerlich«, sagte er, sein Ton war scharf. »Hast du mich verstanden? Das ist lächerlich.«

Dann hängte ich auf. Ich hängte einfach auf. Ich goss mir noch eine Tasse Kaffee nach, setzte mich hin und hielt die Tasse mit beiden Händen fest. Sie zitterten.

Ich wartete darauf, dass das Telefon klingeln, dass er zurückrufen würde. Als das nicht geschah, wurde ich nervös, erfüllte mich eine merkwürdige Unruhe, mir wurde bewusst, dass ich auf der kleinen Insel des Ich gestrandet war und nicht wusste, ob ich dort alleine überleben konnte.

Nach einer Weile beugte ich mich hinunter, um unter den Tisch zu sehen. Das Kruzifix war noch immer da. Der Jesus aus dem Sturmzelt.

KAPITEL 10

Als ich an diesem Morgen den Verband an Mutters Hand wechselte, musste ich mehrmals den Blick von der Wunde abwenden. Mutter saß in einem braunen Korbstuhl an ihrem Frisiertisch, während ich die Haut um die Naht herum mit Wasserstoffperoxyd abtupfte und antibiotische Salbe auf einen sterilen Mullverband auftrug. Der Schnitt war direkt unterhalb des Knöchels ihres »zeigenden Fingers«, wie sie sagte. Ich musste die ganze Zeit über daran denken, was für ein Ausbruch an Gewalttätigkeit nötig gewesen sein musste, um das Messer mit so viel Kraft anzusetzen, dass es den Knochen durchtrennte. Sie zuckte zusammen, als ich den Verband auf der empfindlichen, geschwollenen Stelle aufbrachte.

Ich blickte auf die Fotografie meines Vaters und fragte mich, was er jetzt wohl von ihr halten würde, von der entsetzlichen Veränderung, die sie seit seinem Tod mitgemacht hatte. Was er wohl darüber gedacht hätte, dass sie sich einen Finger abgeschnitten hatte. Mutter drehte sich um und sah ebenfalls auf das Foto. »Ich weiß, dass du das für völlig verrückt hältst.«

Sprach sie zu mir oder zu ihm? »Ich wünschte nur, du würdest mir helfen zu verstehen, warum du das getan hast«, sagte ich.

Sie tippte mit ihrem Fingernagel an das Glas. Er machte

ein klickendes Geräusch. »Das Bild hier ist an dem Tag gemacht worden, als er mit dem Charterservice angefangen hat.«

Ich war damals fünf gewesen. Ich erinnere mich nicht mehr daran, dass er vorher Krabbenfischer gewesen war, ich erinnere mich an ihn nur als an den Kapitän der *Jes-Sea*. Bevor er das Boot gekauft hatte, hatte er für Shem Watkins gearbeitet. »Ich krebse für Krabben«, hatte er immer gesagt. Damals war er mit einem von Shems Trawlern eine ganze Woche lang auf See gewesen und dann mit viertausend Pfund Krabben wieder zurückgekommen. Aber er hatte sein eigener Herr sein, die Freiheit haben wollen, auf dem Wasser zu sein, wenn ihm danach war, und auch zu Hause bei seiner Familie, wann immer er wollte. Er hatte dann die Idee mit der Küstenfischerei gehabt. Man hatte sein Boot dafür chartern können. Er hatte lange gespart und schließlich seine *Chris Craft* gekauft. Vier Jahre später war das Boot explodiert.

Er hatte immer gesagt, das Meer wäre seine Religion, seine Heimat. Mike und mir erzählte er Geschichten von einem Königreich im Meer, das von einer Bande bösartiger Wellhornschnecken regiert wurde, während die tapferen Napfschnecken versuchten, sie zu stürzen. Seine Fantasie war grenzenlos gewesen. Einmal hatte er uns weismachen wollen, dass man aus den Spitzen der Stachelrochen Zauberstäbe machen könnte, und wenn man sie auf die richtige Weise halten und damit dirigieren würde, könnte man die Wellen dazu bringen, das Lied »Dixie« zu singen – damit hatte er uns dann endlose Stunden lang beschäftigt. Und wenn wir nachts von einem großen Reiher träumten, so hatte er gesagt, würden am nächsten Morgen unter unserem Kissen Federn liegen. Mehr als einmal hatte ich morgens Federn unter meinem Kissen entdeckt, obwohl ich mich an den Reiher in meinen Träumen niemals hatte erinnern können. Aber die tollste all seiner Geschichten – das war die, wonach ein ganzer Schwarm Meerjungfrauen in der Morgendämmerung zu seinem Boot geschwommen war.

Ich konnte mich nicht erinnern, dass er auch nur ein einziges Mal die Messe besucht hätte, dennoch war er es gewesen, der mich zum ersten Mal mit ins Kloster genommen hatte, um mir den Stuhl der Meerjungfrau zu zeigen, der mir die Geschichte erzählt hatte, die sich darum rankte. Ich glaube, er hat immer nur so getan, als wäre er ein Abtrünniger.

Obwohl er sich geweigert hatte, den Glauben meiner Mutter zu teilen, schien er ihn aber doch zu bewundern. Aber damals hatte ihre Religiosität ja auch noch keine pathologischen Züge. Vielleicht hatte er sie geheiratet *wegen* ihrer grenzenlosen Fähigkeit zu glauben, einer Fähigkeit, mit der sie bis heute jede noch so absurde Doktrin schluckte, jedes Dogma und jede Wendung, mit der die Kirche aufwartete. Vielleicht hatte ja ihr Glauben an die Kirche seinen Mangel ausgeglichen. Meine Mutter und mein Vater waren ein seltsames Paar gewesen – ein Schwärmer wie Walt Whitman und eine Heilige wie Johanna von Orleans –, aber ihre Ehe war gut gegangen. Sie hatten einander heiß und innig geliebt. Dessen war ich mir sicher.

Mutter wandte sich von der Fotografie ab und wartete darauf, dass ich damit fertig würde, den Verband um ihre Hand zu wickeln. Sie trug ihren blauen Bademantel aus Chenille, ohne Gürtel. Sie schlug den Kragen hoch, dann ließ sie ihre Hand kurz auf der Schublade ruhen, in der sie ihr frommes Strandgut aufbewahrte. Sie spielte am Griff herum. Ich fragte mich, ob der Zeitungsausschnitt noch darin lag.

Warum hatte ich ihm bloß die Pfeife geschenkt?

Dad und ich hatten sie eines Tages im *Braunen Pelikan*, im Inselladen, gesehen, und er hatte sie so bewundert. Er hatte sie in die Hand genommen und so getan, als würde er daran ziehen. »Ein richtiger Kapitän sollte Pfeife rauchen«, hatte er gemeint. Ich hatte jeden Cent von dem Geld, das ich beim Krabbenpulen verdiente, gespart, und hatte ihm die Pfeife zum Vatertag geschenkt. Mutter war dagegen gewesen, sie wollte nicht, dass er Pfeife rauchte. Ich hatte sie trotzdem gekauft.

Sie hatte mir gegenüber niemals auch nur mit einem einzigen Wort erwähnt, dass dies die Ursache für das Feuer gewesen war.

Ich riss ein Stück Pflaster ab und befestigte das Ende des Verbands an ihrem Gelenk. Sie machte Anstalten aufzustehen, aber ich kniete mich vor ihren Stuhl und legte meine Hände auf ihre Beine. Ich wusste nicht, wo ich anfangen sollte. Aber ich hatte es mir ja auferlegt. Ich hatte Hugh verbannt, und jetzt lag es alleine an mir.

Als ich vor ihr kniete, bröckelte meine feste Überzeugung, dass ich das hier alleine bewältigen könnte. Mutter sah mir direkt in die Augen. Ihre unteren Lider hingen herab und legten kleine, rosa Äderchen frei. Sie wirkte alt, älter als sie an Jahren war.

Ich sagte: »Gestern Abend im Garten hast du Pater Dominikus erwähnt, erinnerst du dich?«

Sie schüttelte den Kopf. Ihre gesunde Hand lag im Schoß, und ich nahm sie in meine, berührte ihre Fingerspitzen.

»Ich hatte dich gefragt, warum du das mit deinem Finger getan hast, und du hast Vater erwähnt, und dann Pater Dominikus. Hat er etwas damit zu tun, dass du dir den Finger abgeschnitten hast?«

Sie sah mich mit einem leeren Blick an.

»Hat er dir die Idee in den Kopf gesetzt, dass du dir eine Art Buße auferlegen sollst oder so was?«

Aus der Leere wurde Entrüstung. »Nein, natürlich nicht.«

»Aber dir den Finger abzuschneiden *war* eine Art Buße, oder nicht?«

Ihr Blick wanderte von meinem Gesicht weg.

»Bitte, Mutter, wir müssen darüber reden.«

Sie biss sich in die Unterlippe und schien meine Bitte zu erwägen. Ich sah, wie sie eine Haarsträhne berührte, und dachte, wie vergilbt ihr Haar doch aussah.

»Ich kann nicht über Dominikus reden«, sagte sie schließlich.

»Aber warum nicht?«

»Ich kann nicht, das ist alles.«

Sie nahm eine Pillendose, stand auf und ging zur Tür. »Ich muss meine Schmerztablette nehmen«, sagte sie und verschwand im Flur. Ich blieb alleine zurück, auf den Knien vor ihrem Frisiertisch.

KAPITEL 11

Ich verbrachte den Vormittag mit einem gründlichen Hausputz, fest entschlossen, mich nützlich zu machen. Ich wechselte die Laken von Mutters Bett, machte die Wäsche und wischte an Stellen, an die schon seit Jahren kein Scheuerlappen mehr gekommen war: die Badezimmerfugen, die Jalousien, die Spiralen an der Rückseite des Kühlschranks. Ich ging an den Vorratsschrank und warf alle Lebensmittel weg, deren Haltbarkeitsdatum abgelaufen war – ich füllte zwei große Mülltüten. Ich zerrte ihr rostiges Golfwägelchen aus der Garage und ließ den Motor an, um zu sehen, ob es noch lief, und als mein Blick auf die schmutzige Badewannengrotte fiel, holte ich den Gartenschlauch hervor und spritzte sie gründlich ab.

Bei all dem musste ich daran denken, dass sich Mutter geweigert hatte, über Vaters Tod zu sprechen, und ich dachte an ihre seltsame Erwähnung von Pater Dominikus.

Hin und wieder ging mir auch Bruder Thomas im Kopf herum – er schlich sich einfach in meine Gedanken. Einmal ertappte ich mich selbst dabei, wie ich mit einer Konservendose Tomaten in der Hand regungslos unter der nackten Glühbirne in der Vorratskammer verharrte und im Geiste noch einmal unsere Begegnung vom Vorabend durchging.

Es war ein warmer Tag, die Sonne schien mit all der Kraft vom Himmel, die sie im Winter aufbringen konnte. Mutter und ich aßen auf der Veranda zu Mittag, balancierten Tabletts auf den Knien und aßen den Okra-Eintopf, den wir beide am Abend vorher verschmäht hatten. Ich versuchte wieder, etwas über Dominikus aus ihr herauszulocken, aber als ich sie fragte, presste sie nur die Lippen zusammen. Sie war vollkommen verschlossen.

Bei meinen verzweifelten Versuchen, sie auf irgendeine Art zu erreichen, schlug ich vor, Dee im College anzurufen, aber sie schüttelte nur den Kopf.

Ich gab schließlich auf. Ich hörte, wie ihr Löffel auf dem Grund ihres Tellers kratzte, und mir wurde klar, dass ich das mit Dominikus auf andere Weise herausfinden musste. Ich bezweifelte, dass sie überhaupt jemals mit mir sprechen würde, dass wir jemals bis an den »Grund der Dinge« vordringen würden, wie Hugh es nannte. Ich hasste den Gedanken, dass er vermutlich Recht hatte. Nun war ich erst richtig entschlossen.

Nach dem Essen legte sie sich ins Bett und hielt Mittagsschlaf. Es schien, als würde sie jetzt all ihren Schlaf nachholen. Während sie vor sich hin schlummerte, schlich ich mich in ihr Zimmer, um den Namen ihres Arztes von einem Rezept abzuschreiben, weil ich der Meinung war, ich sollte ihn anrufen. Aber dazu ist es nie gekommen.

Ich stand vor ihrem Frisiertisch und starrte auf die Maria aus Keramik mit dem dicklichen Jesuskind im Arm. Die Schublade war direkt darunter. Ich zog sie vor. Das Holz quietschte, und ich drehte mich um zu ihrem Bett. Sie rührte sich nicht.

Das Innere der Schublade war voll gestopft mit Heiligenbildchen, Rosenkränzen, einem Gebetbuch, alten Fotografien von Dee. Ich wühlte, so leise es ging, durch ihr geliebtes Durcheinander. Genauso, wie ich es als Kind immer getan hatte. *War der Artikel noch da?* Mein Herz schlug schneller.

Am Ende der Schublade stießen meine Finger gegen etwas Dünnes, Hartes. Ich wusste, was es war, noch bevor ich es hervorgezogen hatte. Ich blieb ein oder zwei Sekunden lang wie erstarrt stehen, die Luft war mit Stacheln bestückt, und ich musste mich erst einmal wappnen, bevor ich sie herauszog:

Es war die Pfeife, die ich meinem Vater geschenkt hatte.

Ich sah wieder zu Mutter hinüber, dann hielt ich die Pfeife an das Licht, das durch die Fenster strömte, und nichts machte mehr Sinn. Meine Knie fühlten sich wie nasse, weiche Schwämme an – ich konnte nicht länger stehen. Ich musste mich setzen.

Wieso war die Pfeife in der Schublade? Wann hatte Mutter sie dort hineingelegt? Sie müsste doch am Grunde des Ozeans liegen, zusammen mit der *Jes-Sea*, zusammen mit meinem Vater. Ich hatte es mir doch so oft ausgemalt – so, wie es passiert sein musste.

Joseph Dubois steht in den letzten Spuren der Dunkelheit auf seinem Boot und sieht gen Osten, wo die Sonne gerade ihre leuchtende Stirn über das Wasser erhebt. Er war oft mit seinem Boot hinausgefahren, um »den Tagesanbruch zu begrüßen« – das war sein Ausdruck dafür. Mike und ich waren häufig zum Frühstück gekommen und hatten, wenn Dad nicht da war, gefragt: »Ist Dad draußen und begrüßt den Tag?« Wir hatten damals geglaubt, dass alle Leute das täten, so wie sich alle Leute die Haare schneiden lassen. Er war immer allein auf diese morgendliche Reise gegangen, hatte in Ruhe seine Pfeife geraucht und zugesehen, wie sich die See in eine Membran aus wogendem Licht verwandelte.

Ich hatte mir vorgestellt, wie er am letzten Morgen seines Lebens dort steht und seine Pfeife an der Reling ausschlägt. Wer jemals gesehen hat, wie Funken aus der Kammer einer Pfeife schlagen, weiß, wie weit sie fliegen können. Er schlägt also seine Pfeife aus, was er nicht weiß, ist, dass die

Spritleitung leckt. Ein Glutfetzen, hundertmal kleiner als eine Motte, landet auf einem Tropfen Sprit in der Motorbucht. Es gibt einen Knall, eine Flamme bricht hervor. Das Feuer springt von Pfütze zu Pfütze wie ein Stein, der über Wasser hüpft. Es breitet sich aus und prasselt, und das ist der Moment, so hatte ich es mir immer vorgestellt, in dem er sich umdreht, gerade als die Flammen in den Sprittank schlagen, der Moment, in dem alles auflodert und explodiert.

Ich hatte es mir so oft ausgemalt, dass es mir ganz unvorstellbar schien, es könnte auf eine andere Art geschehen sein. Und das hatte doch auch jeder bestätigt – die Polizei, die Zeitung, die ganze Insel.

Ich schloss die Augen. Das Herzstück war aus meiner Geschichte herausgerissen worden. Nun klaffte dort eine Lücke, und ich hatte nichts, womit ich sie füllen konnte.

Ich hielt die Pfeife so fest umklammert, dass es fast schmerzte. Dann ließ ich locker. Ich beugte mich vor und roch an der Pfeifenkammer, und es war, als ob ich ihn riechen könnte.

In diesem Moment begann alles, sich ganz neu zu ordnen. *Es war nicht die Pfeife gewesen, die das Feuer entfacht hatte.* Ich saß eine ganze Weile lang am Frisiertisch meiner Mutter, die hinter mir im Bett lag und schlief, und ließ die Erkenntnis langsam in mein Bewusstsein dringen: *Mich traf keine Schuld.*

KAPITEL 12

Ich nahm die Pfeife mit in mein Zimmer. Ich bezweifelte, dass sie in ihrer Schublade danach suchen und sie vermissen würde. Als ich sie in meine Tasche steckte, verwandelte sich die Erleichterung, die ich verspürt hatte, in siedendheiße Wut. Ich lief im Schlafzimmer auf und ab. Mich überkam das heftige Verlangen, Mutter wachzurütteln und zu fragen, warum sie mich in dem Glauben hatte aufwachsen lassen, meine Pfeife wäre die Ursache von allem gewesen.

Meine Schuld war eine schweigende Schuld gewesen, eine Last, die niemand je gesehen hatte, sie war wie das Gefühl gewesen, das einen im Traum überfällt, wenn man wegzulaufen versucht, sich aber kaum rühren kann. Die Schuld hatte sich in meinen Knochen abgelagert, und ich hatte schwer an ihr getragen. Und sie hatte es zugelassen. *Sie hatte es zugelassen.*

Aber halt. Das war nicht gerecht. Vielleicht hatte Mutter ja geglaubt, ich *wüsste* nichts von der Pfeife. Sie hatte versucht, mich vor dem Wissen zu schützen – niemals darüber sprechen, den Artikel verstecken –, und dennoch, es entschuldigte sie nicht. Sie musste sich doch irgendwo ausrechnen können, dass Mike und ich das herausfinden würden. Die ganze Insel hatte von der Pfeife gewusst, verdammt noch mal! Wie konnte sie bloß annehmen, ausgerechnet *wir* würden es nicht wissen?

Ich konnte hören, wie sie atmete, der Rhythmus einer Ziehharmonika, der durch das Haus schallte. Ich wollte nicht da sein, wenn sie wach wurde. Ich kritzelte eine Nachricht auf einen Zettel, dass ich ein wenig Bewegung und frische Luft brauchte, und legte ihn auf den Küchentisch.

Hepzibahs Haus lag weniger als eine Meile entfernt, am Ende einer gewundenen Straße, die sich am Sklavenfriedhof vorbei in Richtung der Reiherkolonie schlängelte und dann um einen Strand herumführte. Ich sah es schon, als ich um die erste Kurve kam, es war von wild wuchernden Büscheln aus Schlüsselblumen und Strandwolfsmilch umwachsen. Ich klopfte an ihre schillernd blaue Tür und wartete.

Keine Antwort.

Ich folgte dem Weg hinter das Haus. Die Fliegentür war unverschlossen, also ging ich weiter und klopfte an die Küchentür, die in dem gleichen strahlenden Indigoblau gestrichen war wie die Vordertür. Das Blau sollte die böse Booga-Hexe verscheuchen, die einem bei Nacht die Seele aussaugte. Ich bezweifelte, dass Hepzibah wirklich an die Booga-Hexe glaubte, aber sie hielt die alten Sitten und Gebräuche der Gullah hoch. Und für den Fall, dass die blauen Türen die Hexe dann doch nicht verscheuchen sollten, hatte sie in ihrem Garten gleich noch jede Menge Schalen von Meeresschnecken ausgelegt.

Auf der Seite der Veranda hatte sie wie immer ihren so genannten Präsentiertisch aufgebaut, er war mit den zerklüfteten Schätzen der Insel überhäuft, die sie ihr Leben lang gesammelt hatte.

Ich ging rüber, und mich überfiel plötzlich eine mächtige Wehmut. Mike und ich hatten uns stundenlang über diesen Tisch gebeugt. Er war beladen mit Korallenarmen, Krebsscheren, Meeresschwämmen, Wellhornschnecken, Haiaugen, Bohrmuscheln und Venusmuscheln. Jeder noch so bescheidenen Muschel wurde hier gedacht, selbst, wenn sie zerbrochen war. Ich nahm mehrere gesprungene Seeigel und einen Seestern mit zwei Armen in die Hand. Reiher-, Löffler- und Ibisfedern steckten zwischen den Muscheln, einige standen aufrecht, als wären sie aus der Schale herausgewachsen.

In der Mitte des Tisches, hervorgehoben auf einer hölzernen Kiste, lag der lange Kieferknochen eines Alligators. Das war natürlich Mikes Lieblingsstück gewesen. Meins war der kalkweiße Schädel einer Karettschildkröte gewesen. In meiner Fantasie war ich mit der Schildkröte durch unendlich weites Wasser geschwommen, bis an den Grund des Meeres und wieder zurück.

Ich stöberte herum und entdeckte den Schädel inmitten eines Haufens von Herzmuscheln.

Am Abend, als Hepzibah den Schädel entdeckt hatte, hatten wir am Strand eines unserer Allerfrauen-Picknicks abgehalten – so hatten wir sie damals getauft. Ich setzte mich in einen alten Schaukelstuhl, hielt den Schildkrötenschädel in den Händen und spürte, wie die Sehnsucht wieder schmerzhaft in mir aufkeimte. Ich hatte so lange nicht mehr an die Allerfrauen-Picknicks gedacht. Seit meiner Kindheit.

Kat hatte sie damals ins Leben gerufen, als sie, so wie auch Mutter, jung verheiratet und Benne noch ein Säugling gewesen war. An jedem Vorabend des ersten Mai – ohne Ausnahme – hatten sie sich am Bone Yard Beach versammelt. Wenn es an dem Tag geregnet hatte, hatten sie ihr Picknick dann am ersten schönen Abend danach abgehalten, aber ich erinnerte mich, dass Kat in einem Jahr die Geduld verloren und eine Plane aufgebaut hatte.

Seit sich Hepzibah mit Mutter und Kat angefreundet hatte, hatte auch sie an den Allerfrauen-Picknicks teilgenommen, und ich war mitgekommen, sobald ich laufen konnte. Nach Vaters Tod war es damit schlagartig vorbei gewesen.

Ich erinnerte mich an all die großartigen Speisen, die sie immer für ihr feierliches Essen vorbereitet hatten: Kat hatte Krabbenbrote gemacht, Hepzibah Hoppin' John: Reis mit Bohnen, und es hatte jede Menge Wein gegeben. Mutter hatte meistens Rosinenbrot gebacken und einen Beutel Bennewaffeln zu Ehren von Benne mitgenommen, die nach den Sesamkräckern benannt worden war, weil Kat während ihrer Schwangerschaft so viele davon gegessen hatte. Jede von uns hatte ein Geschenk zum ersten Mai bekommen – meistens Badezusatz oder Nagellack –, aber es musste etwas in Feuerrot sein. Aber nicht deshalb hatte ich diese Abende so sehr geliebt. Sondern, weil sich an diesem einen Abend im Jahr Mutter, Kat und Hepzibah in völlig andere Wesen verwandelt hatten.

Nach dem Essen hatten sie immer ein Lagerfeuer aus Treibholz gemacht und getanzt, während Benne und ich auf dem Strand im Dunkeln gesessen und zugesehen hatten. Hepzibah hatte ihre Gullah-Trommel geschlagen, die einen Klang hatte, der so alt und tief war, als würde er aus der Erde dringen, und Kat hatte dazu ein altes Tamburin geschüttelt, das die Luft mit silbernen Vibrationen erfüllte. Nach einiger Zeit hatte sich etwas ihrer bemächtigt, und sie hatten sich immer schneller bewegt, ihre Schatten nur noch dunkle Schemen im Feuerschein.

Im letzten Jahr, in dem sie ihr Picknick veranstaltet hatten, waren sie alle drei völlig angezogen ins Wasser gewatet. Jede von ihnen mit einem Stück Faden in der Hand, den sie aus Mutters besticktem Pullover gezogen hatten. Benne und ich hatten mit den Zehen am Ufer gestanden und gebettelt, mitgehen zu dürfen, aber Kat hatte gesagt: »Nein, das ist nur für uns. Ihr bleibt mal schön da.«

Sie waren ins Meer gegangen, bis das kalte Wasser ihre Taillen umspült hatte, und dann hatten sie die drei Fäden zusammengebunden. »Beeil dich«, hatten sie sich gegenseitig immer wieder ermahnt und gekreischt, wenn sie von einer Welle getroffen wurden.

Ich hatte damals geglaubt, und tue das auch heute noch, dass es ein Freundschaftsritual war, das sie spontan erfunden hatten, dank der berauschenden Wirkung von Wein und Tanz. Und dank Mutters Pullover, der sich passenderweise in seine Bestandteile auflöste.

Kat hatte die zusammengeknüpften Bänder in die Dunkelheit geworfen, in die Wellen, und sie hatten gelacht. Es war ein sinnliches Lachen gewesen, und ein schelmisches, wie von Kindern.

Als sie zurückgewankt waren, hatte Hepzibah den Schädel der Schildkröte gefunden. Sie war förmlich darauf getreten, als sie aus dem Wasser gekommen war. Sie hatte davorgestanden, während sich der Wellenschaum um ihre Füße bildete, während Mutter und Kat noch kicherten und weiter herumalberten. »Tie yuh mout – haltet den Mund«, hatte Hepzibah auf Gullah gesagt, und alle waren augenblicklich still gewesen.

»Seht, was das Meer geschickt hat«, hatte sie gesagt und den Schädel aus dem Wasser gehoben. Der elfenbeinfarbene Knochen hatte sich sanft und tropfnass, makellos rein gegen den schwarzen Nachthimmel abgezeichnet.

Ich glaube, sie alle hatten es für ein Zeichen gehalten. Sie hatten dort draußen im Meer ihr Schicksal miteinander verwoben, und dann war ihnen auf wundersame Weise der Schädel einer Schildkröte vor die Füße gespült worden.

Noch lange Zeit danach, Jahr um Jahr, hatten sie den Schädel untereinander weitergereicht. Ich erinnere mich, dass er an unserem Kaminsims geprangt hatte, bevor er dann auf Kats Bücherregal oder hier auf Hepzibahs Tisch wieder aufgetaucht war.

Ich rieb mit meinem Daumen über den zarten Knochen und sah auf die blaue Tür. Hepzibah war offensichtlich nicht zu Hause.

Ich stand auf und legte den Schädel zurück, und einen

Augenblick lang schien mir der Tisch weitaus mehr zu sein als ein entfernter Erinnerungsfetzen aus meiner Kindheit.

Ich hatte gewusst, dass ich die Insel verlassen würde, seit ich zehn Jahre alt geworden war. Am ersten Aschermittwoch nach Vaters Tod, in dem Moment, als der Priester meine Stirn berührt hatte, hatte ich es gespürt. *Ich werde hier fortgehen,* hatte ich mir geschworen. *Ich werde davonfliegen.* Nachdem ich das College beendet hatte, war ich selten zurückgekommen, und wenn, dann mit zur Schau gestellter, distanzierter Arroganz. Ich hatte noch nicht einmal meine Hochzeit mit Hugh hier gefeiert. Wir hatten im Garten eines Bekannten in Atlanta geheiratet, und dabei kannten wir ihn noch nicht einmal besonders gut. Ich musste an Kat denken, die mir das immer unter die Nase gerieben und gesagt hatte, ich hätte wohl den schmatzenden Schlamm vergessen, aus dem ich kam, und sie hatte Recht gehabt. Ich hatte alles in meiner Macht Stehende getan, diesen Ort zu vergessen.

Ich hatte bestimmt nicht erwartet, nun hier auf Hepzibahs Veranda Liebe für Egret Island zu empfinden. Aber nicht nur für die Insel, sondern auch zu der Frau, die meine Mutter einst gewesen war, damals, als sie um das Feuer getanzt hatte.

Etwas wurde mir in dem Moment schmerzhaft bewusst: Ich hatte niemals etwas von dem getan, was meine Mutter getan hatte. Ich hatte noch nie an einem Strand getanzt. Noch nie ein Lagerfeuer entzündet. Ich war noch nie bei Nacht mit anderen, lachenden Frauen ins Meer gewatet und hatte mein Leben mit dem ihren verbunden.

KAPITEL 13

Am nächsten Morgen ging ich zum Kloster. Trüber Nebel hing über allem. Eine zähe Suppe hatte sich während der Nacht über die Insel ergossen. Ich trug meine Jeans, einen hellroten Mantel und eine granatrote Baseballkappe, die sich farblich mit dem Mantel biss und die ich in der Abstellkammer entdeckt hatte. CAROLINA GAMECOCKS war darauf gedruckt. Ich hatte sie mir tief ins Gesicht geschoben und meinen Pferdeschwanz durch das Loch über der Schließe gezogen.

Ich ging den gleichen Weg, den ich gegangen war, als ich auf der Suche nach Mutter gewesen war. Ich nahm den drängenden, gärenden Geruch des Marschlands wahr, den der Nebel zu mir trug, und ich musste an Bruder Thomas denken. Sein Gesicht erschien vor meinen Augen, und mein Inneres zog sich seltsam zusammen.

Ich wollte Pater Dominikus suchen. Sollte ich dabei Bruder Thomas über den Weg laufen, umso besser, aber ich nahm mir vor, es nicht darauf anzulegen.

Ich hatte natürlich überhaupt keine Ahnung, was ich zu Dominikus sagen sollte. Ich fing an, im Geist verschiedene Strategien durchzuspielen, um aus ihm herauszulocken, was er über Mutter wusste, warum sie sich einen Finger abgeschnitten hatte.

Was aber, wenn ich mit Dominikus spreche, ihn zur Rede

stelle, und er es dann Mutter erzählt? Daran hatte ich noch nicht gedacht. Ganz gleich, was für Fortschritte ich mit ihr bisher erzielt hatte, in diesem Moment würde alles zunichte gemacht werden. Sie würde mich wahrscheinlich auf der Stelle hinauswerfen.

Als ich aufgebrochen war, hatte sie sich im Fernsehen die Wiederholung einer Kochsendung mit Julia Child angesehen. Mutter liebte Julia Child. Und zwar *wirklich.* Ständig lag sie mir mit ihr in den Ohren: »Glaubst du nicht auch, dass Julia Child katholisch ist? Ganz sicher doch, oder?« Mutter schrieb sich viele ihrer Rezepte ab, vor allem die, in denen Krabben vorkamen. Und wenn sie eins davon kochen wollte, schickte sie einfach einen der Mönche mit einem Netz in die Bucht.

Die Mönche knüpften die Netze von Hand. Sie verkauften sie nicht nur in der Region, sondern in Angelgeschäften und Strandläden entlang der ganzen Ostküste. Eins hatte ich sogar einmal in einem Geschäft in Cape Cod entdeckt, als Hugh und ich dort unsere Ferien verbracht hatten. Auf dem Schild der Verpackung hatte ein kurzes Bibelzitat geprangt: »Wirf dein Netz noch einmal aus.« Aus dem Johannes-Evangelium, glaube ich, hatte es auf dem Schild geheißen. Es gab also gewissermaßen einen göttlichen Auftrag, es zu kaufen. »Ganz schön gerissene Geschäftsleute, oder?«, hatte Hugh kommentiert. Das Netz sollte fünfundsiebzig Dollar kosten.

Als ich weiterging, musste ich daran denken, wie die Mönche früher auf dem kurzen Rasen des Klostergartens gesessen hatten, zwischen Fäden aus Baumwolle und Eimern mit Bleigewichten, und wie sich ihre schwieligen Hände in einem schönen, gedankenverlorenen Rhythmus hin- und herbewegt hatten. Ich hatte immer gedacht, dass für Mönche das Anfertigen von Netzen wohl die exotischste Art und Weise sein musste, Geld zu verdienen, aber dann hatte mir Dee vor ein paar Jahren von einem »wirklich coolen Kloster« an der Westküste erzählt, das Heu an Filmstars verkaufte – als Futter für die Lamas, die sich offenbar einige Hollywoodgrößen hielten. Wir hatten dann eine lange Diskussion darüber geführt, welches Kloster nun der ungewöhnlicheren, oder auch lukrativeren Beschäftigung nachging. Wir hatten uns auf das Lamafutter geeinigt. Dennoch waren Netze immer noch meilenweit von Klosterkräutern oder Rhabarbergelee entfernt.

Mike war ein Meister im Auswerfen des Netzes gewesen. Er hatte es an den Seiten mit den Händen festgehalten, den oberen Rand zwischen die Zähne geklemmt, und dann wie eine rotierende Frisbeescheibe in die Luft geworfen. Es war hinauf ins Licht gesegelt und dann mit einem lauten *Schlock!* auf der Bucht gelandet, Spritzer waren wie Rauchringe von der Wasseroberfläche aufgestiegen. Wenn er das Netz dann herausgezogen hatte, hatte es zu unseren Füßen nur so von grauen Krabben gewimmelt.

Als ich an der letzten Baumgruppe vorüberkam, spähte ich dann doch hinüber zu den Cottages, in denen die Mönche lebten. Die roten Ziegeldächer glühten rosa in dem schummerigen Licht. Ich wünschte mir, dass Bruder Thomas erscheinen würde – ich hoffte, dass ein Riss durch diesen pastosen Morgen laufen und er in der gleichen geisterhaften Weise daraus hervortreten würde wie an jenem Abend im Rosengarten.

Als ich mich der Pforte zum Garten näherte, musste ich an Mutters Finger denken und schauderte. Ich erinnerte mich plötzlich an etwas, woran ich seit Jahren nicht gedacht hatte: Mutter und ihre Votivgaben.

Zu meinen Teenagerzeiten hatte sie regelmäßig welche aus einem kitschigen Katalog für den guten Katholiken bestellt. Für mich hatten sie wie einfache Schmuckanhänger ausgesehen, nur dass es sich dabei ausschließlich um einzelne Körperteile gehandelt hatte – Füße, Herzen, Ohren, Rümpfe, Köpfe, Hände. Ich hatte schließlich herausgefunden, dass sie kleine Opfergaben darstellten, mit denen der Bittsteller um Erlösung von einem körperlichen Leiden betet. Als Mutter vor Jahren geglaubt hatte, sie hätte eine Katarakt, hatte sie eine Votivgabe in Form eines Auges bei der Statue der Senara niedergelegt, und als ihr Knie von Arthritis befallen worden war, ein Votivbild in Form eines Beines.

Ich fragte mich unwillkürlich, ob sie ihren Finger womöglich als die radikalste Form einer Votivgabe ansah.

Ich ging an der Rückseite der Kirche vorbei und folgte der Allee zum Empfangsbereich des Klosters, nahe dem Haupteingang. Er sah wie ein kleines Cottage aus. Die Veranda hatte ein schräg abfallendes Dach und war von vertrocknetem Geißblatt umrankt. Im Innern war ein kahler Mönch mit einem Büschel wilder Augenbrauen zu sehen, das sich über einer schwarz gerahmten Brille kräuselte.

Er nickte, als ich an ihm vorbei in einen Raum ging, den die Mönche den Geschenkeladen nannten. Ich schaute durch die Auslagen, sah mir die Netze an und drehte an einem quietschenden Ständer mit Rosenkränzen und Heiligenmedaillons. Als ich einen Stapel entengrüner Büchlein entdeckte, nahm ich eins davon in die Hand und stellte zu meiner Überraschung fest, dass es das Buch war, das Kat hatte drucken lassen. *Die Legende unserer Meerjungfrau.*

Ich schlug es auf der ersten Seite auf:

Wie die Legenda Aurea berichtet, schwamm im Jahre 1450 eine schöne, keltische Meerjungfrau namens Asenora an die Gestade von Cornwall, wo vor kurzem erst ein Benediktinerkloster gegründet worden war. Nachdem sie ihren Fischschwanz abgelegt und zwischen Felsen verborgen hatte, erkundete sie die Gegend zu Fuß und entdeckte dabei die fromme Gemein-

schaft der Männer. Sie stahl sich häufig zu einem
heimlichen Besuch in die Abtei ...

»Das ist die Geschichte, die sich um unseren Stuhl der Meerjungfrau rankt«, sagte eine Stimme. Ich sah hoch und erblickte den kahlen Mönch, beide Arme fest vor der Brust verschränkt, als ob er sich vor etwas abschotten wollte. Er trug ein großes, hölzernes Kreuz um den Hals, und seine Mundwinkel hingen schlaff nach unten. »Einer unserer Mitbrüder hat das geschrieben. Eine ziemliche Fabuliererei, fürchte ich.«

»Oh, ich habe diese Geschichte immer gemocht«, sagte ich ihm und mir ging auf, dass ich sie seit Jahren schon nicht mehr gehört hatte. Das meiste davon war mir nur noch verschwommen in Erinnerung.

»Wenn Sie wegen der Führung hier sind, die haben Sie, fürchte ich, gerade verpasst, und die nächste findet erst wieder um drei Uhr heute Nachmittag statt. Allerdings kann ich ehrlich gesagt nicht verstehen, warum diese Führungen überhaupt so beliebt sind. Was hört man da denn? ›Hier ist die Kirche, in der die Mönche beten, und hier ist das Gebäude, in dem die Mönche ihre Netze knüpfen, und hier drüben ist die Wäscherei, in der die Mönche ihre Socken waschen.‹«

Ich dachte, er hätte versucht, witzig zu sein, aber als ich lachte, warf er mir einen finsteren Blick zu. »Nein«, sagte ich, »ich bin nicht wegen der Führung hier.« Ich kramte in meiner Hosentasche nach einem Zehndollarschein und kaufte das Buch. »Der Autor, Pater Dominikus – wo bitte kann ich ihn finden?«, fragte ich. »Ich hätte gerne, dass er das Buch signiert.«

»Das Buch signieren?« Er schüttelte den Kopf. »Wir werden es mit ihm gar nicht mehr aushalten, wenn er jetzt auch noch anfängt, Bücher zu signieren. Er ist auch so schon ganz unerträglich.« Wieder war ich mir nicht sicher, ob er das ernst meinte oder nicht, er war so sauertöpfisch, dass ich es nicht entscheiden konnte. »Er wird wohl irgendwo in der Bibliothek sein«, meinte er. »Das weiße Gebäude mit der Putzfassade neben der Kirche. Sie steht Besuchern offen, aber einige Bereiche des Klosters nicht. Sie würden staunen, wo einige Besucher auftauchen. Gestern ist eine Frau durch das Refektorium spaziert, während wir bei Tisch saßen, und hat ein Foto von unserer Salatbar gemacht!«

Den Gedanken an eine Frau, die durch die verbotenen Bereiche des Klosters streifte, fand ich ausgesprochen erheiternd, ebenso seine Empörung darüber, aber noch komischer fand ich die Tatsache, dass es in diesem Kloster überhaupt eine Salatbar gab. Ich fragte mich, ob das Mutters Idee gewesen war. Andererseits schien mir das so *zeitgemäß*, dass es eigentlich nicht zu ihr passte.

»Ich kenne die Bereiche, zu denen Besucher keinen Zutritt haben«, sagte ich ihm. »Meine Mutter ist Nelle Dubois. Ich bin Jessie. Ich war als Kind oft hier.« Ich hatte keine Ahnung, warum ich ihm das erzählte, er war ja nicht gerade die Herzlichkeit in Person. Ich dachte sogar, wie sonderbar es war, dass unter allen Mönchen ausgerechnet er dazu bestimmt worden war, am Empfang des Klosters zu arbeiten. Vielleicht war es ja Teil einer klösterlichen Verschwörung, deren Ziel es war, Besucher von vornherein abzuschrecken.

Er sagte: »Wir bedauern ihren Kummer.« Es klang, als käme es vom Band eines Anrufbeantworters.

»Und Sie sind ...?«

»Oh, Verzeihung. Ich bin Pater Sebastian. Der Prior.«

Ich versuchte, mich an die Klosterhierarchie zu erinnern. Ich war mir ziemlich sicher, dass der Prior an zweiter Stelle stand, derjenige war, der alles im Griff hatte, wie Mutter es ausdrückte.

Als ich zur Bibliothek wanderte, um Pater Dominikus zu suchen, bekam ich plötzlich kalte Füße. *Was mache ich hier eigentlich?* Meine Schritte verlangsamten sich, bis ich schließlich stehen blieb, matt gesetzt von meinen Zweifeln. Ich erwog, zurückzugehen und Hugh anzurufen. *Ich hab' noch einmal drüber nachgedacht, komm du und regle das mit Mutter. Ich hab' nicht genug Mumm in den Eiern, oder Eierstöcken, oder welchen Körperteil man dafür auch immer braucht.*

Als ich hinter die Kirche spähte, entdeckte ich den kleinen Fußpfad, der an den Rand des Marschlands führte. Ich folgte ihm bis zu einer Steinbank, die neben einer Eiche stand.

Feigling.

Ich setzte mich nicht auf die Bank, sondern hockte mich auf den Boden und starrte auf die Bucht, über der dichter Nebel hing, er drängte in Strängen heran, die sich wie Adern verzweigten. Ich war oft hierher gekommen, nachdem mein Vater gestorben war, wenn ich mich traurig oder einsam gefühlt hatte. Ich hatte meinen Namen über das Marschland gerufen und gelauscht, wie der Schall über das Wasser getragen wurde, als ob die Schlickgräser meinen Namen raunen würden, und manchmal hatte auch der Wind meinen Namen mit sich emporgetragen. »Jessie« hatte ich immer und immer wieder gerufen.

Ich öffnete das Büchlein an der Stelle, bis zu der ich gelesen hatte, als mich Pater Sebastian unterbrochen hatte.

... Weil er den Verdacht hegte, Asenora sei keine gewöhnliche Frau, sondern eine Meerjungfrau, und weil er durch ihre Gegenwart in hohem Maße beunruhigt war, verbarg sich der Abt des Klosters selbst eines Nachts beim Wasser und wartete. Er sah, wie Asenora an Land schwamm, sich ihres Fischschwanzes entledigte und ihn in einer Nische in den Felsenklippen verbarg.

Als sie in Richtung der Abtei davonging, holte der listige
Abt den Fischschwanz und verbarg ihn in seinem Gewand.
Er legte ihn in ein Geheimfach, das sich unter seinem
Stuhl in der Kirche befand. Ohne ihren Schwanz konnte
die arme Meerjungfrau niemals wieder ins Meer zurückfin-
den, und bald schon wich die Wildheit der Fluten aus ihr.
Asenora wurde bekehrt, und schließlich wurde sie die Hei-
lige Senara.

Wenn mir mein Vater diesen Teil der Geschichte erzählt
hatte, hatte er immer von Asenoras »tragischem Schicksal«
gesprochen – dass sie ihren Fischschwanz verloren und dafür im Gegenzug einen Heiligenschein erhalten hatte –, und
ich gewann den Eindruck, obwohl ich das nur zwischen den
Zeilen las, Pater Dominikus fühlte ähnlich. Und offen gestanden fand ich die Tatsache, dass Pater Dominikus diese
Geschichte überhaupt aufgeschrieben hatte, ein wenig verstörend.

Eine bemerkenswerte Fußnote zu dieser Legende besagt,
dass Asenora nach ihrer Bekehrung das Meer und ihr frü-
heres Leben so sehr vermisste, dass sie nachts heimlich
durch das Kloster streifte, auf der Suche nach ihrem Fisch-
schwanz. Die Geschichten widersprechen sich in dem
Punkt, ob sie ihn nun fand oder nicht. In einer volkstümli-
chen Legende heißt es, sie hätte ihren Fischschwanz nicht
nur gefunden, sondern auch bisweilen wieder angelegt,
wenn ihr danach zumute war, in ihr Leben von einst zu-
rückzukehren. Sie ging jedoch immer wieder in das Kloster
zurück und legte ihren Fischschwanz unter den Stuhl des
Abtes.

Ich dachte an Mutter und ihre inbrünstige Liebe zu St. Senara, die ich mit dem, was ich hier las, nicht in Einklang

bringen konnte. Senara war eine Heilige, die nachts herumschlich und einen Weg suchte, zu ihrer verruchten Vergangenheit zurückzukehren! Mir war noch nie aufgegangen, wie vollkommen verrückt das war.

Einige Gelehrte sind der Meinung, die Geschichte der Heiligen Senara sei erfunden worden, um es den Menschen leichter zu machen, den Weg göttlicher Freuden gegenüber dem sinnlicher Freuden zu bevorzugen. Aber könnte dies nicht vielleicht auch eine Gelegenheit sein, die Berechtigung beider *zu betonen?*

Beider? Ich hatte nicht erwartet, dass er so etwas schreiben würde – immerhin war er ja Mönch. Ich schloss das Büchlein – genauer gesagt, ich schlug es zu. Unruhe bebte wieder in meiner Brust.

Die Feuchtigkeit des nassen Grases drang durch meine Jeans. Ich stand auf, und als ich mich umdrehte, sah ich Pater Dominikus auf mich zukommen. Er blieb auf der anderen Seite der Steinbank stehen. Er trug seinen geliebten Strohhut – der sich mittlerweile an vielen Stellen auflöste und wie ein zerrupftes Vogelnest aussah.

»Klopf, klopf«, sagte er, und seine Augen strahlten vor Freude.

Ich zögerte. Es war der gleiche Scherz wie zu meiner Kinderzeit. *Er erinnert sich also an mich.*

»Wer ist da?« Ich fühlte mich dabei ausgesprochen merkwürdig, aber ich sah keine Möglichkeit, mich *nicht* auf das Spiel einzulassen.

»Zehn!«

»Zehn wer?«

»Zehn hast du denn erwartet?«, sagte er und stieß ein Lachen aus, das ich ein wenig zu übertrieben fand angesichts des flachen Kalauers. »Ich habe dich wohl nicht mehr gesehen, seit du ein kleines Mädchen warst. Ich hoffe, du erinnerst dich an mich?«

»Aber natürlich, Pater Dominikus«, sagte ich. »Ich ... ich habe nur ...«

»Du hast mein kleines Büchlein gelesen, und aus der Art, wie du es zugeklappt hast, schließe ich, es hat dir nicht sonderlich gefallen.« Er lachte, um mir zu bedeuten, dass er mich lediglich aufziehen wollte, aber ich fühlte mich unbehaglich.

»Nein, nein, es hat mir gefallen.« Eine Zeit lang schwiegen wir beide. Ich sah verlegen hinüber zur Marsch. Die Flut ging zurück und legte weiche Schlammlachen frei. Ich konnte die Löcher von Dutzenden von Winkerkrabben sehen, die sich in ihre Wohnhöhlen eingegraben hatten.

»Pater Sebastian hat mir gesagt, dass du mich suchst. Er hat mir bedeutet, dass du eine Signatur für dein Buch möchtest.«

»Oh ja, richtig, das stimmt. Würden Sie?« Ich reichte ihm das Büchlein und fühlte mich bei meiner kleinen Lüge ertappt. »Es tut mir leid, ich habe keinen Stift.«

Er zog einen Stift aus dem Inneren seines schwarzen Skapuliers hervor. Er schrieb etwas auf die Buchinnenseite, dann reichte er mir das Buch zurück.

Er sagte: »Das ist ein schönes Fleckchen Erde, nicht wahr?«

»Ja, ... wirklich schön.«

Das Meer aus Gras, das hinter uns lag, wogte im Wind, und er schwankte in seinem Habit von einer Seite auf die andere, als ob auch er ein Grashalm wäre, der sich mühte, im Gleichklang mit den anderen zu schwingen.

»Nun, wie geht es unserer Nelle?«, fragte er.

Die Frage verwirrte mich. Die seltsame Weise, wie er »unserer Nelle« gesagt hatte, und dann der Klang in seiner Stimme – ihr Name war ihm irgendwie weicher als die übrigen Worte von den Lippen gekommen.

Unserer Nelle. *Unserer.*

»Ihre Hand heilt«, sagte ich. »Das wahre Problem jedoch

liegt hier.« Ich hatte eigentlich mit meinem Finger auf meine Stirn weisen wollen, aber unwillkürlich hatte ich auf den flachen Knochen über meinem Herzen geklopft, und ich spürte, wie richtig das war, es war, als ob meine Finger mir etwas sagen wollten.

»Ja, es ist wohl wahr, das Herz lässt uns seltsame und wunderliche Dinge tun«, sagte Pater Dominikus. Er klopfte mit den Knöcheln auf seine Brust, und ich hatte das Gefühl, er sprach von den Gefühlswallungen seines eigenen Herzens.

Er hatte den Hut abgesetzt und zupfte an den losen Stellen herum. Ich hatte ein Bild von ihm im Kopf, wie er am Tag, als die Mönche die Wrackteile vom Boot meines Vaters gebracht hatten, am Kamin gestanden hatte, in der gleichen Haltung, seinen Hut in den Händen, während er zugesehen hatte, wie das Holz von den Flammen aufgezehrt wurde.

»Wussten Sie, dass sie den Finger, den sie sich abgetrennt hat, ihren ›zeigenden Finger‹ nennt?«, fragte ich.

Er schüttelte den Kopf, und sein Gesicht, er hatte ein so altes, sanftes Gesicht, veränderte sich ein wenig, es verschloss sich und zuckte hier und da.

Ich zögerte. Mir kam vieles in den Sinn, Ahnungen, Eindrücke, aber ich wusste nicht, ob ich davon sprechen sollte. »Was, wenn sie ihren Finger abgetrennt hat, um ein ungeheuer schweres Schuldgefühl von sich zu nehmen?«

Er sah zur Seite.

Er weiß, warum.

Eine Kluft des Schweigens brach zwischen uns auf. Ich erinnere mich, dass ein murmelndes Summen aufkam, wie das Rauschen von Insekten. Es schien eine lange Zeit zu dauern.

»Warum hat sie das getan?«, fragte ich.

Er tat, als hätte ich eine rhetorische Frage gestellt. »Ja, wirklich, warum bloß?«

»Nein, ich frage *Sie*. Warum hat sie das getan?«

»Hat deine Mutter etwas zu dir gesagt, dass dir Anlass gibt zu glauben, ich würde ihre Gründe kennen?«

»Sie hat gesagt, sie könnte über ihre Gründe nicht sprechen.«

Er seufzte, verschränkte seine Finger und löste sie wieder. Ich war sicher, er traf eine Entscheidung. »Jessie, ich kann nur ahnen, wie verwirrend das alles für dich sein muss, aber ich kann dir nichts sagen. Ich wünschte, ich könnte, aber ich kann nicht.«

»Hat sie Ihnen etwas während der Beichte gesagt?«

Auf so eine Frage schien er nicht vorbereitet, so etwas schien ihm niemals in den Sinn gekommen zu sein. Er beugte sich mit einem sanften, wissenden Blick zu mir, als ob er einen Augenblick tiefer Vertraulichkeit zwischen uns beiden herstellen wollte. Ich dachte einen Moment lang, er würde meine Hand nehmen.

»Alles, was ich sagen kann, ist, dass es wahrscheinlich nicht gut für deine Mutter wäre, wenn wir in sie dringen würden. Ich weiß, du denkst genau das Gegenteil – uns wird ja heutzutage eingetrichtert, dass wir jeden erbärmlichen Fetzen aus unserer Vergangenheit hervorkramen und halb zu Tode analysieren müssen, aber das ist nicht für jeden Menschen das Beste. Nelle möchte, was immer es auch ist, für sich behalten. Vielleicht sollten wir das respektieren.«

Er presste die Lippen zusammen, und seine Miene war schmerzerfüllt, geradezu flehentlich. »Jessie, du musst mir vertrauen. Du musst deiner Mutter vertrauen.«

Ich war drauf und dran, ihm zu widersprechen, aber dann streckte er seinen Arm aus und streichelte mir über die Wange und lächelte dabei kläglich und resigniert. Ich weiß nicht, warum, aber ich wich nicht zurück, und wir standen einen Moment lang da, bis er sich umdrehte, zurück zur Kirche ging und seinen zerschlissenen Hut wieder aufsetzte.

KAPITEL 14

Ich setzte mich auf die Bank, mit dem Rücken zum Marschland, und wartete, bis Pater Dominikus außer Sichtweite war. *Was war denn das gerade?*

Er war mir so aufrichtig vorgekommen. So ernsthaft. *Jessie, du musst mir vertrauen.* Nun, vielleicht sollte ich es versuchen. Schließlich war er ein alter Mönch, der alberne und harmlose Scherze machte. Jeder mochte ihn. Sogar Kat traute ihm, und Kat Bowers ließ sich nicht in die Pfanne hauen.

Verwirrt drehte ich mich um. Ich beobachtete, wie zwei Fischadler ihre weiten Kreise durch den Nebel zogen. Was, wenn Pater Dominikus Recht hatte? Konnte ich es wirklich nur noch schlimmer machen, indem ich versuchte, Mutters Gründe zu verstehen?

Meine Augen fielen auf das Büchlein, *Die Legende unserer Meerjungfrau,* das neben mir auf der Bank lag. Ich blätterte es auf. »Zehn hast du denn erwartet?« hatte er in einer seltsam geneigten Schrift geschrieben, darunter stand sein Name.

Während ich auf seinen Namenszug blickte, dämmerte es mir ganz allmählich – ich traute ihm *nicht.* Ich konnte es einfach nicht. Mein Verstand sagte mir zwar, dass ich es *sollte,* und dann waren da ja auch noch Kat und Mutter, die ihm bedingungslos vertrauten, aber ich konnte mich einfach nicht dazu durchringen.

Ich blickte auf die Uhr. Es war kurz nach elf. Ich musste eigentlich zurück, um für Mutter zu kochen, aber ich wurde von dem plötzlichen Impuls übermannt, in die Kirche zu gehen und mir den Stuhl der Meerjungfrau anzuschauen.

Zuletzt hatte ich ihn wohl vor fünfundzwanzig Jahren gesehen, kurz bevor ich die Insel verlassen hatte, um aufs College zu gehen. Obwohl Mike und ich als Kinder so oft um den Stuhl herumgeturnt waren, war er für mich vor allem mit meinem Vater verbunden – wohl, weil er es gewesen war, der ihn mir zuerst gezeigt, der mir seine Geschichte erzählt, der diesen Stuhl fast so sehr geliebt hatte wie sein Boot. Mutter dagegen wollte später nichts von alledem wissen.

Das war nicht immer so gewesen. Zu Lebzeiten meines Vaters hatte der Stuhl sie nicht geschreckt. Vater war Jahr um Jahr unter den Männern gewesen, die den Stuhl während der feierlichen Prozession von der Kirche zum Fährdock tragen durften, wo die Flotte gesegnet wurde, und sie hatte ihn stets darin bestärkt. Die Mönche suchten für eine solche Aufgabe natürlich nur die frömmsten Männer aus, und Joe Dubois hatte sich schließlich als wahrer Heide erwiesen, aber irgendwie hatte er es immer geschafft, dabei zu sein. Er glaubte nämlich, so hatte er gesagt, dass es gut und nützlich wäre, Krabbenboote zu segnen. Nur war es ihm egal gewesen, ob der Segen von St. Senara, Gott, den Mönchen oder Max dem Hund ausgesprochen wurde. Aber ich glaube, da hatte doch mehr dahinter gesteckt. Während meine Mutter Senara liebte, die Heilige, hatte Vater ihr *anderes* Wesen geliebt – ihr Leben als Asenora, die ungezähmte Meerjungfrau.

Der Stuhl hatte an den Lehnen runde Eisenhaken, durch die man Seile ziehen konnte. Jedes Jahr im April, am frühen Abend des Namenstages der Heiligen Senara, schwangen sich vier Männer schwere Taue über die Schultern und trugen den Stuhl aus der Kirche, durch das Tor der Abtei, vorbei an den Geschäften der Insel, als ob es Kleopatras Thron wäre oder die Bahre einer griechischen Gottheit. Mike und ich waren immer mit stolzgeschwellter Brust den ganzen Weg neben unserem Vater hergegangen – »aufgeplustert wie die Pfauen« hatte Mutter gemeint – und hinter uns im Gefolge der Strom der Insulaner, wie ein langer, farbenfroher Brautschleier.

Als ich jetzt zur Kirche ging, sah ich die prächtigen Prozessionen vor mir, den Moment, wenn der Abt das Gebet vorträgt, wenn er im Stuhl am Rand des Docks sitzt, die Hand zum Segen erhoben. Und dann die Schiffe, vierzig Trawler, vielleicht auch mehr, gleiten am Dock entlang, nicht nur aus Egret Island, sondern auch aus McClellanville und Mount Pleasant, geschmückt mit farbigen Lichtern, die das Wasser, wenn die Dunkelheit kommt, in flüssiges Kirchenglas verwandeln. Wenn die Boote gesegnet worden sind und der Stuhl der Zeremonie gemäß mit Meerwasser besprenkelt worden ist, werfen die Insulaner Meerjungfrauenträenen in die Bucht, kleine, perlenfarbene Kiesel, um der Trauer Senaras darüber zu gedenken, dass sie ihr geliebtes Meer hatte verlassen müssen. Danach versammelt sich die ganze Insel in Max's Café um Tische herum, die beladen sind mit frittierten und gekochten Krabben.

Zwischen dem Netzhaus und der Kirche lag ein Rasenstück, auf dem die Mönche früher die Netze auf hölzernen Gestellen ausgebreitet und mit einer kupfrig riechenden Lösung behandelt hatten, um sie vor dem Verrotten zu schützen. Die Gestelle waren fort, aber ich sah einen Mönch in seinem Habit, der Max einen gelben Tennisball zuwarf. Er hatte mir den Rücken zugewandt, aber ich konnte erkennen, dass er groß war und sein Haar dunkel. Als der Hund mit dem Ball zu ihm gesprungen kam, beugte er sich hinunter und streichelte ihm über den Kopf. Es war Bruder Thomas.

Als ich auf ihn zuging, drehte er sich um, und als er mich erkannte, erschien ein Ausdruck auf seinem Gesicht, der eindeutig Freude verriet. Er kam mir entgegen, mit dem Ball in der Hand, Max war ihm auf den Fersen.

»Ich wollte Sie nicht bei Ihrem Spiel stören«, sagte ich und versuchte, nicht zu lächeln, aber ich konnte es einfach nicht unterdrücken. Bei seinem Anblick durchströmte mich ein Glücksgefühl.

»Ich hab' mir nur vor der Mittagshore und der Messe ein wenig die Zeit mit Max vertrieben«, meinte er.

Dann trat ein kurzer Moment der Stille ein, in dem ich wegschaute, hinüber zu den Bäumen, dann wieder zu ihm. Er sah mich mit einem leicht angedeuteten Lächeln an. Ich musste an meinen Traum denken, wir beide auf dem Floß im Meer. Die Bilder hatten mich während der letzten beiden Tage immer wieder bestürmt – seine Kapuze fällt zurück und entblößt sein Gesicht, seine Hand berührt meine Wange, gleitet unter meinen Rücken. Ich fühlte mich sehr unbehaglich dabei, dass ich in seiner Gegenwart daran denken musste. Es war natürlich völlig abwegig, aber ich hatte Angst, er könnte meine Gedanken lesen.

Ich sah abrupt auf den Boden, und mein Blick fiel auf seine Stiefel, die unter seinem Habit hervorschauten, an ihnen hafteten Klumpen eingetrockneten Matschs.

»Meine Arbeitsschuhe«, sagte er. »Ich bin der Marsch-Mönch.«

»Der *was*?«

Er lachte. »Der Marsch-Mönch«, wiederholte er.

»Und was bitte heißt das?«

»Wir bekommen Geld vom Staat dafür, dass wir uns um die Vogelkolonie kümmern – es ist ein Naturschutzgebiet, also muss einer von uns jeden Tag dort hinaus und alles im Auge behalten.«

»Sie machen keine Netze, zusammen mit den anderen?«

»Nein, Gott sei Dank nicht. Ich bin dafür vollkommen ungeeignet, und außerdem bin ich der Jüngste hier, also arbeite ich draußen in der freien Wildbahn.«

Max hatte die ganze Zeit geduldig neben ihm gesessen und gewartet. »Na komm, noch einer«, sagte Thomas und warf den Ball hoch in die Luft.

»Und was genau macht der Marsch-Mönch?«, fragte ich.

»Er behält die Vogelpopulation im Auge – nicht nur die Reiher, sondern auch die Pelikane, die Löffler, die Fischadler, die in erster Linie. Im Frühling und im Sommer zählt und misst er die Eier der Reiher, überprüft die Nester, die Gelege, so was alles. Im Moment, zu dieser Jahreszeit, gibt es nicht so viel zu tun.«

Von ihm strömte ein feiner Geruch aus. Es war Traubengelee.

»Sie beobachten also Vögel.«

Er lächelte. »Nun ja, das nimmt wohl die meiste Zeit in Anspruch. Aber ich habe auch andere Aufgaben – ich inspiziere die Austernbänke, nehme Wasserproben, was immer gerade anfällt. Das Naturschutzamt hat eine ganze Liste mit Aufgaben und Pflichten für mich.« Max kam zurückgesprungen, den Ball in der Schnauze, und Thomas nahm ihn und steckte ihn in sein Skapulier. »Max kommt immer mit mir raus im Boot«, fügte er hinzu und streichelte den Rücken des Hundes.

»Die Arbeit scheint Ihnen ja zu gefallen«, sagte ich.

»Um ehrlich zu sein, manchmal glaube ich, es ist das, was mich hier hält.«

»Ich weiß, was Sie meinen. Ich bin in den Buchten dort aufgewachsen. Mein Bruder und ich haben die Vögel geliebt. Wir sind oft zur Kolonie rausgefahren und haben den männlichen Reihern bei ihrem Balztanz zugesehen.«

Das war mir einfach so rausgerutscht, ohne groß nachzudenken. Und das hier wäre auch nichts, *gar nichts* weiter gewesen als eine belanglose Unterhaltung über Vögel, wenn ich nicht, nachdem mir klar wurde, was ich da gesagt hatte, den Atem angehalten und dabei vor lauter Schreck so ein leises, rasselndes Geräusch gemacht hätte. Röte stieg mir in die Wangen, und jetzt wusste er natürlich, dass ich unserer harmlosen Begegnung hier einen erotischen Beigeschmack gab. Ich hätte mich am liebsten auf der Stelle umgedreht und wäre davongerannt, so wie Max.

Er sah mich aufmerksam an. Ich bin mir sicher, er wusste, was in mir vorging, aber er war höflich und versuchte, es zu überspielen. Er sagte: »Ja, ich habe das auch oft beobachtet. Es ist sehr schön, wie sie mit den Schnäbeln klappern und ihre Hälse lang strecken.«

Dabei war ich es ja wohl gewesen, die hier in den letzten fünf Minuten mit dem Schnabel geklappert und den Hals lang gestreckt hatte ...

»Nun habe ich Ihnen erzählt, was *ich* mache«, sagte er. »Was tun *Sie*?«

Die Frage traf mich unvorbereitet. Ich versuchte, gerade und aufrecht zu stehen. Ich wusste nicht, was ich darauf antworten sollte. *Was genau* tat ich denn eigentlich? Hielt für Hugh das Haus in Ordnung? Malte kleine Bildchen in kleinen Kistchen und machte dann daraus eine kleine Collage? Nein, selbst das konnte ich nicht mehr reinen Gewissens behaupten. Dee war inzwischen erwachsen und aus dem Haus, also konnte ich nicht einmal mehr »Ich bin Hausfrau und Mutter« sagen, so wie ich das früher einmal auf unbefangene, fröhliche Weise gekonnt hatte.

Ich sagte: »Wissen Sie, ich war eigentlich auf dem Weg zur Kapelle, um den Stuhl der Meerjungfrau zu sehen. Ich sollte Sie nicht länger aufhalten.«

»Sie halten mich überhaupt nicht auf. Na, kommen Sie. Ich begleite Sie bis dahin. Es sei denn, Sie wollen lieber alleine sein.«

»Na gut«, sagte ich. Mir war klar, dass er die Veränderung in meinem Verhalten bemerkt hatte, aber mir war nicht klar, warum er sich nicht zurückzog. Wollte er in meiner Nähe sein, oder war er bloß zuvorkommend?

Er nahm mich am Ellbogen und führte mich den Weg entlang zur Kirche, es war die gleiche kleine, unverfängliche Geste, mit der er Mutter begleitet hatte, aber der sanfte Druck seiner Hand auf meinem Mantel jagte einen Stromstoß durch mich hindurch.

Die Kirche lag völlig verlassen da, erfüllt von einer drückenden Stille. Wir gingen durch das Hauptschiff, das Chorgestühl, dann am Altar vorbei in das Ambulatorium, den engen Altarumgang hinter der Apsis, wo wir vor dem Eingang in eine kleine Kapelle, der von einem Spitzbogen gekrönt wurde, stehen blieben.

Der Stuhl der Meerjungfrau thronte auf einer erhöhten Plattform, die mit einem weinroten Teppich überzogen war. Der Teppich war an einigen Stellen bis auf die Kettfäden durchgetreten. An der Wand hinter dem Stuhl ließ ein schmaler Lichtgaden einen Streifen muffigen, gekörnten Lichts in die Kapelle.

Ich ging hinüber und legte meine Hand auf die Rückenlehne, in die ein kompliziert gewundenes, keltisches Knotenmuster eingeschnitten war. Die Armlehnen wurden aus den Rümpfen zweier Meerjungfrauen gebildet. Sie waren noch immer in Grün, Gold und Rot gefasst, obwohl mir schien, dass die Leuchtkraft der Farben im Laufe der Jahre stark nachgelassen hatte.

Ich hatte nicht erwartet, dass mich der Anblick des Stuhls so tief berühren würde, meine Augen füllten sich augenblicklich mit Tränen. Mein Vater hatte so oft auf diesem Stuhl gesessen, und dann hatte er auf sein Knie geklopft, damit ich auf seinen Schoß kletterte. Ich hatte meine Wange an sein raues Kordjackett gelegt und ihm zugeflüstert: »Betest du?« Denn das war üblich, wenn man in dem Stuhl saß. Man bat um etwas, meistens waren es unerfüllbare Wünsche, aber es hieß, die Gebete würden dennoch erhört. Bevor Mutter ihre merkwürdige Abneigung gegen den Stuhl entwickelt hatte, hatte sie mir immer ein Lied vorgesungen, einen Reim, den jedes Kind auf der Insel auswendig konnte:

> *Sitze im Stuhl*
> *Und sprich Dein Gebet.*
> *Senara am Morgen*
> *Erhört Deine Sorgen.*

Mein Vater hatte zurückgeflüstert: »Ja, ich bete, aber sag das bloß nicht deiner Mutter. Sonst verwendet sie das ab jetzt gegen mich.«

»Für was betest du?«

»Für dich.«

Ich hatte mich aufgesetzt, ich war wie elektrisiert gewesen. Mein Vater hatte ein Gebet für *mich* gesprochen, und was immer er erbeten hatte – es würde geschehen. »Worum bittest du?«

Er hatte mich sanft mit der Fingerspitze an der Nase berührt. »Dass du auf ewig mein Wildäpfelchen bleibst.«

Ich bemerkte, dass Bruder Thomas noch immer unentschlossen im Eingang zur Kapelle stand und nicht wusste, ob er bleiben oder mich alleine lassen sollte. Ich ließ meine Hand über die hölzernen Locken der Meerjungfrauen gleiten, dann über ihre Flügel.

»Ich habe mich immer gefragt, warum sie Flügel haben«, flüsterte ich. »Ich habe noch niemals von Meerjungfrauen mit Flügeln gehört. Haben Sie eine Ahnung, warum?«

Er fasste das als Einladung auf, was es auch war, und kam herüber und trat an die andere Seite des Stuhls, trat in das düstere, pudrige Licht aus dem Fenster. Es fiel in einem schmalen Streifen auf seinen Habit. »Einige hier meinen, die Meerjungfrauen seien auch halb Sirene. Sirenen haben Fischschwänze *und* Flügel.«

Ihre Flügel erinnerten mich mit einem Mal an Gefieder. An Balztänze. »Aber ich hab' immer gedacht, Sirenen wären ganz Furcht erregende Wesen.«

»Sie denken wahrscheinlich an die Sirenen aus der *Odyssee,* die Seefahrer in den sicheren Tod an Felsen gelockt haben, aber ganz früher einmal, da waren sie Meeresgottheiten. Sie haben Botschaften aus der Tiefe gebracht. So wie Engel, aber nicht aus himmlischen Höhen, sondern aus dem Dunkel der See. Angeblich sollen ihre Botschaften inspirierend oder heilbringend gewesen sein – Sie sehen, die Sirenen waren also nicht immer Sinnbilder für das Schlechte.«

Ich musste wohl sehr überrascht ausgesehen haben, dass er so viel von dem Thema verstand, denn er grinste und sagte: »Manchmal vertrete ich Bruder Beda, der die Führungen durch das Kloster macht.«

Ich hörte ein Schlurfen im Gang, direkt vor der Kapelle. Ich drehte mich um und erwartete, einen Mönch hereinkommen zu sehen, aber als niemand erschien, sprachen wir noch einige Minuten über die Meerjungfrauen und den Stuhl. Er sagte, dass es ihm gefiel, dass sie sowohl Flügel als auch Fischschwänze hatten, denn das bedeutete, dass sie sich in zwei ganz verschiedenen Welten zurechtfanden, dass sie gleichermaßen zum Meer wie auch zur Luft gehörten und dass er sie darum beneidete. Er hielt sich lange bei dem Thema auf.

Ich ließ meinen Blick wieder über die Lehnen schweifen und tat so, als wäre ich ganz von den Meerjungfrauen in den Bann geschlagen, als würde ich über das Rätsel mit den Flügeln und den Fischschwänzen nachdenken, aber mir war bewusst, dass er mich die ganze Zeit über ansah.

»Glauben Sie, dass jeder, der sich in den Stuhl setzt und betet, erhört wird?«, fragte ich.

»Nicht in diesem wundertätigen Sinne, nein.«

»Daraus schließe ich, Sie selber setzen sich nicht in den Stuhl und beten, so wie die Touristen?«

»Ich bete wohl auf andere Weise.«

»Wie denn?«, fragte ich und merkte, nachdem die Worte heraus waren, wie intim die Frage war. Ich war mir sicher, ich hatte zuvor noch niemals jemanden gefragt, wie er betet.

»Thomas Merton schreibt, dass die Vögel seine Gebete seien, und ich denke ebenso. Ich kann am besten beten, wenn ich draußen im Marschland bin. Es ist die einzige Form von Gebet, auf die meine Seele wirklich anzusprechen scheint.«

Seele. Das Wort hallte in mir nach, und ich fragte mich, wie so oft, was es eigentlich bedeutete. Ständig und überall war von der Seele die Rede, aber wusste eigentlich jemand genau, was die Seele war? Ich hatte sie mir manchmal wie eine kleine Zündflamme vorgestellt, die in einem brennt – ein Feuertropfen aus dem unsichtbaren Flammenmeer, das Gott heißt. Oder wie weiche Knete, wie ein Stück Ton oder Modelliermasse, das die Summe der Erfahrungen einer Person in sich aufnimmt – in das sich eine gewaltige Zahl an Momenten von Glück, Verzweiflung, Angst einprägt, all die einschneidenden Augenblicke, in denen wir wahre Schönheit erfahren. Ich hätte ihn ganz bestimmt nach seiner Meinung gefragt, aber in dem Moment fing die Glocke im Turm über uns an zu läuten. Er trat hinaus in den Gang. Dann drehte er sich zu mir, und ich konnte das klare Blau seiner Augen sehen. »Ich selbst bete zwar nicht in dem Stuhl, aber, nur zu Ihrer Information, das heißt nicht, dass der Stuhl keine Macht besäße.«

Die Glocke schlug wieder. Er lächelte mich an und steckte dann seine Hände zu Max' Tennisball in sein Skapulier und ging fort.

KAPITEL 15

Nachdem er gegangen war, setzte ich mich in den Stuhl. Er war hart und unbequem. Es hieß, er wäre aus einem einzigen Birkenstamm geschnitzt worden, aber ich glaube, das gehört in das Reich der Apokryphen. Ich drückte meine Wirbelsäule gegen die Rückenlehne und spürte, wie sich meine Zehen vom Boden lösten. Am anderen Ende der Kirche begannen die Mönche zu singen. Ich konnte nicht genau hören, ob es auf Lateinisch war. Ihre Stimmen drangen in Wellen zu mir, wogten durch die gewölbte Kapelle.

Meine Gedanken müssen wohl eine Zeit lang in Spiralen zur Decke gestiegen und mit dem Gesang emporgeschwebt sein, denn mit einem Mal spürte ich, wie mein Körper meine Aufmerksamkeit zu sich herunterriss, und ich spürte, dass er erregt und lebendig war. Ich hatte das Gefühl, über weite, offene Felder zu laufen, obwohl ich ganz still saß. Alles um mich herum schien aufzuleuchten und zu atmen – Farben, Formen, die Lichtkrumen aus dem Fenster, die schräg über meine Schultern fielen. Meine Hände ruhten auf den Armlehnen, an der Stelle, wo die gebogenen Rücken der Meerjungfrauen in Fischschwänze übergingen. Ich ließ meine Finger um sie herumwandern, bis ich das gekerbte Schnitzwerk der Fischschwänze wie ein Paar Zügel umfasste. Ich hatte das Gefühl, dass ich wohl besser mich selbst zügeln sollte, aber gleichzeitig wollte ich auch einfach nur losstürmen.

In den letzten Tagen waren meine Gefühle für Thomas in einem solch trüben Durcheinander umhergetrieben. Ich hatte sie wie Brackwasser am Grund eines Boots in mir herumschwappen lassen, aber jetzt, als ich im Stuhl der Meerjungfrau saß, wurde alles vollkommen klar. Ich wollte ihn mit einem geradezu begierigen Verlangen.

Natürlich überkam mich in dem gleichen Moment, in dem ich diesen Gedanken zugelassen hatte, ein nachhaltiger Schock, ich wurde überwältigt von Ekel, und dennoch bedeutete meine Scham nichts angesichts der Macht meines Herzens. Es war, als ob etwas eine Wand durchbrochen hätte. Ich musste an das Gemälde von Magritte denken, auf dem eine Lokomotive aus einem Kamin herausdonnert.

Die Antiphonien schwollen an und ab. Ich zwang mich zu einem langen, tiefen Atemzug, ich wollte, dass der Stuhl seinem Ruf gerecht würde und etwas tat. Ich wollte, dass er ein Wunder bewirken und die Gefühle, die mich überwältigten, auslöschen würde. Mein Verlangen jedoch schien nur noch zu wachsen. Ein Verlangen für jemanden, so rief ich mir ins Bewusstsein, der nicht Hugh war. Den ich noch nicht einmal kannte. Und dennoch kam es mir so vor, als ob ich um seine innigsten Gedanken wissen würde.

So war es all die Jahre auch mit Hugh gewesen. Als hätte ich jemanden getroffen, den ich schon ewig gekannt hatte. Als ich mich in Hugh verliebt hatte, war es gewesen, als wäre ich von einer furchtbaren Anwandlung von Wahnsinn befallen. Ich hatte mich nach ihm verzehrt, war vor Sehnsucht fast krank gewesen, unfähig, mich auf irgendetwas zu konzentrieren. Es hatte kein Heilmittel gegeben – nicht etwa, dass ich damals Heilung gewollt hätte. Der Wille ist vollkommen ausgeschaltet, wenn man sich verliebt. Das Herz folgt seinen eigenen Gesetzen.

Die Luft war geschwängert von Weihrauch, sie vibrierte von den mittelalterlichen Gesängen. Ich stellte mir Thomas vor, in einem der Chorstühle, und spürte wieder dieses Gefühl der verzehrenden Lust, ich wurde überrollt von Wellen des Verlangens.

Am schlimmsten war, dass ich in dem Moment spürte, dass ich mich all dem hingeben würde. Was es auch immer sein sollte: eine gewaltige Ekstase und eine gewaltige Katastrophe.

Die Erkenntnis machte mir Angst, und das ist noch untertrieben. Ich hatte nicht erwartet, dass ich mich je im Leben noch einmal verlieben könnte.

Thomas hatte mich eben gefragt, was ich tat, und ich war nicht in der Lage gewesen zu sprechen. Ich fragte mich nun, ob es daran lag, dass mein Gefühl für mein Selbst zerfiel. Seit ich auf die Insel gekommen war, schien sich alles aufzulösen.

Ich schloss die Augen. *Hör auf damit. Hör auf.*

Ich hatte das nicht als Gebet gesprochen, aber als ich die Augen öffnete, überkam mich der Gedanke, dass es vielleicht doch eins gewesen war, und ich hegte einen kurzen Augenblick lang die kindliche Hoffnung, dass irgendeine Macht, gleich welcher Natur, sich möglicherweise verpflichtet fühlen könnte, meinen Wunsch zu erfüllen. Dann würde alles aufhören. Die Gefühle, alles, und ich würde Absolution erhalten. Ich wäre sicher.

Natürlich glaubte ich das nicht wirklich. *Sitze im Stuhl, Und sprich Dein Gebet* – das war kindisch.

Aber selbst Thomas, der auch nicht wirklich daran glaubte, hatte gesagt, dass dem Stuhl eine Kraft innewohnte. Und so *war* es auch. Ich konnte sie spüren. Sie hatte die Macht, meine Gedanken und Gefühle zu klären.

Was, wenn das die *wahre* Kraft des Stuhls war – die Fähigkeit, Menschen zu öffnen? Was, wenn er die Macht hatte, die verbotensten Gefühle eines jeden hervorzuholen und ihm zu offenbaren?

Ich stand auf. Ich konnte jetzt unmöglich durch die Kirche hindurch an den Mönchen vorbeigehen, und so irrte ich eine Zeit lang durch den Altarumgang und öffnete viele Türen, bis ich endlich die Hintertür zur Sakristei fand, die aus der Kirche hinausführte.

Ich eilte durch den Innenhof, dichte Luft schlug mir ins Gesicht. Der Nebel hatte sich noch immer nicht aufgelöst, so wie es vorhin den Anschein gehabt hatte, als sich ein einsamer Strahl Sonnenlichts einen Weg hatte bahnen können. Jetzt hatte sich alles wieder in eine zähe Suppe verwandelt.

Als ich durch die Pforte in Mutters Garten trat, blieb ich kurz stehen, an der gleichen Stelle, an der ich in der Nacht verweilt hatte, als Thomas uns nach Hause begleitet hatte. Ich legte meine Handflächen auf die Ziegelmauer und starrte auf den Mörtel, der von der salzigen Luft durchlöchert war. Hinten im Garten wiegten sich die Oleanderbüsche, ihr dürftiges Grün kaum sichtbar.

Er ist Mönch, sagte ich mir.

Und wünschte mir sehnlich, dass mich diese Tatsache retten könnte.

KAPITEL 16

Bruder Thomas

Während der antiphonischen Gesänge, die der Messe vorangingen, hatte Thomas bemerkt, dass Pater Sebastian ihn ständig angesehen, ihn aus seinen kleinen Augen hinter der großen, schwarzen Brille angestarrt hatte. Thomas hatte sich gewünscht, er würde damit aufhören. Einmal hatte Thomas unverblümt zurückgestarrt, und Sebastian hatte noch nicht einmal so getan, als wäre es ihm peinlich. Stattdessen hatte er genickt, so als ob er einen Gedanken für sich bedacht oder versucht hätte, ihm etwas zu bedeuten.

Thomas glühte unter seinem Habit. Er hatte das Gefühl, er wäre in Isolierfolie eingewickelt. Die Wolle war selbst für den Winter zu warm, und dann blies ihnen die Heizung auch noch ständig entgegen. Der Grund dafür war, wie der Abt es sorgsam formuliert hatte, dass die älteren Mönche »kalt-blütig« wären. Thomas hatte sich damals in die Backen beißen müssen, um nicht laut loszulachen.

Vor drei Jahren hatte er damit angefangen, täglich in den Buchten bei der Vogelkolonie zu schwimmen, nahe der kleinen Klause, die er sich auf einer der kleinen Inseln im Marschland gebaut hatte. Er tat das, um sich ein wenig abzukühlen. Im Winter schwamm er noch entschlossener als zu jeder anderen Jahreszeit, dann stürzte er sich regelrecht in das kalte Wasser. Er musste dabei immer an eine Illumination aus einem mittelalterlichen Stundenbuch denken, die »Der Höllenschlund« hieß und auf der sich die armen Sünder, die in der Hölle schmorten, aus einem kleinen Spalt im Inferno auf eine Kelle kalten Wassers stürzten. Der Ort, wo er schwamm, lag vollkommen verborgen hinter einer Wand aus hohem, üppig sprießendem Gras. Es war ein Ablauf aus der Bucht, der in einem geschützten Bassin endete. Sein ganz privater Swimmingpool.

Natürlich gab es in einem Kloster keine Badekleidung. Also schwamm er nackt. Vermutlich hätte er das bei der öffentlichen Culpa am Freitag Vormittag beichten sollen, bei der die Mönche Sünden offenbarten wie: »Ich habe nicht Acht gegeben und die Lampe im Empfangszentrum zerbrochen«, oder: »Ich habe mich nach dem Silentium in die Küche geschlichen und das letzte Glas Kirschgelee gegessen«, aber er glaubte nicht, dass er damit eine Schuld auf sich lud. Wenn er nackt schwamm, jubilierte er in seinem Innern. Menschen, die zur Spiritualität neigten, hatten meist die Angewohnheit, sich hinter Schichten von Kleidern zu verbergen, ihren Körper zu betäuben. Er war fest davon überzeugt – man sollte nackt schwimmen. Und einige, so fand er, hätten das dringend nötig.

Als ihm der Schweiß schon auf der Oberlippe stand, schloss er die Augen und träumte von der kalten Flut, die über seine bloße Haut spülte.

Die Mönche standen im Chor in hierarchischer Folge, in *Statio*: Abt, Prior, Subprior, Novizenmeister, dann die Mönche in der Reihenfolge ihres Eintritts ins Kloster. Thomas stand am letzten Stuhl in der hintersten Reihe, auf der linken Seite der Kirche.

Als Prior stand Pater Sebastian in der ersten Reihe auf der rechten Seite und hielt sein St. Andrew Missale umklammert, das eigentlich seit den sechziger Jahren nicht mehr in der Liturgie verwendet wurde. Sein Blick fixierte Thomas unverhohlen und finster.

Der Grund dafür wurde Thomas mit einem Mal offenbar. Seine Finger krampften sich um sein Brevier. Pater Sebastian hatte gesehen, wie er sich mit Jessie Sullivan unterhalten hatte. Er hatte doch vor der Kapelle ein Geräusch gehört. Er hatte ganz vergessen, dass Sebastian die Kirche immer durch die Sakristei betrat. Zweifellos hatte er ein wenig gelauscht.

Einiges von dem, was er zu ihr gesagt hatte, kam ihm wieder in den Sinn. Darunter war nichts Unschickliches gewesen. Sie hatten sich über den Stuhl der Meerjungfrau unterhalten. Und über *Gebete,* du liebe Güte. Er war doch nur zu der Tochter der Frau freundlich gewesen, die ihnen ihr Mittagsmahl kochte. Sollte daran irgendetwas falsch sein? Die Mönche sprachen doch ständig mit Besuchern.

Er stand trotzig in seinem Chorstuhl und spürte in sich den Drang, sich zu rechtfertigen. Der Rechtsanwalt in ihm war auferstanden, so wie einst Lazarus von den Toten. Es erschreckte ihn, wie lebendig dieser Instinkt noch war, wie selbstverständlich er seine Begegnung mit Jessie Sullivan verteidigen wollte.

Er hörte auf zu singen, und als es dem Abt auffiel, sah er zu ihm herüber und runzelte die Stirn. Thomas setzte erneut an, dann hörte er wiederum auf, seine Arme sanken hinunter. Die Erkenntnis, dass er hier stand und sich innerlich eine Verteidigung zurechtzulegen versuchte, erhellte ihm einiges.

Er ließ seine Augen langsam zu Sebastian wandern und nickte, als sein Blick den des alten Mönchs traf. Sein Nicken war ein Eingeständnis an sich selbst, das schmerzhafte Anerkennen der Tatsache, dass er sich nicht wahrhaftig verteidigen konnte, denn er hatte an diese Frau denken müssen, seit er sie das erste Mal gesehen hatte, als sie auf dem Rasen des Rosengartens gesessen hatte. Seitdem hatte er das vollkommene Oval ihres Gesichts vor Augen und den Blick, mit dem sie ihn angesehen hatte, bevor sie aufgestanden war. Am deutlichsten erinnerte er sich daran, wie ihr Kopf den Mond verschattet hatte, als sie vor ihm gestanden hatte. Der Mond war hinter ihr aufgestiegen, und für ein oder zwei Sekunden war sie ihm wie eine Mondfinsternis erschienen, eine dünne Korona hatte sich um ihren Kopf herum gebildet und hatte hinter ihrem verschatteten Gesicht geglüht.

Das hatte ihm den Atem geraubt. Es hatte ihn an etwas erinnert, aber er konnte nicht sagen, woran. Er hatte sie durch die schwarzen Bäume hindurch zurück zu Nelles Haus begleitet, hatte mit ihrer Mutter geredet, aber im Geist hatte er Jessie Sullivans Gesicht in der Dunkelheit leuchten sehen.

Das hatte in ihm eine Sehnsucht geweckt, die nicht, wie er gehofft hatte, weniger, sondern eher nur noch mehr geworden war, so dass er bei Nacht oft nicht mehr schlafen konnte, weil er ständig an sie denken musste. Dann stand er auf und las das Gedicht von Yeats, in dem es hieß, dass der Liebende in den Haselwald hinausging mit einem Feuer im Kopf. Yeats hatte es geschrieben, als er Maude Gonne begegnet war, einer fremden Frau, die er eines Tages an einem Fenster stehen sehen und in die er sich rettungslos verliebt hatte.

Thomas war sich zunehmend töricht dabei vorgekommen, wie verstrickt er in sein Verlangen nach ihr war. Als ob er sich in einem der Netze des Klosters verfangen hätte. Es war alles gut gegangen, fünf Jahre lang hatte er sich nach dem Rhythmus der Abtei gerichtet: *ora, labora, vita communis* – Gebet, Arbeit, Gemeinschaft. Sein Leben stützte sich auf diese Pfeiler. Der Ehrwürdige Antonius hielt manchmal Predigten über die Acedia, die Trägheit des Herzens und Trübung des Willens, die das unerträgliche Einerlei hervorrufen konnte, aber darunter hatte Thomas nie gelitten. Die Kadenz und das Gleichmaß dieses Ortes hatten ihm durch seinen entsetzlichen Zweifel hindurch Trost gespendet, durch die tief empfundene Angst hindurch, die ihn quälte, weil er lebte, während die, die er geliebt hatte, tot waren.

Und dann dieser eine harmlose Moment: Eine Frau erhebt sich in einem blumenleeren Garten, ihr Gesicht ist dunkel und schön, dann wendet sie sich ihm zu, und ein Licht umstrahlt ihr Haupt. Dieser Moment hatte seine tiefe Ruhe zerstört, die vollkommene Ordnung.

Er spürte ihre Gegenwart selbst jetzt, sie umspülte ihn wie die verborgenen Gewässer, in denen er schwamm.

Er wusste so gut wie nichts von ihr, aber er hatte den Ring an ihrem Finger gesehen, und das hatte ihn beruhigt. Sie war verheiratet. Dafür war er dankbar.

Er dachte daran, dass sie dunkelrot angelaufen war, als sie von den Balztänzen der Reiher gesprochen hatte. Und dann war er auch noch mit ihr zum Stuhl der Meerjungfrau gegangen, und nun hatte er Visionen davon, wie sie in der Kapelle gestanden hatte, in Jeans, die sich eng um ihre Hüften schmiegten.

Der Abt leitete zur Messe über, und in dem Moment, als die Hostie hochgehalten wurde, überkam Thomas eine Woge der Sehnsucht, nicht nach Jessie, sondern nach seinem Heim, seinem klösterlichen Heim, nach dem Ort, den er mehr liebte als alle anderen. Er sah auf die Hostie und bat Gott, ihn mit diesem Bissen vom Leib Christi zu sättigen, und beschloss, sie aus seinen Gedanken zu verbannen. Er würde sich von ihr befreien. Ja, das würde er.

Als sich die Mönche in der Kirche aufreihten, um zum Refektorium zu gehen und ihr Mittagessen einzunehmen, schlich er sich davon. Er folgte dem Pfad zu seinem Cottage. Er wollte nicht essen.

Pater Dominikus saß in einem hölzernen Schaukelstuhl,

der einmal eine grüne Lasur besessen hatte, auf der Veranda. Er trug einen braun-rot gewebten Schal um seine Schultern, aber er wiegte sich nicht wie sonst hin und her, sondern saß regungslos da, den Blick auf ein Kissen Spanischen Mooses am Boden gerichtet. Thomas fiel auf, dass er ihn auch bei der Messe nicht gesehen hatte. Zum ersten Mal kam Dominikus ihm alt vor.

»Benedicite Dominus«, sagte Dominikus, als er aufsah. Er benutzte häufig die altmodische Grußformel.

»Geht es dir gut?«, fragte Thomas. Mit Ausnahme der drei Wochen im Frühling, in denen Dominikus mit Lungenentzündung auf der Krankenstation gelegen hatte, konnte sich Thomas nicht erinnern, dass der alte Mönch je eine Messe versäumt hätte.

Dominikus lächelte, aber es war ein leicht gezwungenes Lächeln. »Mir geht es gut. Wirklich gut.«

»Du warst nicht bei der Messe«, sagte Thomas und betrat die Veranda.

»Ja, der Herr möge mir vergeben, ich habe mir hier auf der Veranda selbst die Kommunion erteilt. Hast du jemals bedacht, Thomas, dass Gott, wenn er in der Hostie wohnen kann, doch auch in anderen Dingen wohnen könnte, wie in diesem Moos hier?«

Thomas betrachtete das Mooskissen, das neben den Stufen hervorquoll. Es sah aus wie Gras, wie Steppenläufer. »Solche Gedanken habe ich ständig. Ich habe nur nicht geahnt, dass ich damit nicht alleine bin.«

Dominikus lachte. »Und ich auch nicht. Nun, dann haben sich also zwei verwandte Seelen gefunden. Oder, genauer gesagt, zwei abtrünnige Seelen.« Er stieß sich mit den Füßen ab und versetzte den Stuhl in ein sanftes Schaukeln.

Thomas lauschte dem Knarren des Holzes. Von einem plötzlichen Drang überwältigt sank er neben dem Stuhl nieder. »Bruder Dominikus, ich weiß, du bist nicht mein Beicht-

vater, und der Abt würde dies sicher nicht gutheißen, aber ...
würdest du mir die Beichte abnehmen?«

Dominikus hörte auf zu schaukeln. Er beugte sich vor
und sah Thomas verwirrt an. »Hier und jetzt, meinst du?
Hier auf der Stelle?«

Thomas nickte, sein Körper war angespannt, er schmerzte vor Dringlichkeit. Er wurde von dem plötzlichen, machtvollen Verlangen gemartert, sich von einer Last zu befreien.

»Nun schön«, sagte Dominikus. »Ich habe ja bereits die
Messe versäumt, dann kann ich auch fortfahren. Ich höre
dir zu.«

Thomas sank neben dem Schaukelstuhl auf die Knie. Er
sagte: »Vergib mir, Vater, ich habe gesündigt. Es sind jetzt
vier Tage seit meiner letzten Beichte.«

Dominikus blickte hinaus in den Garten. Aus den Augen-
winkeln heraus glaubte Thomas zu erkennen, dass er wieder auf das Moos sah.

Thomas sagte: »Pater, es ist etwas geschehen. Ich glaube,
ich habe mich verliebt. Ich habe sie im Rosengarten getroffen.«

Wind kam auf, sie saßen in einer Stille, die vom Wind ge-
rüttelt wurde, in einer Kälte, die angenehm und willkommen war. Als er die Worte aussprach – diese hemmungslo-
sen, Gefahr bringenden Worte –, öffnete sich eine Schleuse
in Thomas. Er wurde an einen Ort gespült, von dem es kein
Zurück mehr gab.

Hier war er nun. Kniete auf der kleinen Veranda neben
Dominikus. Mit gesenktem Haupt. An einem milchig-wei-
ßen Tag. Und liebte eine Frau, die er kaum kannte.

KAPITEL 17

In den seltsamen Tagen, die auf meine Begegnung mit Bruder Thomas in der Abteikirche folgten, setzte der Regen ein. Ein kalter Februarmonsun. Die Insel trieb im Atlantik.

Ich hatte die Winterregen noch aus meiner Kindheit als trostlose, sintflutartige Zeiten im Gedächtnis: Mike und ich waren die Straße zur Schule hinuntergerannt, unter eine alte Bootsplane gedrängt, Regen war an unsere Beine gespritzt. Später, als wir älter waren und die Bucht überqueren mussten, um den Bus zu bekommen, hatte die Fähre wie eine Plastikente auf dem Wasser geschaukelt.

Über eine Woche lang stand ich am Fenster in Mutters Haus und sah, wie das Wasser durch die Äste der Eichen strömte und auf die Badewannengrotte spritzte. Ich kochte fades Essen aus den Vorräten, die ich im Haus fand, wechselte Mutters Verband, brachte ihr regelmäßig ihre zimtfarbenen Pillen und rot-weißen Kapseln, aber irgendwie stand ich am Ende dann doch wieder versunken an einem Fenster und sah hinaus ins Nichts. Ich spürte, wie ich mich an einen Ort in mir selber zurückzog, der mir neu war. Es war, als schlüpfte ich in eine Nautilusschale. Ich zog mich einfach zurück, den gewundenen Gang hinunter in ein dunkles, kleines Refugium.

An manchen Tagen sahen Mutter und ich uns die Olympischen Winterspiele im Fernsehen an. Das gab uns eine

Möglichkeit, gemeinsam in einem Raum zu sitzen und so zu tun, als wäre alles ganz normal. Mutter sah auf den Bildschirm, während sie den Rosenkranz durch ihre Hände gleiten ließ und sich über die Zehnergruppen roter Perlen hermachte, und wenn sie mit allen fünf Gesetzen fertig war, spielte sie mit dem Zauberwürfel, den ich ihr vor bestimmt fünf Jahren zu Weihnachten geschickt hatte, sie drehte unbeholfen mit einer Hand an ihm herum. Zu guter Letzt ließ sie den Würfel in ihren Schoß fallen und saß einfach nur da, während ihre Finger immer noch herumspielten.

Wir waren, so glaube ich, beide in unserer eigenen Gedankenwelt gefangen. Mutter in ihren alltäglichen Qualen, dem Gedanken an ihren beerdigten Finger, in ihrer Rückgewandtheit. Ich in meinen Grübeleien über Bruder Thomas, die immer mehr Raum in mir einnahmen, gefangen in einem unablässigen Begehren, das ich nicht unterdrücken konnte. Und ich habe es versucht, oh, ich habe es *so* sehr versucht.

Ich hatte völlig vergessen, wie sich Verlangen anfühlte, dass es plötzlich und machtvoll wie ein Schwarm aufgescheuchter Vögel flatternd aus der Magengrube aufsteigen und sich auch wieder langsam mit dem sanften Rauschen von Federn zurückziehen konnte.

Wo kam überhaupt mit einem Mal diese Begierde her? Ich hatte immer geglaubt, dass Frauen irgendwo hinter ihrem Bauchnabel einen Vorrat trügen, eine Art erotischen Benzintank, mit dem man auf die Welt kommt, und ich war sicher gewesen, dass ich den gesamten Inhalt meines Tanks in den ersten Jahren meiner Ehe mit Hugh verbraucht hatte. Ich hatte ihn bedenkenlos geleert, und ich hatte nichts, womit ich ihn wieder auffüllen konnte. Ich hatte Hugh einmal gesagt, dass ich einen Vierlitertank statt eines Zehnlitertanks bekommen hätte und dass es eben so wäre, als hätte man eine kleine Blase – einige Frauen litten darunter, andere nicht. Er hatte mich angesehen, als wäre ich irre geworden.

»Bei Männern ist das nicht so«, hatte ich ihm erklärt. »Euer sexueller Appetit kommt durch ein Ventil, das ihr jederzeit aufdrehen könnt, wann immer ihr wollt. Wie Wasser aus einem Wasserhahn. Ihr habt eben unerschöpfliche Vorräte.«

»Tatsächlich?«, hatte er gesagt. »Hast du das im Biologieunterricht gelernt, oder woher weißt du das so genau?«

»Es gibt Dinge, die stehen eben *nicht* in den Schulbüchern«, hatte ich entgegnet.

»Ganz offensichtlich.« Er hatte gelacht, als würden wir scherzen.

Das hatte ich auch und auch wieder nicht. Ich war fest davon überzeugt gewesen, dass die Libido der Frauen begrenzt war, und wenn sie aufgebraucht war, dann war sie eben erschöpft.

Jetzt allerdings wurde mir klar, dass ich mich gründlich getäuscht hatte. Wir hatten keine Tanks, weder große noch kleine, sondern alle hatten Ventile. Und sie führten zu einem unendlich tiefen Meer der Sinnlichkeit. Vielleicht war mein Ventil ja einfach nur zugerostet oder verstopft gewesen. Ich wusste es nicht.

Auch Mutter wurde im Laufe dieser Tage immer stiller. Sie sprach nicht mehr davon, zurück in die Abtei zu gehen, um wieder für die Mönche zu kochen. Sie überließ sie den kläglichen Bemühungen von Bruder Timotheus. Ich musste immer daran denken, was Hugh gesagt hatte, dass ihr Wunsch, sich von einer Schuld zu befreien, sich jederzeit wieder äußern könnte. Ich machte mir Sorgen. Jedes Mal, wenn ich sie ansah, hatte ich das Gefühl, dass etwas Großes und Bedrohliches tief in ihr eingesperrt war, dass es an seiner Kellertür rüttelte.

Nur etwa einen Tag lang, gleich, nachdem sie ihren Finger

begraben hatte, war wieder ein wenig von ihrem alten Selbst zum Vorschein gekommen. Sie hatte, wie früher, drauflos geplappert und war dabei von einem Thema zum anderen gesprungen, hatte darüber gesprochen, wie sie Rezepte, die für vier Personen berechnet waren, in Rezepte für vierzig Personen verwandeln könnte, hatte über die Kochsendungen im Fernsehen geredet, über die Unfehlbarkeit des Papstes, über Mike. Glücklicherweise hatte sie von seinem buddhistischen Selbstversuch noch nicht Wind bekommen. Meine Mutter konnte normalerweise keinen noch so nebensächlichen Gedanken für sich behalten, und jetzt war sie vollkommen still. Das war kein gutes Zeichen.

Ich konnte weder die Energie noch den Mut aufbringen, sie wieder nach Dominikus zu fragen oder die Sache mit der Pfeife meines Vaters zur Sprache zu bringen.

Kat rief fast jeden Tag an. »Lebt ihr beide da draußen noch?«, fragte sie immer. »Vielleicht sollte ich doch mal kurz rüberkommen und nach euch sehn.« Wir beteuerten, dass es uns wirklich gut ginge. Ich wollte keine Gesellschaft, und sie hatte das begriffen.

Und Hugh rief an. Einmal. Das Telefon klingelte zwei oder drei Tage, nachdem ich auf dem Stuhl der Meerjungfrau gesessen und gespürt hatte, wie sich die Fluttore geöffnet hatten. Mutter und ich sahen uns gerade ein Bobrennen an.

Die ersten Worte aus Hughs Mund waren: »Lass uns bitte nicht streiten.« Er wollte, dass ich mich für mein Verhalten bei unserem letzten Telefonat entschuldigte. Das war mir klar. Er wartete geduldig.

»Ich habe meine Meinung ganz und gar nicht geändert«, sagte ich. »Ich finde immer noch, dass ich das hier alleine tun sollte.« Für den Fall, dass es barsch geklungen hatte, versuchte ich, meine Worte ein wenig abzumildern. »Versuch doch mal, es von meiner Warte aus zu sehen, okay?«

Er sagte ganz automatisch »Okay«, aber mir war klar, er

versuchte es erst gar nicht. Das ist einer der großen Nachteile davon, wenn man mit hochintelligenten Menschen zusammenlebt – sie sind so daran gewöhnt, immer Recht zu haben, dass sie sich nicht einmal vorstellen können, es könnte auch anders sein.

Während wir sprachen, überfiel mich eine blendend-weiße Müdigkeit. Ich erwähnte ihm gegenüber weder Dominikus noch meinen Verdacht, dass er irgendwie in die Sache verwickelt sein könnte, denn Hugh hätte meinen Gedanken zu Tode seziert. Er hätte mir gesagt, wie ich vorgehen sollte. Ich aber wollte mich von meinen eigenen Instinkten leiten lassen.

»Wann kommst du wieder nach Hause?«, wollte Hugh wissen.

Nach Hause. Wie konnte ich ihm beibringen, dass ich im Moment nur das unerträgliche Bedürfnis verspürte, von zu Hause zu fliehen? Es drängte mich, ihm zu sagen: *Bitte, ich möchte im Moment mit meinem Leben alleine sein, ich möchte in meine Nautilusschale kriechen und nachsehen, was da tief im Innern wartet.* Aber ich sagte nichts.

Ich war von einer zähen, krank machenden Selbstsucht und dem Gefühl der Unzufriedenheit befallen, das ich schon zu Hause verspürt hatte, aber auch von einer Art liebevollem Selbstmitleid. Mein Leben schien mir so niedlich und dumm, so klein und fad. So vieles lag brach.

In den letzten Tagen hatte ich über das Leben nachgedacht, das ich eigentlich führen sollte, das Leben, das mir vor so langer Zeit einmal vorgeschwebt hatte, voller Kunst und Sex und fesselnder Diskussionen über Philosophie und Gott. In diesem Fantasie-Leben hatte ich eine Galerie gehabt. Und hatte surrealistische Gemälde voller rätselhafter Traumbilder gemalt.

Es hatte vor einigen Jahren einen Moment gegeben, in dem ich doch noch einmal nach diesem Leben gegriffen hatte, oder zumindest nach einem kleinen Teil davon. Zwei

Tage vor Weihnachten war ich in eine Abstellkammer in einer der Mansarden geklettert, um das gute Porzellan hervorzuholen – ein edles Knochenporzellan, das nicht mehr hergestellt wurde und somit unersetzlich war. Es war in Kisten verpackt und wurde nur zu großen Festtagen hervorgeholt und hin und wieder zu unserem Hochzeitstag.

Dee hatte mich beobachtet und gleich gewusst, was ich vorhatte. »Mom«, hatte sie gesagt, »warum benutzt du das Geschirr nicht öfter? Wofür hebst du es eigentlich auf?« In ihrer Stimme hatte Mitleid geschwungen.

Ja, wofür eigentlich? Ich wusste es nicht, ich konnte es nicht sagen. Wahrscheinlich für meine Beerdigung. Dee würde einen Beerdigungskaffee veranstalten, und alle Leute würden herumstehen und darüber sprechen, wie außergewöhnlich es doch war, dass ich nach all diesen Jahren noch ein vollständiges, zwölfteiliges Service besessen hatte. Was für eine Errungenschaft.

Noch Tage später hatte mich die Erkenntnis bedrückt, dass ich in so einer kleinen, geschrumpften Welt hauste. Wann hatte meine Angst vor einem zerbrochenen Teller so gewaltige Ausmaße angenommen? Wann war mein Verlangen nach außergewöhnlichen Momenten so geschwunden? Dann hatte ich in einem der Küchenschränke für das Porzellan Platz gemacht und es ständig benutzt. Weil Mittwoch war. Weil jemand eine meiner Kunstkistchen gekauft hatte. Weil es so aussah, als ob in meiner Lieblingsserie »Cheers« Sam endlich seine Diane heiraten würde. Meine plötzliche Neigung zu Größe war jedoch nicht über das Geschirr hinausgewachsen.

Als ich das Telefon in der Hand hielt, wollte ich Hugh eigentlich davon erzählen, von der Mansarde und dem Geschirr, aber ich war mir nicht sicher, ob das irgendeinen Sinn ergab.

»Jessie«, sagte Hugh, »hörst du mir überhaupt zu? Wann kommst du wieder nach Hause?«

»Ich weiß noch nicht, wann ich wieder nach Hause komme. Noch nicht. Ich muss möglicherweise – ich weiß nicht – länger bleiben.«

»Ich verstehe.«

Ich glaube, er verstand mich tatsächlich. Er verstand, dass es bei meinem Aufenthalt hier auf der Insel um mehr ging, als darum, mich um Mutter zu kümmern; es ging auch um die Rastlosigkeit, die ich den ganzen Winter über verspürt hatte. Es ging um mich, um uns.

Aber das sagte er nicht. Stattdessen sagte er: »Jessie, ich liebe dich.«

Das klingt wahrscheinlich furchtbar, aber ich hatte das Gefühl, er sagte das nur, um mich zu testen, um zu sehen, ob ich die Worte erwidern würde.

»Ich rufe dich in ein paar Tagen wieder an«, sagte ich.

Als wir aufgelegt hatten, sah ich zum Fenster, das vor Nässe silbern glänzte, dann ging ich zurück ins Wohnzimmer, zu Mutter, dem Fernseher und dem Bobrennen.

Ich konnte riechen, wenn gegen vier Uhr nachmittags die Nacht kam. Sie kroch unter den Türen und durch die Fensterritzen hindurch – ein nasser, schwarzer Geruch. Das Verlangen nach Thomas war nachts am schlimmsten.

Ich fing an, in den ersten, dräuenden Schatten der Dunkelheit lange, ausgiebige Bäder zu nehmen. Ich stahl eine der Notkerzen aus Mutters alter Hurrikan-Schachtel und stellte sie an den Rand der Badewanne. Ich zündete sie an, ließ heißes Wasser ein, so heiß, dass ich es gerade noch aushalten konnte, bis der Dampf im Badezimmer trudelte. Oft streute ich mir Zedernnadeln aus dem Garten in mein Badewasser oder eine Hand voll Salz, oder goss ein paar Tropfen von Mutters Lavendelöl dazu, so, als ob ich eine Brühe kochen wollte. Das Aroma war bisweilen überwältigend.

Ich glitt tief ins Wasser, bis nur noch meine Nasenlöcher hervorschauten. Man hätte glauben können, ich wäre zum ersten Mal mit Wasser in Berührung gekommen, mit seinem heißen, seidigen Gefühl.

Wenn ich untergetaucht war, gab ich mich einem träumerischen Zustand hin. Ich hatte immer schon Chagalls *Les Amants au Ciel Rouge – Die Liebenden vor rotem Himmel* gemocht, das Gemälde eines verschlungenen Paares, das über den Dächern schwebt, neben einem roten Vogel. Jedes Mal, wenn ich ins Wasser sank, sah ich das Bild vor mir, das Paar glitt durch einen roten Himmel, aber oft trieb es auch in leuchtend blauem Wasser.

Manchmal kam mir auch Chagalls Bild der Meerjungfrau in den Sinn, sie schwebte über dem Wasser, über den Bäumen, eine fliegende Meerjungfrau, ohne Flügel jedoch, und dann musste ich daran denken, dass Thomas gesagt hatte, er beneidete die Meerjungfrauen, die gleichermaßen zur See und zum Himmel gehörten.

Eines Nachts setzte ich mich im Bett auf. Etwas war anders. Es war die Stille über mir. Ich blickte zum Fenster und sah, dass die Wolkendecke aufgebrochen war. Mondlicht fiel wie kleine Glimmersteine in mein Zimmer.

Ich stand auf und durchstöberte das Haus auf der Suche nach etwas, irgendetwas, womit ich zeichnen konnte. Ich fand eine abgewetzte Schachtel mit Buntstiften in Mikes Schreibpult, wo er sie wohl vor zwanzig Jahren hatte liegen lassen. Ich ging in die Küche und spitzte sie mit einem Fischmesser an.

Da ich nichts anderes als Notizzettel finden konnte, nahm ich das große, gerahmte Bild des Leuchtturms von Morris Island, das über dem Kaminsims hing, von der Wand, zerrte den Druck aus dem Rahmen und fing an, ungeduldig auf der Rückseite zu zeichnen, beherrscht von einer heißhungrigen Strichführung, die mir völlig fremd war.

Ich bedeckte das Blatt mit üppigen Flüssen blauen Wassers. In die vier Blattecken zeichnete ich Nautilusschalen, aus denen ein orangefarbenes Leuchten hervorbrach, und an den unteren Bildrand Schildkrötenschädel, zu Haufen aufgeschichtet. Sie wuchsen säulenartig empor wie das versunkene Atlantis. In die Mitte des Blattes zeichnete ich die Liebenden. Ihre Körper waren aneinander gepresst, ihre Glieder verknotet. Das Haar der Frau wand sich um sie beide herum wie die Bänder eines Maibaums. Sie schwebten. Das Wasser trug sie.

Die Arbeit daran versetzte mich in Hochstimmung – aber sie machte mir auch Angst. Als ich fertig war, hängte ich den Leuchtturm wieder in seinen Rahmen, zurück an seinen Platz, die Liebenden mit dem Gesicht zur Wand.

Es war mir unmöglich, wieder schlafen zu gehen. Ich war völlig aufgedreht. Ich ging in die Küche, um mir einen Tee zu machen. Dann saß ich am Tisch und trank Kamillentee aus einer angeschlagenen Tasse, als ich ein Kratzen an der Tür hörte, ein deutliches, absichtsvolles Kratzen. Ich schaltete das Licht auf der Veranda ein und spähte aus dem Küchenfenster. Max saß dort, sein schwarzes Fell war triefend nass, er war völlig durchweicht.

Ich machte die Tür auf. »Oh, Max, wie siehst du denn aus.« Er schaute mich flehend an. »Na schön, dann komm rein.«

Er schlief abwechselnd in den verschiedenen Häusern auf der Insel, das ging nach einem System vor sich, das nur er zu kennen schien. Mutter hatte einmal gesagt, alle paar Monate würde er auch hier auf der Suche nach einer Bettstatt erscheinen, aber ich bezweifelte, dass er sonst mitten in der Nacht auftauchte. Ich fragte mich, ob sein derzeitiger Herbergsvater ihn einfach vor die Tür gesetzt hatte. Hatte er das Licht gesehen?

Ich zog die alte Decke hervor, die Mutter im Vorratsschrank für ihn liegen hatte. Als er sich darauf zusammenrollte, setzte ich mich neben ihn auf den Boden und trocknete ihn mit einem Handtuch ab.

»Was treibst du dich denn um diese Zeit herum, so mitten in der Nacht?«, fragte ich. Er spitzte die Ohren, dann legte er seinen Kopf auf mein Bein.

Ich kraulte ihm die Ohren und musste daran denken, was Thomas gesagt hatte. Dass Max mit ihm kam, wenn er im Boot hinausfuhr, um seinen Pflichten in der Vogelkolonie nachzugehen.

»Magst du Bruder Thomas?«, fragte ich. Er wedelte mit dem Schwanz, wahrscheinlich wegen der klebrigen Süße, die sich auf meine Stimme gelegt hatte – so spricht man zu Säuglingen, Welpen und Kätzchen. »Ich weiß, ich mag ihn auch.«

Max den Kopf zu kraulen half mir mehr, als Tee zu trinken. Das merkwürdige Gefühl ebbte ein wenig ab.

»Ach Max, was soll ich bloß tun?«, seufzte ich. »Ich bin dabei, mich zu verlieben.«

Zu dieser Erkenntnis war ich gelangt, als ich in dem Stuhl der Meerjungfrau gesessen hatte, aber ich hatte sie noch niemals laut ausgesprochen. Es überraschte mich, was für eine Erleichterung es war, meine Gefühle zu beichten, selbst wenn der Beichtvater ein Hund war.

Max stieß einen Schnaufer aus und schloss die Augen. Ich wusste nicht, wie ich ersticken sollte, was ich fühlte, mir die Idee austreiben sollte, dass es hier einen Menschen gab, der für mich bestimmt war. Es war nicht nur der Mann, der mich erregte – es war der Himmel in ihm, es war das in ihm, was ich nicht kannte, was ich nie geschmeckt hatte, vielleicht niemals kosten würde. In dem Moment schien es mir fast einfacher, mit der Katastrophe meiner zerstörten Ehe zu leben, als mit dem Bedauern, mein Leben gelebt zu haben, ohne ihn jemals wirklich erkannt zu haben, ohne mit ihm durch einen roten Himmel oder eine blaue See geschwebt zu sein.

»Mein Ehemann heißt Hugh«, sagte ich zu Max, der fest schlief. »Hugh«, sagte ich noch einmal, dann wiederholte ich den Namen im Geiste immer wieder, als ob ich mich durch diese Beschwörungsformel schützen könnte.

Hugh. Hugh. Hugh.

KAPITEL 18

Am 2. März rollte ich das Golfwägelchen aus der Garage und fuhr über die matschigen Straßen zu den paar Geschäften nahe des Fährdocks. Die Sonne mit ihrem gleichgültigen Winterschein war zurückgekehrt, ein kleines, metallisches Feuer nur, das kühl und hell brannte. Als ich an den Eichenbäumen vorbeiholperte, fühlte ich mich wie ein Tier, das nach einer langen Nacht aus seinem unterirdischen Versteck hervorkriecht.

Ich wollte im *Braunen Pelikan*, dem Inselmarkt, frisches Gemüse kaufen und sehen, ob es dort auch Farben gab – ich brauchte dringend etwas anderes zum Malen als Mikes Buntstifte. Vor allem aber wollte ich mit Kat über Pater Dominikus reden.

Die Fähre lag am Dock, und ein paar wenige Touristen schlenderten den Weg entlang, die Reißverschlüsse ihrer Anoraks bis zum Hals zugezogen. Ich hielt vor Kats Geschenkeladen, wo Max unter der blau-weiß gestreiften Markise saß.

Kat hatte einen kleinen Spiegel neben der Eingangstür angebracht, eine alte Gullah-Sitte, mit der die Booga-Hexe fern gehalten werden sollte.

Als ich die Tür öffnete, schlüpfte Max vor mir in den Laden. Kat, Benne und Hepzibah saßen hinter der Theke und löffelten Eis aus Plastikbechern. Ansonsten war das Geschäft leer.

»Jessie!«, rief Benne.

Kat lächelte mich an. »Willkommen in der Welt der Lebenden. Möchtest du auch ein Eis?«

Ich schüttelte den Kopf.

Hepzibah trug ein ebenholzfarbenes Gewand mit einem Muster aus weißen Blitzen und dazu ihr Markenzeichen, das passende Kopftuch. Sie sah aus wie eine prachtvolle Gewitterwolke.

Max ließ sich zu Bennes Füßen nieder, sie tätschelte ihn und sah mich streng an. »Mama sagt, du warst sehr unhöflich.«

»Oh, Herrgott, Benne, musst du denn jeden Mist, den ich sage, nachplappern?«

»So, du meinst also, ich war unhöflich?«, fragte ich. Es war nicht ernst gemeint, trotzdem war ich ein wenig vergrätzt.

Sie grinste. »Na, wie würdest du das denn nennen, wenn jemand jeden Tag anruft und sagt: ›Darf ich euch besuchen? Darf ich euch Essen bringen? Darf ich wenigstens vorbeikommen und euch die Füße küssen?‹, und immer zur Antwort bekommt: ›Uns geht's gut. Und jetzt lass uns in Ruhe.‹?«

»Ich hab' nie gesagt: ›Und jetzt lass uns in Ruhe‹, und ich erinnere mich auch nicht, dass du vorgeschlagen hast, uns die Füße zu küssen. Aber du kannst das jetzt natürlich gerne nachholen.«

Wann immer ich mit Kat zusammentraf, fing ich aus irgendeinem Grund an, mich genau wie sie zu benehmen.

»Sind wir ein wenig gereizt?«, stichelte sie. »Nun, wenn *ich* mit Nelle Dubois zwei Wochen lang eingesperrt gewesen wäre, würde ich jetzt vermutlich mit Handgranaten um mich werfen.«

Ich sah mich zum ersten Mal im Laden um. Tische und Regale schillerten mit ihrem Schwindel erregenden Sortiment an Meerjungfrauen-Artikeln: Schlüsselanhänger, Badetücher, Grußkarten, Seifenstücke, Flaschenöffner, Briefbeschwerer, Nachtlampen. Es gab Meerjungfrauen-puppen, Meerjungfrauenfrisiersets, sogar kleine Meerjung-frauenfiguren, die man in den Weihnachtsbaum hängen konnte. Die »ACHTUNG MEERJUNGFRAUEN«-Schilder steckten in einem Schirmständer nahe der Tür, und von der Decke hing ein gutes Dutzend Meerjungfrauen-Windspiele. In der Mitte des Ladens stand ein Tisch, auf dem ein Stapel von Pater Dominikus' Büchlein aufgebaut war, *Die Legende unserer Meerjungfrau,* mit einem Schild, das darauf hin-wies, dass es sich hierbei um eine SONDERAUSGABE MIT DER SIGNATUR DES AUTORS handelte.

»Such dir was aus«, sagte Kat. »Ich schenk' dir was – Ohrringe, was du willst.«

»Danke, aber das kann ich nicht annehmen.«

»Du bist ja schon wieder unhöflich«, knurrte sie.

Ich nahm eine Schachtel Meerjungfrauentränen. »Na gut, dann nehm' ich die hier.«

Benne holte mir einen Klappstuhl, und ich setzte mich.

»Was führt dich in die Stadt?«, fragte Hepzibah.

»Einkäufe. Und ich dachte, ich guck' mal, ob ich irgend-wo ...« Ich hielt inne, zögerte, es laut auszusprechen. Meine Hemmungen brachen wieder durch, meine alte Gewohn-heit, meine Kunst sicher im Verborgenen zu belassen, wie ein Kind, das aufsässig werden könnte und dem man dann lieber gleich Stubenarrest erteilt. Ich sah hinunter auf mei-ne Hände. Ich hatte die Handflächen zusammengedrückt und zwischen meine Knie gepresst.

»... was zum Malen finde«, sagte ich angestrengt, was hoffentlich niemand sonst bemerkte. »Aquarellfarben, Pin-sel, Aquarellpapier ...«

»Im *Braunen Pelikan* gibt es elektrische Hot-Dog-Geräte und Pflanztöpfe, aber ich bezweifle, dass du da irgendwas an Künstlerbedarf findest«, meinte Kat. Sie nahm einen Stift und ein Stück Papier von der Theke. »Hier, schreib mir auf, was du brauchst, ich werd' Shem bitten, es für dich zu besorgen, wenn er das nächste Mal mit der Fähre rüberfährt.«

Ich notierte die wichtigsten Utensilien, während die anderen mit ihren Löffeln in den Eisbechern herumschabten.

»Du willst wohl eine Weile bleiben?«, fragte Hepzibah.

»Mutter braucht mich, ja, ich denke schon.«

Kat zog die Augenbrauen hoch. »Wie lange ist denn ›eine Weile‹?«

»Na, Ende offen«, sagte ich. Ich wollte das Thema wechseln.

»Und was ist mit Hugh?«, fragte sie.

Ich reichte ihr die Liste. »Als du angerufen hast, hast du mir vorgeworfen, ich würde meine Mutter vernachlässigen – ich glaube, deine Worte waren: ›Du kannst nicht so tun, als gäbe es deine Mutter nicht.‹ Und jetzt wirfst du mir vor, ich würde Hugh vernachlässigen?« Meine Stimme klang schrill und blökend, als ich »Hugh« sagte.

Kat reagierte, als ob ich sie ins Gesicht geschlagen hätte. »Große Güte, Jessie, mir ist doch egal, ob du dich um Hugh kümmerst. Der Kerl kann sich um sich selber kümmern. Seit wann frag' ich danach, ob sich eine Frau auch ordentlich um ihren Mann kümmert? Ich wollte nur wissen, ob mit euch beiden alles in Ordnung ist.«

»Als ob dich das was anginge«, sagte Hepzibah zu ihr. Ich hatte keine Ahnung, worauf Kat anspielte. »Also, jetzt erzähl mal, wie geht es Nelle?«, fragte Hepzibah.

Ich zuckte mit den Schultern. »Ehrlich gesagt, ich glaube, sie leidet an Depressionen. Sie sitzt den ganzen Tag in ihrem Sessel, starrt auf den Fernseher und spielt mit ihrem Zauberwürfel rum.«

»Mittagessen bei Max's!«, stieß Kat aus. Der Hund hatte

die ganze Zeit über leise geschnarcht, seinen Kopf auf Bennes Schuhe gelegt, aber als er seinen Namen hörte, öffnete er schläfrig ein Auge. »Wir werden uns Samstag alle im Café zum Mittagessen treffen.«

Im Laufe der Zeit hatte Mutter immer wieder versucht, ihre Schnur aus dem Knoten, den die drei an jenem Abend gemacht und ins Meer geworfen hatten, zu lösen, dem Knoten, der sie all die Jahre miteinander verbunden hatte. Aber Kat ließ nicht zu, dass sie sich ihnen entwand. Sie und Hepzibah hatten unerschütterlich treu zu ihr gestanden.

»Das ist eine gute Idee«, sagte ich und merkte, dass ich Kat nicht länger als drei Minuten böse sein konnte. Ich weiß nicht, warum das so war – schließlich kannte ich niemanden, der so provozierend sein konnte wie sie. »Aber ich bezweifle, dass sie kommen wird«, fügte ich hinzu.

»Sag ihr einfach, der Papst kommt auch, das sollte wirken.«

Hepzibah drehte sich zu mir. »Sag ihr, sie hat uns gefehlt, und wir möchten sie einfach einmal wieder sehen.«

»Ich versuch's«, sagte ich. »Aber erwartet nicht zuviel.«

Ich ließ den Blick durch den Laden schweifen und sah das Bild mit dem Bootswrack, das ich mit elf Jahren gemalt hatte. Es hing gerahmt über der Kasse. »Oh, da ist ja mein Bild!«

Ein strahlend weißes Boot lag am Grund des Ozeans, zusammen mit einem lächelnden Tintenfisch, einer riesengroßen Venusmuschel, die neugierige Augen hatte, und einem Schwarm Seepferdchen. Es sah wie eine harmlose Illustration aus einem fröhlichen Kinderbuch aus – bis auf die Tatsache, dass das Boot in der Bildmitte lichterloh brannte.

Feuer unter Wasser – hatte ich so als Kind seinen Tod gesehen? Ein Flammenmeer, das durch nichts gelöscht werden konnte? Auf der gezackten Wasseroberfläche trieb graue Asche wie Plankton, aber von oben herab schien eine lächelnde Sonne, und die Welt schien ein ruhiger, heiterer Ort zu sein. Mir war bis zu diesem Moment noch nie aufgefallen, wie viel Schmerz in diesem Bild lag – in ihm drückte sich der Wunsch eines Kindes aus, die Welt möge wieder so vollkommen werden, wie sie einmal gewesen war.

Als ich mich wieder umsah, merkte ich, dass Hepzibah mich aufmerksam musterte. »Ich erinnere mich daran, wie du das Bild gemalt hast. Du warst damals so traurig.«

Kat fuhr sie an. »Wie aufbauend von dir, damit anzufangen.«

Hepzibah erwiderte ruhig: »Jessie *war* traurig. Sie weiß es, wir wissen es. Warum soll ich also nicht darüber reden?« Sie hatte sich von Kat noch nie etwas gefallen lassen, und wahrscheinlich vertrugen sie sich gerade deshalb so gut.

»Warum willst du eigentlich nie über diese Zeit sprechen?«, fragte ich Kat. »Ich *will* darüber sprechen. Ich muss darüber sprechen. Ich will zum Beispiel wissen, warum jeder, Mutter inbegriffen, sagt, das Feuer wäre durch einen Funken aus der Pfeife ausgelöst worden.«

»Weil es ein Funken aus der Pfeife *war*«, sagte Kat, und Hepzibah nickte zustimmend.

»Nun, ich habe aber das hier in einer Schublade in Mutters Schlafzimmer gefunden«, sagte ich und zog die Pfeife aus meiner Handtasche hervor. Ich legte sie wie eine Hostie oder einen Schmetterling mit zerbrochenen Flügeln auf meine Handfläche. Der Geruch von Tabak und Süßholz drang aus der Pfeife.

Sie starrten sprachlos auf meine Hand, die leeren Eisbecher rutschten ihnen fast vom Schoß. Ihre Gesichter waren völlig ausdruckslos.

Schließlich fragte Kat: »Was hat Nelle denn dazu gesagt?«

»Ich hab' das ihr gegenüber noch gar nicht erwähnt. Ich

hab' Angst, dass sie wieder durchdreht, wenn sie die Pfeife sieht.«

Kat streckte die Hand aus, und ich reichte ihr die Pfeife. Sie drehte sie ein paar Mal hin und her, als ob sie dadurch irgendeine himmlische Antwort heraufbeschwören könnte. »Die Polizei hat ja bloß Vermutungen angestellt, als sie damals gesagt hat, die Pfeife könnte das Feuer ausgelöst haben. Also war es etwas anderes – was für einen Unterschied macht das?« Sie gab mir die Pfeife zurück.

»Aber warum sollte Mutter die Polizei und alle anderen in dem Glauben lassen, es wäre die Pfeife gewesen, wenn sie die Pfeife doch die ganze Zeit über hatte? Warum sollte sie lügen?«, fragte ich.

Ein Sonnenstrahl drang aus einer kleinen Lücke zwischen den Wolken durch das Ladenfenster herein, und alle drei wandten ihre Gesichter der staubflimmernden Helligkeit zu.

»Ich habe Pater Dominikus aufgesucht«, sagte ich. »Ich hab' ihm mehr oder weniger an den Kopf geworfen, dass er weiß, warum sich Mutter den Finger abgeschnitten hat.«

»Das hast du *nicht*«, sagte Kat.

»Doch. Und weißt du, was er gesagt hat? Ich sollte die Dinge ruhen lassen. Er hat gesagt, wenn ich das nicht täte, könnte ich Mutter sehr wehtun.«

»*Das* hat er gesagt?« Kat stand auf und ging zur Theke. »Das ergibt ja überhaupt keinen Sinn.« Sie sah hinüber zu Hepzibah, die genauso verwirrt aussah wie Kat.

»Er verbirgt etwas«, beharrte ich.

Kat trat hinter meinen Stuhl. Sie legte ihre Hände auf meine Schultern. Als sie endlich sprach, war der streitlustige Ton, der sich sonst so gern in ihre Stimme schlich, daraus gewichen. »Wir finden das heraus, Jessie, okay? Ich werd' mit Dominikus reden.«

Ich lächelte dankbar zu ihr hinauf. Ich konnte den Rand an ihrem Kinn sehen, wo ihr Make-up aufhörte. Ihre Kehle hob sich, als sie schluckte, und mir offenbarte sich ihre unendliche Sanftmut.

Der Moment schien ihr auch nahe gegangen zu sein, denn sie zog ihre Hände abrupt zurück und wechselte das Thema. »Als Gegenleistung wirst du für mich ein paar Meerjungfrauenbilder malen, die ich dann hier im Laden verkaufen kann.«

»Was?«

Sie kam um den Stuhl herum und baute sich vor mir auf. »Du hast mich ganz genau verstanden. Du hast gesagt, du willst malen, also male Meerjungfrauen. Die würden sich hier wie wild verkaufen. Du kannst sie mir ja in Kommission geben. Wir machen einen guten Preis.«

Ich sah sie mit offenem Mund an. Vor meinem geistigen Auge sah ich eine Leinwand mit einem Himmel in tiefem Lapislazuli, bevölkert von geflügelten Meerjungfrauen, die wie Engel umherflogen und aus großen Höhen in die See tauchten. Ich versuchte mich an das zu erinnern, was Thomas über die Meerjungfrauen mit den Flügeln gesagt hatte. Etwas über Musen aus dem Meer, die Botschaften aus der Tiefe brachten. Die in zwei Welten lebten.

Kat sagte: »Na und, was ist damit?«

»Ich will es versuchen. Wir werden sehen.«

Die Touristen, die ich vorhin auf der Straße beobachtet hatte, kamen in den Laden, und Kat ging, um sich um sie zu kümmern. Hepzibah stand auf und meinte, sie müsste nach Hause. Ich musste auch los, aber ich blieb noch einen Augenblick bei Benne sitzen, ich dachte immer noch an Thomas.

Während der vergangenen zwölf Tage, die ich in Mutters Haus gefangen gewesen war, waren mir so viele widersprüchliche Dinge im Kopf herumgegangen. Dass ich verliebt war. Aber nicht nur das. Dass es die Große Liebe war und dass ich mir, wenn ich mir diese Liebe versagte, auch mein Leben versagen würde. Dann wieder, dass ich bloß an einem vorübergehenden Anfall schwärmerischer Verklärtheit litt, einer Verwirrung des Herzens, und dass ich das hier einfach bloß stoisch ertragen müsste.

Ich konnte nicht verstehen, warum man so unendlich leiden musste, wenn man liebte. Ich hatte das Gefühl, man hätte mir eine Reihe tiefer Schnitte mitten ins Herz versetzt.

Benne setzte sich auf und sah mich schielend an, ihre Zungenspitze lag auf der Unterlippe. »Jessie?«.

»Was ist denn, Benne?«

Sie rückte ihren Stuhl nahe an meinen und legte ihre Lippen an mein Ohr, so wie Kinder es tun, die einander Geheimnisse anvertrauen. »Du liebst einen der Mönche«, flüsterte sie mir zu.

Ich fuhr zurück und sah sie an. »Woher hast du denn das?«

»Ich weiß es einfach.«

Es zu leugnen, wäre zwecklos gewesen. Benne hatte einfach immer Recht.

Ich wollte ihr böse sein, am liebsten hätte ich sie geschlagen, weil sie in meinem Herzen herumgewühlt hatte, aber sie stand auf und lächelte mir zu, eine Frau in meinem Alter mit dem unschuldigen Verstand eines Kindes und wundersamen, hellseherischen Fähigkeiten. Sie ahnte ja nicht einmal, wie gefährlich die Wahrheit sein konnte, was für giftige, zersetzende Keime sie freisetzen konnte.

»Benne«, sagte ich zu ihr und nahm ihre Hand, »hör mir gut zu. Du darfst mit niemandem darüber reden. Versprich es mir.«

»Aber das hab' ich schon.«

Ich ließ ihre Hand los und schloss einen Moment lang die Augen, bevor ich sie fragte: »Und mit wem? Mit wem hast du darüber geredet?«

»Mit Mami«, antwortete sie.

KAPITEL 19

Unter der Hintertür zur Küche war eine Nachricht durchgeschoben worden, ein verschlossener, weißer Umschlag, auf dem nur ein einziges Wort stand: *Jessie*.

Ich hatte ihn entdeckt, als ich aus der Stadt zurückgekommen war. Ich hob den Umschlag auf und sah mir die Schrift ganz genau an – eine kühne, geschwungene Schrift, dennoch erfüllt von einem seltsamen Zögern, als ob der Schreiber den Stift mehrfach ab- und wieder angesetzt hätte.

Manche Dinge weiß man einfach. So wie Benne.

Ich steckte den Umschlag in meine Hosentasche, gerade in dem Augenblick, als Mutter in die Küche kam. »Was ist denn das?«, wollte sie wissen.

»Nichts«, antwortete ich. »Mir war nur was runtergefallen.«

Ich machte den Umschlag nicht gleich auf. Ich ließ ihn eine Weile in der dunklen Tasche an meinem Bein ruhen, wo er mich wie eine sanfte Hand berührte. Ich sagte mir: *Zuerst rufe ich meine Tochter an. Dann mache ich mir einen Tee. Ich vergewissere mich, dass mit Mutter alles in Ordnung ist, und dann setze ich mich auf mein Bett, trinke meinen Tee und mache den Umschlag auf.*

Ich war eine Meisterin im Hinauszögern von Befriedigung. Hugh hatte einmal gesagt, dass die Fähigkeit, Bedürfnisbefriedigung hinauszögern zu können, für eine außerordentlich reife Persönlichkeit spräche. Ich konnte mein Glück auf Tage, Monate, ja sogar Jahre hinauszögern. So »reif« war ich. Ich hatte das als Kind bei den Schokoladenbonbons gelernt. Mike hatte immer gleich die Karamellschicht zerbissen, um an die Schokolade darunter zu kommen, während ich stundenlang darauf herumgelutscht und das Karamell unendlich langsam aufgeweicht hatte.

Ich wählte Dees Nummer im College und hörte zu, wie sie mir von ihrem jüngsten Erlebnis erzählte. Ihre Studentinnenvereinigung hatte »die größte Kissenschlacht der Welt« gesponsert, dreihundertzwölf Teilnehmer auf einem Spielfeld, und alles voller Federn. Offenbar war das Ereignis von einem so genannten Wahlprüfer des *Guinness Buch der Rekorde* überwacht worden.

»Und das Ganze war meine Idee«, sagte sie glücklich.

»Da bin ich mir sicher«, sagte ich. »Meine Tochter – stellt einen Weltrekord auf. Ich bin ja so stolz!«

»Wie geht's Oma?«, wollte sie wissen.

»Ganz gut«, sagte ich.

»Hast du rausbekommen, warum sie das gemacht hat?«

»Sie spricht nicht mit mir, zumindest nicht darüber. Sie verbirgt irgendwas. Das Ganze ist ziemlich kompliziert.«

»Mom? Mir ist neulich was eingefallen – ich weiß nicht, wahrscheinlich ist es gar nicht wichtig.«

»Was denn? Erzähl schon.«

»Es ist nur, als ich sie einmal besucht hab', vor wirklich langer Zeit, da sind wir an dem Platz spazieren gegangen, wo die Sklaven beerdigt sind, auf dem Friedhof, weißt du? Und Oma ist völlig ausgeflippt.«

»Was meinst du mit ›völlig ausgeflippt‹?«

»Sie hat angefangen zu weinen und hat so komisches Zeug geredet.«

»Erinnerst du dich, was sie gesagt hat?«

»Nicht wirklich. Nur irgendwas über die Hand von einem

Toten oder einen Finger. Ich hab' damals gedacht, sie spricht von den Toten auf dem Friedhof, aber sie war völlig außer sich, und es hat mir echt Angst gemacht.«

»Das hast du nie erzählt.«

»Aber sie hat ja immer so irre Sachen gemacht. So war sie halt drauf.« Dee schwieg einen Augenblick, und ich hörte U2 im Hintergrund. »Ich hätte es dir schon früher erzählen sollen. Oh, Mom, glaubst du, wenn ich was gesagt hätte, wäre das alles nicht passiert?«

»Hör zu: Es hätte überhaupt nichts geändert. Glaub mir. Okay? Deine Großmutter ist krank, Dee.«

»Okay.«

Nachdem wir aufgelegt hatten, kochte ich mir einen Pfefferminztee und nahm die Tasse mit ins Wohnzimmer. Es war wie immer: Mutter, der Fernseher, der Zauberwürfel. Die Russen hatten eine Goldmedaille beim Eislauf gewonnen, und ihre Nationalhymne schallte wie ein Trauermarsch durch das Zimmer. Ich stellte die Tasse auf den Tisch und tätschelte Mutters Schulter. Was Dee mir gerade erzählt hatte, hatte mich nur noch mehr verwirrt.

»Ist alles in Ordnung? Wie geht's deiner Hand?«

»Bestens. Aber ich mag keinen Pfefferminztee«, sagte sie. »Der schmeckt nach Zahnpasta.«

Ich schloss die Tür zu meinem Zimmer und drehte den Schlüssel um, dann zog ich den Umschlag aus meiner Hosentasche. Ich legte ihn auf die Mitte meines Bettes und setzte mich daneben. Ich trank meinen Tee und starrte den Umschlag an.

Natürlich würde ich den Umschlag öffnen. Ich hatte nicht vor, diese letzten Momente hoher, angespannter Erwartung noch mehr auszukosten – die schmerzlich errungene Freude, endlich an die Schokolade zu kommen. Nein, ich hatte einfach entsetzliche Angst. Ich hielt Pandoras Umschlag in den Händen.

Ich riss ihn auf und zog ein liniertes Blatt Papier hervor, das an einer Seite ausgefranst war, so als ob es jemand aus einem Tagebuch herausgerissen hätte.

Liebe Jessie,

ich hoffe, es ist nicht zu vermessen, Ihnen zu schreiben, aber ich frage mich, ob Sie Lust hätten, mit mir eine Fahrt im Motorboot zu unternehmen. Es gibt noch nicht viele Reiher, aber ich habe eine Kolonie weißer Pelikane entdeckt, was sehr selten ist. Ich werde morgen um 14.00 Uhr am Kai in der Vogelkolonie sein, und ich würde mich freuen, wenn Sie mich begleiten würden.

Bruder Thomas (Whit)

Whit. Ich berührte das Wort mit meinem Finger, dann sprach ich es laut aus, spürte die Intimität, die in dem Akt lag, mir seinen wahren Namen preiszugeben. Es war, als ob er mir einen verborgenen Teil von sich selbst offenbart hätte, einen, der nicht dem Kloster gehörte. Und dennoch war die Nachricht auch sehr förmlich. *Ich würde mich freuen, wenn Sie mich begleiten würden.*

Ich las mehrere Male. Ich hatte nicht einmal gemerkt, dass meine Teetasse umgefallen war, bis ich die Nässe an meinem Bein spürte. Ich tupfte mein Bett mit einem Handtuch ab, dann legte ich mich neben den feuchten Fleck und nahm den Geruch von Pfefferminz in mich auf, die süße Reinheit, die aus den Laken drang und einen neuen Anfang versprach.

Ein halbes Dutzend Möwen hockte hinter mir in vollkommener Formation auf dem Pier, wie ein kleines Geschwader

Flugzeuge, das darauf wartete abzuheben. Ich war früh gekommen, viel zu früh. Nicht, weil ich es nicht hätte erwarten können, nein, es war eher eine Vorsichtsmaßnahme, denn ich hatte mir überlegt, wenn ich zu früh käme und dann das Gefühl hätte, ich könnte das nicht tun, ich könnte ihn nicht treffen, könnte ich ja einfach wieder gehen. Unbemerkt.

Fast eine Stunde lang saß ich mit überkreuzten Beinen unter einem strahlend blauen, wolkenlosen Lichthimmel am Rand des Piers und sah aufs Wasser. Es war goldbraun, in der Farbe von Mangos und Honigmelonen. Die Flut kam, sie spülte gegen die Pfosten, als ob die kleine Bucht in großer Ungeduld wäre.

Ein verblichenes, rotes Kanu, nun fast hellrosa, lag umgedreht an einem Ende des Piers, der Boden war von unten mit Rankenfußkrebsen überzogen. Es war Hepzibahs Kanu. Ich war vor mehr als dreißig Jahren darin gepaddelt. Am anderen Ende des Piers schaukelte ein schmuckes, grünes Motorboot auf dem Wasser, das noch sehr neu aussah. Das Sonnenlicht malte hypnotische Wellenmuster auf seinen Rumpf.

Ich hörte, wie eine Bohle hinter mir quietschte, und die Möwen erhoben sich. Er stand am Dock und sah mich an. Er trug Jeans und ein Jeanshemd, dessen Ärmel er bis zu den Ellbogen hochgekrempelt hatte. Seine Schultern waren viel breiter, viel muskulöser, als ich sie mir vorgestellt hatte, und seine Arme waren gegerbt wie die eines Mannes, der in der Sonne arbeitet. Um seinen Hals hing ein hölzernes Brustkreuz, das in einem merkwürdigen Missklang zu seiner übrigen Erscheinung stand.

Mir war, als hätte er bisher an einem verborgenen Ort in meinem Herzen gelebt und sei nun erschienen. Als sei er nun real geworden – aber so real war er ja auch wieder nicht.

»Sie sind tatsächlich hier«, sagte er. »Ich war mir nicht sicher, ob Sie kommen würden.«

Ich stand auf. »Sie haben mir weiße Pelikane versprochen.«

Er lachte. »Ich habe lediglich gesagt, ich hätte weiße Pelikane *gesehen*. Versprochen habe ich nichts.«

Er kletterte ins Boot, reichte mir seine Hand und half mir hinein. Einen Moment lang war sein Gesicht ganz nah an meinem. Ich konnte die Seife auf seiner Haut riechen, die sich mit dem leichten Moschusduft, der von der Wärme des Tags aufstieg, vermischte.

Ich setzte mich auf die vordere Bank – das muss der Platz von Max sein, dachte ich – drehte mich nach hinten und sah zu, wie Thomas den kleinen Außenbordmotor anließ. Er setzte sich, als der Motor das goldbraune Wasser aufwirbelte, hielt das Ruder und führte uns in die Mitte der Bucht.

»Soll ich Sie Thomas oder Whit nennen?«, fragte ich.

»Ich bin seit Jahren nicht mehr Whit genannt worden, ich würde es gerne wieder mal hören.«

»Das ist wohl der Name, den Ihnen Ihre Mutter gegeben hat?«

»Sie hat mich auf den Namen John Whitney O'Conner taufen lassen, aber genannt hat sie mich Whit.«

»Schön, dann also Whit«, sagte ich, um es zu üben.

Wir pflügten gemächlich durch das Delta aus Flachwasser auf der Rückseite der Insel. Wir schlängelten uns durch Windungen, die so schmal waren und so üppig bewachsen, dass ich fast die Arme ausstrecken und das Gras am Ufer berühren konnte. Wir hatten es aufgegeben, uns über den Lärm des Motors hinweg zu unterhalten. Ich glaube, wir versuchten beide, uns in das Unerhörte dessen, was hier geschah, einzufinden. Gemeinsam in einem kleinen Boot zu sitzen und in der Einsamkeit des Marschlands zu entschwinden.

Er zeigte auf das Aufblitzen einer Meeräsche, auf eine Reihe von Holzstörchen, die im Gras standen, auf einen Seeadlerhorst, der auf dem Wipfel einer toten Kiefer thronte.

Wir schlängelten uns eine Zeit lang durch die Kurvungen der Bucht, bis Whit das Boot scharf wendete und in einen kleinen Nebenarm abbog, der schließlich in ein Wasserrund mündete, das von beinahe zwei Meter hohem Schilf umgeben war. Er stellte den Motor aus und überließ uns der Stille und Abgeschiedenheit dieses Ortes. Ich hatte das Gefühl, wir wären durch ein winziges Nadelöhr an eine Stelle gelangt, die außerhalb der Zeit lag.

Er setzte Anker. »Hier war es, hier habe ich die weißen Pelikane gesehen. Ich glaube, sie fischen hier in der Nähe, und wenn wir Glück haben, fliegen vielleicht welche vorbei.« Er sah zum Himmel, und ich zwang mich, dasselbe zu tun, um den Blick von seinem Gesicht zu lösen. Sprenkel von Sonnenlicht und ein paar zarte Bartstoppeln zeichneten sich darauf ab.

»Was ist denn das?«, fragte ich und wies auf ein hölzernes Gebäude auf einer winzigen Insel, das über das Gras hinausragte, etwa zwanzig oder dreißig Meter hinter ihm.

»Oh, das ist meine geheime Einsiedelei«, sagte er. »Es ist eigentlich nichts weiter als ein Unterstand, wo ich lese oder einfach nur dasitze und meditiere. Manchmal schlafe ich auch ein wenig. Um ganz ehrlich zu sein, ich habe dort schon mehr Zeit mit Schlafen als mit Meditieren verbracht.«

Ich schnalzte zum Spaß mit der Zunge. »So, so, Sie schlafen während der Arbeit.« Ich fühlte mich auf geradezu leichtsinnige Weise beschwingt.

»Das mit dem Schlafen würde den Abt wohl nicht weiter überraschen, mein kleiner Unterstand hier aber sehr wohl, fürchte ich. Er weiß nichts davon.«

»Warum nicht?«

»Ich bin mir sicher, er würde es mir nicht erlauben.«

Mir gefiel, dass es einen kleinen Bereich in seinem Leben gab, den er vom Kloster abgegrenzt hatte, dass ihn ein Hauch von Dissidenz umwehte.

»Wissen Sie eigentlich, dass die weißen Pelikane nicht wie die braunen einzeln nach Nahrung tauchen?«, sagte er. »Sie arbeiten gewissermaßen zusammen. Ich habe beobachtet, wie sie im Kreis im Wasser stehen und einen Fisch in ihre Mitte scheuchen. Es ist wirklich großartig.«

»Ich glaube, dann muss ich wohl ein brauner Pelikan sein«, sagte ich, und in dem Moment, als die Worte meinen Mund verlassen hatten, dachte ich, wie dumm das klang. Wie aus einem dieser albernen Psycho-Tests aus einer Frauenzeitschrift. Wenn Sie eine Farbe wären, welche Farbe wären Sie? Wenn Sie ein Tier wären ...

»Warum sagen Sie das?«, fragte er.

»Keine Ahnung, wohl, weil ich lieber alleine arbeite.«

»Ich weiß ja noch nicht einmal, was Sie eigentlich machen.«

Ich hatte es noch nie geschafft, leichthin zu sagen: »Ich bin Künstlerin.« Die Worte blieben mir meist im Halse stecken. »Ich habe zu Hause ein Atelier«, sagte ich. »Da spiel' ich ein bisschen drin rum.«

»Also sind Sie Künstlerin«, sagte er. Ich war nicht sicher, ob mich irgendjemand je so genannt hatte. Nicht einmal Hugh.

»In welchem Medium arbeiten Sie?«, fragte er.

»Ich mache – ich hab' so was wie Tableaus gemacht, mit Wasserfarben. Ich weiß nicht, wie ich es beschreiben soll.«

»Kommen Sie schon«, sagte er. »Versuchen Sie's.«

Ich war überrascht, wie sehr es mich drängte, ihm davon zu erzählen. Ich schloss die Augen und versuchte, es so gut wie möglich zu beschreiben.

»Ich fange mit einer kleinen Holzkiste an, einer Art Schaukasten.« Ich machte eine Pause. Ich konnte nicht glauben, dass ich gerade »Schaukasten« gesagt hatte. Ich hasste es, wenn man meine Kistchen so nannte. »Nein, warten Sie, keine Schaukästen, es ist eher so etwas wie ein mexikanisches *Retablo*. Auf den Hintergrund im Innern male ich eine Szenerie. Alles Mögliche, Landschaften, Menschen. Dann arrangiere ich Dinge davor, so als ob ich das Gemälde zum Betrachter hin erweitern wollte – es ergibt eine Art Dioramaeffekt.«

Ich öffnete die Augen, und ich erinnere mich, dass mich sein Anblick völlig in den Bann schlug. Wie gut er aussah! Er saß vorgebeugt, die Ellbogen ruhten auf seinen Knien. Und wie aufmerksam er mir zuhörte. In dem hellen Licht hatten seine Augen die gleiche Farbe wie sein Hemd.

»Das klingt wundervoll«, sagte er.

»Glauben Sie mir, so wundervoll sind meine Arbeiten nicht. Am Anfang habe ich das geglaubt. Ich hab' mit ziemlich satirischen und eigenartigen Objekten begonnen, aber dann wurden sie immer gemäßigter und ...« Ich kramte in meinem Kopf nach dem richtigen Wort. »... unanstößiger«, hörte ich mich sagen.

»Das ist ein interessanter Ausdruck.«

Ich blickte ihn an. Alles, was ich sagte, klang in meinen Ohren falsch. Ich wusste ja nicht einmal, was ich mit »unanstößig« meinte. »Was ich eigentlich sagen will, ist, Kunst sollte beim Betrachter irgendeine Reaktion provozieren. Sie sollte nicht nur schön aussehen, sondern irgendwie auch ein wenig aufwühlen.«

»Ja, aber sehen Sie sich doch um.« Er machte eine ausladende Geste mit dem Arm und wies auf das Marschgras, das stille Wasser und das Licht, das über all dem wie winzige, schillernde Seifenblasen schwebte. »Schauen Sie sich *das* hier an. Was ist mit der Schönheit um ihrer selbst willen? Manchmal sehe ich mir die Bäume hier draußen an, wenn Scharen von Reihern darin sitzen, oder ein Kunstwerk wie Berninis *Verzückung der heiligen Teresa,* und dann verliere ich mich darin. Manchmal sprengt das alle meine Vorstellungen von Ordnung und Dekorum weit mehr, als wenn es ›anstößig‹ wäre.«

Er sprach mit Leidenschaft und Autorität und gestikulierte so wild mit seinen Händen, dass das Boot einmal so stark schaukelte, dass ich mich mit einer Hand abstützen musste. Es war fast so, als ob ich in dem Moment all das erfahren würde, was er mir gerade zu erklären versuchte – wie es ist, wenn man sich in etwas verliert.

Er sagte: »Ich weiß aber, was Sie meinen – sie wollen, dass Ihre Kunst die Menschen aufrüttelt, sie wollen beim Betrachter eine echte Erfahrung hervorrufen.«

»Ja«, sagte ich.

»Das ist zwar nur meine Meinung als Laie, aber ich persönlich glaube, Kunst kann nur dann wahrhaftig aufrütteln, wenn sie gerade nicht anstößig ist oder soziale Missstände anprangert, sondern wenn sich der Betrachter in ihrer unbeschreiblichen Schönheit verlieren kann. Wenn sie einem etwas von der Erfahrung des Ewigen vermitteln kann.«

Ich konnte nicht sprechen. Ich hatte in dem Augenblick wirklich Angst, ich würde mich völlig blamieren und anfangen zu weinen, und ich wusste nicht einmal, warum mir danach war. Es war nur schon so lange her, dass ich ein solches Gespräch geführt hatte.

Das Boot war an der Ankerkette bis ans Ufer getrieben, über dem ein brauner, verdorrter, schläfriger Grasgeruch hing. Er lehnte sich zurück gegen die Reling, und das Boot neigte sich ein wenig.

Ich sagte: »Das klingt sehr geheimnisumwoben.«

»Was denn?«

»Diese Erfahrung des Ewigen, von der Sie sprechen. Sie

werden mich jetzt wahrscheinlich für völlig dämlich halten, aber was genau ist das?«

Er lächelte. »Nein, ich halte Sie nicht für dämlich. Ich weiß es ja selber kaum.«

»Aber Sie sind doch Mönch!«

»Ja, aber ein schwacher, zweifelnder.«

»Aber Sie hatten doch schon viele dieser ... Erfahrungen des Ewigen, das spüre ich doch. Und ich habe überhaupt keine Ahnung, was das ist. Ich habe fast mein ganzes Leben damit verbracht, Hausfrau und Mutter zu sein. Sie haben gesagt, ich wäre Künstlerin ..., aber das ist eine glatte Übertreibung. Ich hab' doch nur ein wenig mit Kunst herumexperimentiert.«

Er zwinkerte und richtete seinen Blick auf etwas direkt über meiner Schulter. »Als ich zum ersten Mal hierher gekommen bin«, sagte er, »bin ich der Auffassung gewesen, die Welt zu transzendieren sei dem in ihr Sein überlegen. Ich hatte immer Mühe zu meditieren, mich zu lösen. Eines Tages habe ich dann hier draußen begriffen, dass einfach nur hier zu sein, einfach nur meine Arbeit zu verrichten, das war, was mich am glücklichsten machte. Ich hatte endlich herausgefunden, dass es nur darauf ankommt, sich dem hinzugeben, was man liebt.«

Er wandte sich zu mir. »Sie haben das doch auch gemacht. Wegen der Erfahrung des Ewigen würde ich mir an Ihrer Stelle keine Gedanken machen. Man kann solche Momente nicht erzwingen oder irgendwie erzeugen. Sie geben einem doch nur eine kleine Ahnung von etwas, das sich jenseits der Zeit befindet, ein kurzer, seltener Moment, wenn einem die Gnade gewährt wird, aus sich selbst herauszutreten. Aber ich bezweifle, dass solche Augenblicke wichtiger sind, als dauerhaft das zu tun, was man liebt.«

Er streckte den Arm aus und fuhr mit den Fingern durchs Wasser. »Sie hatten großes Glück, hier aufzuwachsen.«

»Nun, lange Zeit habe ich das nicht so gesehen. Ich habe aufgehört, die Insel zu lieben, als ich neun Jahre alt war. Ehrlich gesagt, erst jetzt, wo ich zurückgekommen bin, wächst sie mir wieder ans Herz.«

Er beugte sich weiter vor. »Was ist geschehen, als Sie neun waren? Wenn ich das fragen darf?«

»Mein Vater ist bei einem Bootsunglück gestorben. Sein Benzintank ist explodiert. Es hat geheißen, ein Funken aus seiner Pfeife hätte es ausgelöst.«

Ich schloss die Augen. Ich wollte ihm gerne erzählen, was für eine Vatertochter ich gewesen war und dass, als mein Vater gestorben war, meine ganze Kindheit zusammengebrochen war. »Danach hat sich die Insel für mich verändert. Sie wurde zu einer Art erdrückendem Gefängnis«, fügte ich hinzu.

Ich fasste mir unbewusst ins Gesicht und berührte die Stelle auf meiner Stirn, wo der Priester das Aschekreuz aufträgt. Sie fühlte sich wie abgestorben an.

»Und Mutter«, fuhr ich fort, »hat sich danach völlig verändert. Sie ist ein lebensfroher Mensch gewesen, aber nachdem er gestorben war, wurde sie auf eine geradezu besessene Weise religiös. Es war, als ob auch sie uns verlassen hätte.«

Er sagte nicht, *Oh, das tut mir leid, wie furchtbar,* oder sonst eine dieser Floskeln, die man anstandshalber von sich gibt, aber ich sah, dass seine Augen von Traurigkeit umflort waren. Als ob auch er eine tiefe Trauer in sich trüge, mit der er die meine erkannt hatte. Ich fragte mich, was ihm wohl Schreckliches widerfahren war.

Ein blauer Schatten glitt über uns und das Boot hinweg. Ich sah hinauf, dort war ein Reiher, der einen zappelnden Fisch in seinem Schnabel hielt.

»Es ist nur so, dass ich meinem Vater diese Pfeife zum Vatertag geschenkt hatte. Und so habe ich immer geglaubt ...«

Ich brach ab.

»Dass Sie es verursacht hätten«, beendete er meinen Satz. Ich nickte. »Das Merkwürdige ist nur, dass ich die Pfeife vor ein paar Tagen bei meiner Mutter in einer Schublade entdeckt habe. Sie hat sie die ganze Zeit über gehabt.« Ich zwang mich zu einem Lachen, aber es klang dünn und bitter.

Ich wollte nicht auf die Fragen eingehen, die sich um den Tod meines Vaters rankten, und ich wollte auch nicht über seine Folgen reden – über das Leck in meinem Innern, das ich nicht zu stopfen vermochte, und über Mutters langen Abstieg in die Dunkelheit. Ich wollte, dass es wieder so wie eben war, als wir über Kunst, über die Ewigkeit gesprochen hatten.

Einen Atemzug lang stand ich kurz davor, ihn nach Pater Dominikus zu fragen, ihn zu fragen, was er von ihm hielt, aber ich verwarf den Gedanken wieder.

Ich veränderte meine Haltung und zog ein Bein unter mich. »Erzählen Sie mir«, sagte ich, »wie lange sind Sie schon hier?«

Er antwortete nicht sofort. Er schien ein wenig erstaunt darüber zu sein, wie schlagartig ich das Thema gewechselt hatte. »Vier Jahre und sieben Monate«, sagte er schließlich. »Ich soll im Juni die ewige Profess ablegen.«

»Sie meinen, Sie haben das noch nicht getan?«

»Ich bin, was man gemeinhin einen ›Profitenten‹ nennt. Man verbringt ein Jahr als Novize und nach der zeitlichen Profess noch einmal drei Jahre im ›Triennium‹, und danach entscheidet man, ob man für immer bleiben möchte.«

Und danach entscheidet man.

Die Worte wühlten mich auf. Ich sah, wie der Wind durch die kurzen Enden seines Haars spielte. Es schockierte mich, dass es so einfach war, dass ich keinen Widerstreit in mir spürte. Wie abgeschieden wir hier in einer Welt waren, die nichts mit meinem Leben in Atlanta, meinem Leben mit Hugh, zu tun zu haben schien. Ich saß auf diesem Boot und malte mir allen Ernstes eine Zukunft mit diesem Mann aus.

»Was haben Sie denn vorher gemacht?«, fragte ich.

»Ich war Anwalt«, sagte er, und den Bruchteil einer Sekunde lang flammten in seiner Stimme das Selbstbewusstsein und die Selbstsicherheit auf, die ich instinktiv in ihm gespürt hatte, in dem intensiven Blick, der aus seinen Augen leuchtete, in der Weise, wie er sich stolz aufrichtete. Ich hatte das plötzliche Gefühl, dass sein früheres Leben sehr bedeutsam gewesen sein musste, aber er sagte nichts weiter.

»Weshalb haben Sie das aufgegeben und sind hierher gekommen?«

»Ich weiß nicht, ob Sie das wirklich hören wollen. Das ist eine lange, traurige Geschichte.«

»Na, ich habe Ihnen ja auch *meine* lange, traurige Geschichte erzählt.«

Ich hatte mich natürlich gefragt, was ihm wohl für furchtbare Dinge widerfahren waren, aber dass es so entsetzlich war, darauf war ich nicht gefasst gewesen. Er erzählte mir von seiner Frau Linda, die hellblondes Haar gehabt hatte, und von ihrem ungeborenen Kind, dessen Zimmer er in der Farbe von Kürbissen gestrichen hatte, weil Linda ständig Heißhunger auf Kürbiskernbrot gehabt hatte. Sie waren gestorben, als ihr Auto von einem Lastwagen gerammt wurde. Whit war unterdessen zu Hause gewesen und hatte die Wiege aufgebaut.

Während er darüber sprach, veränderte sich seine Stimme deutlich, sie wurde so leise, dass ich mich ganz nach vorne beugen musste, um ihn überhaupt zu verstehen. Seine Augen irrten ins Leere, sie wanderten auf dem Grund des Boots entlang.

Schließlich sah er mich an und sagte: »Sie hatte mich noch angerufen, bevor sie ins Auto gestiegen war, um mir zu sagen, dass sie sicher wäre, wir bekämen ein Mädchen. Das waren ihre letzten Worte.«

»Es tut mir leid«, sagte ich zu ihm. »Ich kann verstehen, warum Sie hierher gekommen sind.«

»Alle glauben, ich wäre hier, um meiner Trauer davonzulaufen. Aber ich bin mir nicht sicher, ob das im Ursprung wirklich so war. Ich glaube eigentlich nicht. Ich glaube eher, ich bin auf etwas *zugelaufen*.«

»Sie meinen Gott?«

»Ich glaube, ich wollte wissen, ob es wirklich einen Gott gibt.«

»Und?«

Er lachte, als ob ich einen unheimlich komischen Witz gemacht hätte. »Als ob ich das wüsste.«

»Aber selbst ein schwacher, zweifelnder Mönch muss doch irgendeine Vorstellung davon haben.«

Er war einen Moment lang still, sah einem kleinen Reiher zu, der in den Untiefen am Ufer fischte. »Manchmal erfahre ich Gott als ein schönes Nichts«, sagte er. »Und dann kommt es mir so vor, als ob der ganze Sinn des Lebens darin bestünde, in diesem Nichts zu ruhen. Sich der Kontemplation darüber hinzugeben, es zu lieben und schließlich darin aufzugehen. Und manchmal ist es genau das Gegenteil. Dann fühlt sich Gott an wie eine Gegenwart, die alles verschlingt. Ich komme hierher, und mir scheint es, als ob das Göttliche ein wildes Wuchern wäre. Als ob die Marsch, die ganze Schöpfung ein toller Tanz wäre, den Gott aufführen lässt und bei dem wir mitmachen müssen, weiter nichts. Verstehen Sie, was ich sagen will?«

Ich sagte ja, aber das war gelogen. Dennoch saß ich dort, erfüllt von dem Verlangen nach diesem schönen Nichts, nach diesem tollen Tanz. Aber vor allem nach ihm.

Eine Wolke schob sich vor die Sonne, und die Luft um uns herum wurde trübe. Als wir in dem sich wandelnden Licht saßen, erfasste die Flut das Boot und schob es gegen das Schilf. Es schaukelte wie der Korb Mose auf den Wassern des Nils.

Ich bemerkte, dass er mich unvermittelt ansah. Ich hätte

mich wegdrehen können. Ich hätte dies einen weiteren Moment des Verzichts sein lassen können, in einem Leben voller solcher Momente, aber ich traf die bewusste Entscheidung zurückzusehen, meinen Blick die Luft durchschneiden und auf seinen treffen zu lassen. Wir sahen uns lange an, vielleicht eine ganze Minute lang. Unsere Blicke aufeinander gerichtet. Es lag ein unausgesprochenes Wollen darin. Eine wilde Entschlossenheit. Ich spürte, dass mein Atem schneller ging, dass etwas Berauschendes, aber auch Gefährliches geschah, und dass wir es geschehen *ließen*. Er ebenso wie ich.

Es wurde schließlich unerträglich. Ich musste wegsehen.

Ich glaube, wir hätten in dem Moment aufrichtig miteinander sein und uns sagen können, was wir fühlten. Ich glaube, wir waren diesem Moment sehr nahe. Aber er verging, das Offensichtliche verflüchtigte sich, und mit der wachsenden Scheu kehrten wir zu den Regeln des Anstands zurück.

»Es tut mir leid, es sieht wohl nicht so aus, als ob die weißen Pelikane noch kommen würden«, sagte er. Er schaute auf seine Uhr. »Und ich muss Sie zurückbringen, damit ich meinen Rundgang in der Kolonie machen kann.«

Er zog an der Ankerkette. Er lotste das Boot durch den kleinen Finger des Haffs in die Bucht, wo er den Motor aufdrehte. Das Geräusch dröhnte in meinem Kopf. Als ich mich umblickte, trieb das weiße Kielwasser wie der Düsenstrahl eines Flugzeugs hinter uns, sah ich, wie Whit in seinem blauen Hemd dort saß, die Hand am Ruder, und wie sich große Wolken wie Jakobsmuscheln über seinem Kopf türmten.

Und dann sah ich sie. Die weißen Pelikane folgten uns, sie flogen ganz tief über das Wasser. Ich rief, zeigte auf sie, und Whit drehte sich in dem Moment um, als sie plötzlich aufstiegen und direkt über unsere Köpfe hinwegsegelten.

180

Sie badeten in Licht, die Spitzen ihrer Schnäbel schimmerten schwarz. Ich zählte achtzehn, sie bewegten sich in ihrem synchronen Tanz in einer einzigen, schillernden Linie. Dann waren sie fort.

Nachdem Whit das Boot am Kai festgemacht hatte, bot er mir seine Hand, um mir hinaus zu helfen, und ich ergriff sie. Er drückte sie kurz, bevor er losließ. Ich dankte ihm für den Ausflug.

Ich ging, und er stand noch auf dem Pier. Ich konnte spüren, dass er mir nachsah, als ich über die zersplitterten Planken des Holzpfades schritt. Als ich den Rand des Marschlands erreichte, kurz, bevor ich in die Stille der Bäume trat, sah ich zurück.

Es kommt nur darauf an, sich dem hinzugeben, was man liebt.

KAPITEL 20

Als wir am folgenden Samstag bei Max's Café eintrafen, weigerte sich Mutter hineinzugehen. Sie bockte auf dem Bürgersteig wie ein verstörter Maulesel und lehnte es ab, auch nur einen Schritt weiterzugehen. Kat, Benne, Hepzibah und ich versuchten, sie dazu zu bewegen, zur Tür zu gehen, aber sie sperrte sich. »Bring mich wieder nach Hause«, forderte sie. »Bring mich auf der Stelle nach Hause.«

Es hatte schon meiner ganzen Überzeugungskraft und viel List und Tücke, dazu mehrerer Drohanrufe von Kat und von Hepzibah bedurft, um sie überhaupt so weit zu bringen, und jetzt sah es so aus, als ob sich unser gut gemeinter Plan, sie wieder zu einer Art normalen Lebens zurückzuführen, in Luft auflösen würde. Sie hatte sich dem Getuschel und den Blicken der Leute nicht aussetzen wollen – wer hätte ihr das verdenken können? Schließlich hatten wir sie davon überzeugen können, dass es früher oder später ja doch einmal sein musste, warum also nicht gleich hier und jetzt?

Aber das war vorher gewesen, bevor wir hier auf dem Bürgersteig standen und all die Leute durch die Fenster des Cafés sehen konnten. Es war zwar erst der vierte März, aber es lag bereits eine Ahnung von Frühling in der Luft, und das Café war rappelvoll, nicht nur mit Insulanern, sondern auch mit Touristen.

»Wenn *du* dich an meiner statt zum Dorftrottel gemacht hättest, würdest *du* da reingehen und alle noch regelrecht dazu auffordern, sich über dich lustig zu machen?«, empörte sich Mutter.

»Ja, verdammt, das würde ich«, sagte Kat. »Und ich bin mir nicht einmal so sicher, ob ich nicht *sowieso* der Dorftrottel bin. Glaubst du etwa, die Leute zerreißen sich nicht das Maul über mich? Über meine große Klappe und die Hupe an meinem Wagen? Oder über Benne – glaubst du etwa, über die wird hier nicht geredet? Und was ist mit Hepzibah? Sie ist doch für alle hier ein gefundenes Fressen, wie sie mit den Geistern der Sklaven auf dem Friedhof redet und dann in einem Aufzug rumspaziert, der afrikanischer ist als ganz Afrika.«

Meine Hand glitt unwillkürlich vor meinen Mund. Ich sah zu Hepzibah, die ein üppig gemustertes, afrikanisches Kleid in Karamell und Schwarz trug, dazu einen Turban und eine Kette, die aus Straußeneiern gemacht war. Ich kannte außer ihr niemanden, der noch unerschrockener war als Kat, und sie war die Einzige, die, wenn sie wollte, Kat den Marsch blasen konnte, wie man so schön sagt.

Sie blickte wortlos hinunter auf Kats schwarze Stöckelschuhe und die Spitzensöckchen, ohne die Kat das Haus niemals verließ. Hepzibah sah einfach nur hin. Die Socken waren *zartrosa*.

»Ja doch, wenn du es schon wissen willst, ich hab' sie aus Versehen mit Bennes rotem Nachthemd gewaschen«, sagte Kat.

Hepzibah drehte sich zu Mutter. »Wenn du den Leuten hier keinen Gesprächsstoff mehr bieten willst, Nelle, dann bist du echt langweilig geworden.«

»Aber das ist was anderes«, sagte Mutter. »Die Leute da drin glauben doch, ich wäre ... verrückt. Dann ist mir noch lieber, sie halten mich für langweilig.«

»Halt ... den ... Rand«, sagte Kat.

Es machte Mutter rasend, dass die Menschen, die ihr nahe standen, glaubten, sie hätte den Verstand verloren, aber noch mehr wurmte es sie, dass ich es glauben könnte. Am Tag vorher hatte ich während des Frühstücks meinen ganzen Mut aufgebracht und sie mit der sanftesten Stimme, mit der ich sprechen konnte, gefragt: »Hörst du eigentlich manchmal Stimmen? Hat dir eine Stimme geraten, du sollst dir den Finger abschneiden?«

Sie hatte mir einen vernichtenden Blick zugeworfen. »Jetzt gerade höre ich eine Stimme«, hatte sie höhnisch gesagt, »und die sagt mir, dass du deinen Koffer packen und nach Atlanta verschwinden solltest. Fahr nach Hause, Jessie. Ich brauch' dich hier nicht. Ich will dich hier auch gar nicht.«

Tränen waren mir in die Augen gestiegen. Es waren nicht nur ihre Worte selbst gewesen, sondern der Ausdruck in ihrem Gesicht, diese grelle, rote Bitterkeit.

Ich hatte mich weggedreht, aber sie hatte meine Tränen schon gesehen, und der Druck, der über unseren Köpfen gehangen hatte, zerplatzte. »Oh Jessie«, hatte sie gesagt. Sie hatte ihre Finger meinen Arm berühren und sie dort liegen lassen, mit ihren Fingerspitzen an meinem Ellbogen. Es war die zärtlichste Geste, die sie mir gegenüber gezeigt hatte, seit ich aufs College gegangen war.

»Hör nicht auf mich«, hatte sie gesagt. »Ich kann es nur nicht ertragen, dass du glaubst, ich hätte den Verstand verloren, das ist alles.« Sie hatte auf ihren Verband gesehen. »Ich habe keine Stimmen gehört, verstehst du? Ich war müde und ausgelaugt. Ich hatte das Messer in der Hand, und ... in dem Moment kam es mir so vor, als würde mir das Erleichterung verschaffen, wenn ich es an meinem Finger ansetzen würde.«

Und dabei hatte sie einen Augenblick lang angesichts dessen, was sie getan hatte, beinahe genauso entsetzt ausgesehen wie ich. Aber jetzt, hier draußen vor dem Café, schien sie einfach nur Angst zu haben.

Kat trug ein Tuch mit einem Muster aus gelben und roten Hibiskusblüten. Sie zog es sich vom Hals und fing an, es um Mutters Hand zu wickeln, über den Mullverband, der wie ein großer, weißer Boxhandschuh aussah. Als Kat fertig war, sah er wie ein großer *geblümter* Boxhandschuh aus.

»Angriff ist die beste Verteidigung«, meinte sie.

»Ich trag' doch nicht diesen Schal an meiner Hand«, sagte Mutter.

Kat stemmte die Hände in die Hüften. »Jetzt hör mal gut zu. Jeder hier auf Egret Island weiß, dass du dir den Finger abgeschnitten hast, und wenn du da rein gehst, wird dich sowieso jeder, der Augen im Kopf hat, anglotzen. Also kannst du auch gleich 'ne Show abziehn. Halt es ihnen direkt unter die Nase. Zeig's ihnen, sag einfach, *Ja, das ist die berühmt-berüchtigte Hand, an der ein Finger fehlt. Ich hab' sie heute für Sie mit einem farbigen Verband betont. Schauen Sie ruhig ganz genau hin.«*

Benne kicherte.

Mutter drehte sich zu Hepzibah, sie brauchte eine zweite Meinung.

»Ich sag' es ja ungern, aber ich muss Kat zustimmen«, erklärte Hepzibah. »Wenn du da reingehst und dich dabei ein bisschen über dich selbst lustig machst, nimmst du den Leuten komplett den Wind aus den Segeln.«

Ich konnte nicht glauben, dass Hepzibah sich von Kats hirnverbrannter Idee hatte anstecken lassen. »Ich weiß nicht so ganz«, meinte ich.

»Na schön, dann weißt du's eben nicht«, sagte Kat und hakte sich bei Mutter ein und führte sie zur Tür. Und Mutter *ließ* sich von ihr führen. Es war für mich ein Wunder zu sehen, wie viel Macht diese Frauen noch über sie hatten.

Über der Tür zum Restaurant war eine von diesen ner-

venden Glocken angebracht. Sie bimmelte, als wir hinein-
gingen, und Bonnie Langston, die noch pummeliger war, als
ich sie in Erinnerung hatte, stürzte auf uns zu, presste ihre
schwielige Hand vor den Mund und unterdrückte ein Grin-
sen, als sie den Schal um Mutters Hand entdeckte.

»Weißer Mull war gestern«, sagte Mutter zu ihr.

Bonnie führte uns zu einem Tisch genau in der Mitte des
Cafés. Und, ja, jeder Inselbewohner drehte sich um, um auf
Mutters hibiskusverzierte Hand zu starren. Die Gespräche
erstarben.

Und dann fingen auch die anderen Leute an zu lächeln.

Als wir die Speisekarte studiert hatten, meinte Kat: »Sag
mal, Jessie, du bist jetzt wie lange schon hier? Zwei Wochen?«

»Zweieinhalb.«

»Ich hab' mich nur gefragt, ob Hugh auch mal rüberkommen wird.«

»Nein«, sagte ich, und mir fiel ein, was Benne ihr erzählt
hatte, und ich fühlte mich ausgesprochen unbehaglich. »Er
hat seine Patienten, das weißt du doch. Er kommt einfach
nicht weg.«

»Selbst am Wochenende nicht?«

»Dann hat er meist Bereitschaftsdienst.«

Ich warf Benne mit halb zusammengekniffenen Augen einen scharfen Blick zu. Es hätte ihr nämlich absolut ähnlich
gesehen, in diesem Augenblick mit ihrem Löffel an ein Was-
serglas zu schlagen und der erstaunt schweigenden Runde
zu verkünden, dass ich mich in einen der Mönche aus dem
Kloster verliebt hätte. St. Sünde.

Kat fummelte an einem Einmachglas herum, das neben den
Salz- und Pfeffersteuern auf dem Tisch stand. Es war halb mit
Kleingeld gefüllt und mit SPENDEN FÜR HUNDEFUTTER be-
schriftet. »Nun seht euch das an. Bonnie sammelt Geld für
Max' Futter.«

Ich schaute mich um und entdeckte auf jedem Tisch so ein Glas.

»Sie braucht das Geld wahrscheinlich, um all diese widerlichen Käthe-Kruse-Puppen zu kaufen, die sie überall in ihrer Pension rumsitzen hat«, fuhr Kat fort. »Ich meine, wo *ist* denn all das Hundefutter, dass sie hiervon angeblich kauft?« Sie legte die Hand auf Mutters Arm. »Nelle, weißt du noch, wie wir vor über hundert Jahren für den ersten Max einmal sechs Kisten Hundefutter bestellt haben? Von irgend so 'nem Tierfutterladen in Charleston, und die uns dann mit der Fähre *Katzenfutter* geschickt haben?«

Mutter legte den Kopf zur Seite, und man konnte sehen, wie die Erinnerung durch die Oberfläche ihrer Gedanken drang und sich auf ihrem Gesicht ausbreitete. Ich sah, wie ihre Augen zu leuchten begannen, sie strahlten wie der Lichtschein aus einem Leuchtturm über den Tisch. Aus ihrem Mund kam ein Lachen, und wir alle lauschten hingerissen diesem Klang.

»Max hat jeden Krümel davon verputzt«, sagte sie. »Soweit ich mich erinnere, war er ganz verrückt danach.«

Kat beugte sich dicht zu ihr. »Ja, und dann hat er angefangen, sich wie eine Katze zu benehmen, is' ganz eigensinnig geworden. Und dann hat er Mäuse angeschleppt und Haarknäuel ausgespuckt.«

Mutter sagte: »Und erinnerst du dich noch, wie Max mal ein Stück Tau gefressen hat, wie wir beide runter zur Fähre gerannt sind und zu Shem gesagt haben, er müsste uns auf der Stelle übersetzen, denn es gäbe einen Notfall? Erinnerst du dich, Kat?«

Sie zwitscherte fast. Der Blumenstrauß auf ihrer Hand wirbelte in der Luft herum. Ich saß dort, wir alle saßen dort in fassungslosem Staunen, als ob wir dem Wunder einer Geburt beiwohnten, ohne zuvor von einer Schwangerschaft gewusst zu haben.

Sie fuhr fort: »Shem hat damals gesagt, er könnte die Fähre nicht außerfahrplanmäßig ablegen lassen, nur wegen eines Hundes. Ich hab' gedacht, Kat würde ihn auf der Stelle umbringen. Bis er dann gesagt hat, ›Na schön, meine Damen, nur die Ruhe, ich fahr' ja schon.‹ Und dann, auf halber Strecke hat Max das Tau wieder rausgewürgt, und alles war in bester Ordnung.«

Ihr Gesicht strahlte. *Wer war diese Frau?*

Niemand rührte sich. Mutter holte Luft und nahm den Gesprächsfaden wieder auf. »Na, und wo wir so einen Aufstand gemacht hatten, konnten wir da ja schlecht sagen: ›Ach, das tut uns jetzt aber leid‹, also haben wir so getan, als ginge es um Leben und Tod und sind dann mit Max ein paar Stunden lang in McClellanville herumspaziert, bis wir die Fähre zurück genommen haben.«

Bonnie erschien und nahm unsere Bestellung auf. Als sie weg war, sagte Hepzibah: »Und was ist denn damit, Nelle, als wir mit dir zur Abtei gegangen sind, um dir zu helfen, die Statue der Heiligen Senara abzuwaschen, und dann taucht Max auf – ich glaube, das war der Max vor diesem hier. Erinnerst du dich daran?«

Mutter warf den Kopf zurück und lachte aus vollem Halse und sagte dann zu mir: »Nachdem wir die Statue von Kopf bis Fuß blitzblank geschrubbt hatten, hat Max an ihr sein Bein gehoben.«

Sie schien durch einen Spalt in der Zeit geschlüpft zu sein. Dies hier war die Nelle von vor fünfunddreißig Jahren. Der Teil von ihr, den sie verloren oder abgetötet hatte.

Ich wollte, dass sie weiter in Erinnerungen schwelgte. »Erinnert ihr euch an die Allerfrauen-Picknicks?«, fragte ich.

»Die Allerfrauen-Picknicks!«, rief Kat. »Nein, hat es jemals was gegeben, wobei drei Frauen so viel Spaß gehabt haben?«

Hepzibah sagte: »Das ist heute schon das zweite Mal, dass ich dir zustimmen muss, Kat. Ich fang' langsam an, mir Sorgen zu machen.«

»Und erinnerst du dich daran, wie du den Schildkrötenschädel im Wasser gefunden hast – erinnerst du dich?«, fragte ich Hepzibah und sah sie an.

»Natürlich doch. Ich wundere mich nur, dass du dich erinnerst.«

»Ich habe diesen Schädel immer geliebt«, sagte ich. Dann schlug ich die Hände zusammen. »Wir sollten es wieder tun – wir sollten ein Allerfrauen-Picknick veranstalten.«

»Und *ob* wir das tun sollten!«, jauchzte Kat. »Was für eine gute Idee!«

Benne, die neben Mutter saß, beugte sich zu ihr hinüber, legte die Hand vor ihren Mund und flüsterte laut genug, dass wir es am Tisch alle hören konnten: »Du hast doch gesagt, du gehst nie mehr auf ein Allerfrauen-Picknick.«

Mutter sah sich am Tisch um. Das Leuchten in ihren Augen verblasste langsam.

»Das war vor langer Zeit, Benne«, sagte Hepzibah. »Man kann seine Meinung ja ändern, oder Nelle?«

»Ich nicht«, beharrte sie.

Ich griff nach ihrer Hand, als ob ich sie dadurch wieder zu uns zurückholen könnte. »Aber warum denn?«

Benne platzte wieder heraus. »Sie wollte nie wieder Spaß haben, nachdem dein Daddy gestorben ist. Erinnerst du dich? Sie hat gesagt: ›Es ist Hohn, da draußen rumzutanzen und einfach weiterzumachen, nach allem, was passiert ist.‹«

Ich warf Kat einen scharfen Blick zu, der sagen sollte: Kannst du sie bitte zum Schweigen bringen? Kat griff in den Brotkorb und gab Benne einen Kräcker.

»Dad hätte *gewollt,* dass du auf diese Picknicks gehst«, sagte ich.

Mutter fuhr mit ihrer Hand an ihrem Teeglas auf und ab.

»Na komm schon, Nelle, tu's für uns. Das wird ein Knaller«, sagte Kat.

»Wir laden sogar Max ein«, fügte Hepzibah hinzu.

Mutter zuckte mit den Schultern. Ich konnte gerade noch ein oder zwei kleine Pailletten in ihren Augen schimmern sehen. »Aber wir werden nicht tanzen«, sagte sie. »Ich will nicht, dass irgendjemand tanzt.«

»Wir werden uns auf unsere Decken setzen und uns bloß unterhalten, so wie jetzt«, sagte Kat. »Und wer tanzt, wird auf der Stelle erschossen.«

Bonnie erschien mit unserem Essen, Platten frittierter Austern und Krabben, Krabbenplätzchen, roter Reis und ihre berühmten Bohnen- und Grütze-Plätzchen. Während wir aßen und weiterredeten, zog sich die fröhliche Nelle wieder völlig zurück, aber ich wusste, es gab in meiner Mutter noch Reste ihres alten Selbst, und ich hatte zum ersten Mal das Gefühl, dass sie aus dem Sumpf ihres Wahnsinns herausgezogen werden könnte, zumindest zum Teil.

Hinter mir ging die Tür wieder auf und die kleine Glocke tönte durch den Raum. Ich drehte mich instinktiv um.

Er stand auf der Türschwelle, den Kopf mit seinem mandelbraunen Haar nach unten gebeugt, als ob er eine Münze hätte fallen lassen. Er sah sich mit halb geöffneten Augen um, sein Blick überflog die Tische, und ich spürte, wie mein Herz in ungeheure Tiefen sank.

Es war Hugh.

KAPITEL 21

Ich sah ihn einige Augenblicke lang an und dachte: *Moment, langsam, das da kann nicht Hugh sein. Hugh ist doch in Atlanta.*

Wenn man jemanden irgendwo ganz anders sieht, als man es erwartet, an einem Ort, wo der andere nicht sein sollte, ist das immer erst einmal ziemlich verwirrend, es bringt einen schon gehörig durcheinander. Aber das hier war sogar noch schlimmer. Ich saß an meinem Tisch in *Max's Café* und dachte, dass er auf Grund einer unheimlichen Konstellation von übersinnlicher Wahrnehmung, Vorahnung und Argwohn *Bescheid wusste.*

Er wusste, dass ich mit einem anderen Mann in einem Boot gesessen und mir gewünscht hatte, ich könnte mit ihm bis ans Ende der Welt segeln. Er wusste von der – unvorstellbaren, unerträglichen – Szene, die ich mir dennoch ein Dutzend Mal und öfter noch ausgemalt hatte: dass ich meinen Koffer packen und ruhig aus dem Haus gehen, dass ich ihn verlassen würde. Er wusste es. Und jetzt war er gekommen, den weiten Weg von Atlanta, hergelockt vom Pestgestank meiner Schuld.

Aber als er mich entdeckte, lächelte er. Sein ganz normales Lächeln, die Mundwinkel vor Freude zur Seite verzogen, als ob er den Moment hinauszögern wollte, in dem seine Zähne zum Vorschein kamen, dieses Lächeln, das mich schon so oft umgehauen hatte.

Als er auf den Tisch zukam, lächelte ich zurück, mit einem *unnormalen* Lächeln. Das Lächeln einer Frau, die sich *bemüht* zu lächeln, die sich zwingt, normal und glücklich und sorglos auszusehen.

»Hugh, du liebe Güte! Was machst du denn hier? Woher hast du denn gewusst, wo wir sind?«, sagte ich, faltete meine Serviette zusammen und legte sie sorgfältig neben meinen Teller. Er sah dünner aus, schmaler, irgendwie anders.

Er beugte sich zu mir herunter und küsste mich auf die Wange. Seine Haut fühlte sich an wie Sandpapier, und ich roch, dass er ein Zitronenbonbon gelutscht hatte. »Ich bin zum *Braunen Pelikan* gegangen, um bei euch anzurufen und zu sehen, ob du mich abholen könntest, und da hat mir jemand gesagt, ihr wärt hier.« Er legte die Hand auf Mutters Schulter. »Wie geht es dir, Nelle?«

»Allerbestens«, sagte sie, und sein Blick begutachtete ihre Hand. Und den extravaganten Boxhandschuh-Schalverband.

Er grüßte Kat und Hepzibah.

»Herrje, wenn das nicht der schönste Mann ist, den ich je gesehen habe«, sagte Kat, und Hugh wurde rot, was wirklich nicht oft vorkam.

Ich war es gewesen, die dann vorgeschlagen hatte, dass wir beide einen kleinen Spaziergang machten. Ich glaube nicht, dass ich es ausgehalten hätte, mit ihm an diesem Tisch zu sitzen und zu plaudern, mit Kat, Hepzibah, Benne und Mutter als Publikum.

Wir gingen ins Innere der Insel, entlang der Sklavenstraße, die nach dem alten Sklavenfriedhof benannt worden war, an dem sie sich entlangschlängelte. Wir unterhielten uns höflich und verhalten, redeten darüber, was in den letzten Wochen zu Hause passiert war, wie es hier mit Mutter ging. In meinem Magen bildeten sich wechselweise Knoten und Ameisenhaufen.

Als wir zum Friedhof kamen, blieben wir unweigerlich stehen und sahen auf die großen Zedernkreuze, die Hepzibah auf den Gräbern errichtet hatte. Sie blickten alle gen Osten, damit die Toten leichter auferstehen konnten, hatte sie gesagt. Die Insel war nach dem Bürgerkrieg die Heimat einer kleinen Gruppe befreiter Sklaven gewesen. Schließlich waren alle fortgegangen oder gestorben, aber sie hatten hier lange Zeit ihre Spuren hinterlassen.

Als wir in die gewaltige Eiche hinaufsahen, deren Äste über die Gräber reichten, erinnerte ich mich an das, was mir Dee am Telefon erzählt hatte, dass Mutter sich hier so aufgeregt und vom Finger eines Toten gesprochen hatte.

Hugh setzte sich auf einen der Äste, der im Laufe der Jahre zu müde geworden war, um sich in der Luft zu halten, und der sich nun auf die Erde stützte. Ich setzte mich neben ihn. Wir schwiegen, Hugh sah in den Himmel und auf die zarten Zweige, die am Ende der Äste zitterten, während ich mir die winzigen Lindenfarne und die weißen, dickköpfigen Pilze anschaute, die sich durch die Erde hindurchkämpften.

»Dieser Baum muss uralt sein«, sagte Hugh.

»Achthundert Jahre«, antwortete ich. Es war eine »Tatsache«, die jeder hier auf der Insel stolz erwähnte. »So heißt es zumindest. Man wird es nie wirklich herausfinden. Hepzibah sagt, man kann keine Proben aus dem Stamm nehmen, weil der Baum an Herzfäule leidet.«

Er ließ seinen Blick zu mir wandern. Darin lag plötzlich diese psychiatrische Weisheit, es war der Blick, den er bekam, wenn er sich sicher war, dass er unter sorgsam getarnten Worten eine unbeabsichtigte Bedeutung entdeckt hatte. Ich versuchte, in seinem Gesicht zu lesen. Was wollte er andeuten? Dass ich gesagt hatte, der arme Baum litte an Herzfäule, während ich in Wahrheit von meinem kranken Herzen sprach?

»*Was?*«, fragte ich gereizt.

»Was ist los, Jessie?«

»Du weißt genau, was los ist. Ich versuche, die Sache hier mit Mutter selbst in den Griff zu bekommen. Und ich habe dir gesagt, dass ich das alleine durchfechten will, aber schon bist du zur Stelle – Hugh, mein Retter.«

»Na schön, ja, es stimmt, ich finde nicht, dass du versuchen solltest, mit dem hier alleine fertig zu werden, aber deshalb bin ich nicht den ganzen Weg gekommen.«

»Warum bist du denn *dann* hier? Du schleichst dich hierher auf die Insel, ohne mir vorher zu sagen, dass du kommst.«

Er antwortete nicht. Wir saßen eine Weile angespannt da und starrten auf die Kreuze. Im Baum über uns zuckten kleine Vögel.

Er seufzte. Legte seine Hand auf meine. »Ich wollte keinen Streit mit dir anfangen. Ich bin hier …, weil ich für uns in Charleston ein Zimmer gebucht habe, im Omni. Wir nehmen die Nachmittagsfähre und bleiben im Hotel. Wir können im Magnolia's essen. Wir hätten einen Abend nur für uns zwei, und morgen früh bring' ich dich wieder zurück zur Fähre.«

Ich sah ihn nicht an. Ich wollte für ihn das empfinden, was ich für Whit empfand. Ich wollte das Gefühl irgendwie aus der Luft heraufbeschwören. Ich bekam einen plötzlichen Anfall von Panik, als mir deutlich wurde, dass mein Herz nicht mehr dahin zurückkehren konnte, wo es früher gewesen war.

»Ich kann nicht«, sagte ich.

»Was soll das heißen? Natürlich kannst du.«

»Wieso hast du all diese Pläne gemacht, ohne mit mir darüber zu sprechen?«

»So was nennt man wohl Überraschung.«

»Ich will aber keine Überraschungen.«

»Was ist denn mit dir los, Jessie? Seit Monaten schon bist

du so abweisend. Dann fliehst du hierher und rufst nicht einmal an, und wenn ich dich anrufe, fängst du Streit an. Und jetzt das hier.«

Ich zog meine Hand weg und spürte, wie mein Herz schwer wurde. Finger, die ihren Griff von der Bootskante lösen. Die durch tiefe Wasserschichten trudeln.

Ich hatte mich noch nie so entsetzlich gefürchtet.

»Ich möchte etwas Zeit für mich allein.« Ich hatte nicht vorgehabt, das zu sagen. Ich sah ihn an, ich musste an seiner Reaktion ablesen, ob ich das gerade wirklich gesagt hatte.

Sein Kopf fiel ruckartig nach hinten. Wie eine Flagge, die im Wind schlägt. Ich hatte ihm einen Schock versetzt. Ich hatte mir selber einen Schock versetzt.

Er lief rot an, und ich begriff, dass das nicht von einem Schock herrührte, sondern dass er von Wut gepackt wurde. Von entsetzlicher, aus Schmerz genährter Wut.

»›Für dich allein‹? Wovon zur Hölle sprichst du?«, fuhr er mich an. Ich stand auf und trat einen Schritt zurück. Ich dachte, er würde mich packen, und bei Gott, ich wünschte, er hätte es getan. »Allein ohne mich also? Geht es darum? Willst du dich gottverdammt noch mal von mir trennen?«

»Von dir trennen?« Ich stand blinzelnd vor ihm, mein Herz war entsetzlich ruhig. »Ich weiß es nicht. Ich ... ich will doch nur ein bisschen allein sein.«

»Genau das *bedeutet* eine Trennung ja wohl!«, brüllte er.

Er stand auf, trat in die grauen Schatten des alten Baums und blieb mit dem Rücken zu mir stehen. Seine Schultern bewegten sich auf und ab, als ob er schwer atmen würde. Er schüttelte den Kopf, als ob er es nicht fassen könnte. Ich ging einen Schritt auf ihn zu, und in dem gleichen Moment ging er los, hinunter auf die Straße, auf der wir gekommen waren. Er drehte sich nicht um. Er sagte nicht Auf Wiedersehen. Er ging fort, die Hände in die Hosentaschen gesteckt.

Ich sah ihm nach, mit einem Gefühl, als ob nun alles Leben entweichen, als ob alles vergehen und enden müsste. Ich stand kurz davor, ihm nachzulaufen. Ein Teil von mir wollte ihn in die Arme nehmen und sagen: *Es tut mir leid, es tut mir leid, es tut mir so entsetzlich leid,* aber ich rührte mich nicht. Ein merkwürdiges, betäubtes Gefühl breitete sich in meinen Gliedern aus.

Er wurde immer kleiner, wie eine Motte, die davonflattert. Als ich ihn nicht mehr sehen konnte, ging ich zurück und setzte mich auf den Baum.

Ein lähmendes Gewicht legte sich auf mich. Ich starrte auf kleine, schimmernde Lichtflecken am Boden und stellte mir Hugh am Fährdock vor. Ich stellte mir vor, wie er auf einer Bank saß und auf das Boot wartete. Max war da und legte seinen Kopf auf Hughs Knie, versuchte, ihn zu trösten. Ich wollte, dass Max da wäre – dass jemand bei ihm wäre und es ihm ein wenig leichter machte.

Vor langer Zeit, ich war damals neun gewesen, waren Mike und ich am Friedhof vorbeigeradelt und hatten gesehen, wie Hepzibah Unkraut zwischen den Gräbern ausriss. Daran musste ich jetzt denken. Es war an einem Wintertag gewesen, der so warm war wie heute, und der Himmel hatte sich zu den intensiven Violetts verdichtet, die man hier so häufig sah.

Wir hatten angehalten und unsere Fahrräder auf die Erde gelegt. Sie hatte uns angesehen und gesagt: »Habe ich euch je von den zwei Sonnen erzählt?«

Hepzibah hatte Mike und mir oft Legenden aus Afrika erzählt, und wir hatten immer gebannt zugehört. Wir hatten mit den Köpfen geschüttelt und uns auf die Erde fallen lassen, begierig auf eine weitere, wunderbare Geschichte.

»Die Sonjo sagen, dass eines Tages zwei Sonnen aufgehen werden«, hatte sie uns erzählt. »Eine im Osten, und eine im Westen. Und wenn sie sich in der Mitte des Himmels begegnen, das ist dann das Ende.«

Ich hatte Mike angesehen, und Mike hatte mich angesehen. Solche Geschichten hatte sie uns sonst nicht erzählt. Ich hatte auf mehr gewartet, auf den Rest der Geschichte, aber sie war seltsamerweise beendet gewesen.

»Meinst du das Ende der *Welt*?«, hatte Mike gefragt.

»Ich meine nur, dass alles einmal endet. Irgendwo gehen die beiden Sonnen immer auf. Das ist Teil des Lebens. Etwas endet, und etwas anderes beginnt. Versteht ihr?«

Sie hatte mir damals Angst eingejagt. Ich hatte den Friedhof verlassen, ohne ihr zu antworten, und war, so schnell ich konnte, nach Hause geradelt. Eine Woche später war mein Vater gestorben. Ich war danach lange Zeit nicht mehr zu Hepzibah gegangen. Es war fast so, als hätte sie gewusst, was kommen würde, obwohl das natürlich unmöglich war.

Mein Körper fing an zu zittern, ich bebte wie die Luft nach einer Kanonade. Ich stellte mir vor, wie die Fähre anlegte, Hugh ging an Bord, Möwen kreisten über seinem Kopf. Ich sah, wie das Boot ablegte und das Wasser teilte. Und oben am Himmel stürzten die beiden Sonnen ineinander.

KAPITEL 22

Am nächsten Morgen lenkte ich das Golfwägelchen am ACHTUNG MEERJUNGFRAUEN-Schild vorbei in Kats Auffahrt. Ich fühlte mich auf unerklärliche Weise erleichtert, heiter, emanzipiert, ja beinahe schon frivol. Und das, nachdem ich mich die halbe Nacht lang im Bett herumgewälzt hatte, schlaflos vor lauter Schuld und Entsetzen über das, was ich getan hatte.

Nachdem Hugh gestern gegangen war, hatte ich noch über eine Stunde lang auf dem Sklavenfriedhof gesessen, bis sich die Lähmung gelegt und die Panikattacken eingesetzt hatten. *Was hatte ich da bloß angerichtet?*

Ich hatte gestern Abend zweimal versucht, ihn anzurufen. Er war nicht ans Telefon gegangen, obwohl er eigentlich längst hätte zu Hause sein müssen. Ich hatte auch gar nicht gewusst, weshalb ich ihn anrief oder was ich ihm sagen würde, falls er abhob. Vermutlich hätte ich eine endlose Litanei aus *Es tut mir leid, es tut mir leid* abgespult. Was ich getan hatte, schien eigentlich außerhalb meiner Vorstellungskraft zu liegen, und nun fühlte ich mich vollkommen orientierungslos. Als ob ich mir etwas amputiert hätte – nicht nur den Zeigefinger an meiner Hand, sondern meine Ehe, die Symbiose, die mich am Leben erhalten hatte. Mein Leben war in Hughs geborgen gewesen wie in einer dieser russischen Matrjoschkas, in meinem Ehefrauendasein, in einem Kokon der Häuslichkeit. Und ich hatte all das zerschlagen. Aber wofür?

Ich hatte auf der Bettkante gesessen und mich an gemeinsame Erlebnisse und lustige Episoden erinnert. Als Dee klein gewesen war, hatte Hugh für sie oft das Lied von Humpty Dumpty gesungen und dabei ein Ei auf der Tischkante balanciert, und wenn er zu »Humpty Dumpty sitzt auf dem Dach, fällt herunter mit großem Krach« gekommen war, hatte er das Ei fallen lassen. Sie hatte das so toll gefunden, dass er einen ganzen Karton Eier abstürzen lassen hatte. Dann war er auf dem Boden herumgerutscht und hatte das ganze Schlamassel aufgewischt. Ich musste an das alberne Spiel denken, das er jedes Jahr zu Weihnachten veranstaltete – Ich-Wette-Ich-Kann-Jedes-Geschenk-Anziehen. Und damit waren keine Poloshirts oder Hausschuhe gemeint, sondern Gegenstände wie Angelschnüre und Steakmesser. Meine Rolle in dem Spiel bestand darin, ihn herauszufordern, indem ich ihm Weihnachtsgeschenke kaufte, die ein menschliches Wesen unmöglich am Leib tragen konnte. Letztes Jahr hatte ich ihm eine Cappuccino-Maschine gekauft. Zwei Minuten später hatte er sie sich mit Hilfe von ein paar Seilen auf den Rücken geschnallt, als wäre sie ein Rucksack. »Voilà«, hatte er gesagt.

Was, wenn es keinen Hugh mehr in meinem Leben geben würde? Keine mehr von diesen herrlich albernen Spielereien, keinen von diesen Momenten, die wir zusammengefügt hatten, um daraus unsere gemeinsame Geschichte zu bilden?

Aber, waren das lieb gewonnene Gewohnheiten – oder tatsächlich Liebe?

Ich zwang mich, mir ins Gedächtnis zu rufen, wie sehr er mir mit seinen kleinen Marotten auf die Nerven gehen konnte: wie er sich mit dem Saum seines Unterhemds die Ohren abtrocknete, dann dieses Pusten, das mich an den

Rand des Wahnsinns trieb, und wie er mit der Zahnbürste klapperte. Dass er auf Socken herumlief und dabei schon sein Hemd trug, zugeknöpft bis zum Hals. Und auch dass er Schubladen aufzog, aber nicht wieder schloss, machte mich irre. Aber schlimmer noch war dieses öde Über-Analysieren, diese ständige Rechthaberei und diese Selbstverständlichkeit, mit der er über uns beide entschied – Hugh, der tolle Strippenzieher.

Man kann sein Leben auch verändern, sagte ich mir. Sich neue Geschichten erschaffen. Trotzdem war die Panik über mich hinweggetost, bis ich endlich doch eingeschlafen war.

Am Morgen, sanftes Licht war durch das Fenster gefallen, waren meine Befürchtungen wie weggeblasen gewesen, stattdessen hatte ich diese merkwürdige Leichtigkeit empfunden. Ich hatte im Bett gelegen und mich erinnert, dass ich geträumt hatte. Die Traumbilder waren bis auf ein fantastisches Motiv verblichen, das noch immer an der Grenze zu meinem Bewusstsein trieb: Ein Mann und eine Frau gleiten am Meeresboden durch einen Pfad aus Luftblasen und schwachen, blauen Lichtstrahlen. Sie atmen unter Wasser. Sie halten sich an den Händen.

In dem Moment, als ich die Augen aufschlug, hatte ich noch die Schwerelosigkeit in meinen Armen und Beinen gespürt, den merkwürdigen Rausch dieser tiefen Welt – düster, gefährlich und vollkommen fremd. Ich wollte mich in ihre Arme stürzen.

Als ich in meinem alten Kinderzimmer am Fenster gestanden hatte, dort, wo die Apfelschalen gehangen hatten, und zugesehen hatte, wie das frühmorgendliche Licht den dunklen Himmel milchig überzog, hatte ich mir meinen Ehe- und meinen Verlobungsring vom Finger gezogen. Ich hatte sie eine Weile in der Hand gehalten, ehe ich sie um eine Sticknadel gelegt hatte, die in einem alten, samtenen Nadelkissen auf der Kommode steckte.

Als ich vor Kats gelbem Haus hielt, war ich eine getrennt lebende Frau, und ich wusste nicht, ob ich einfach nur maßlos gut im Verdrängen war oder ob ich mich tatsächlich maßlos erleichtert fühlte.

Ich stellte den Wagen neben der Treppe ab. Kat riss die Tür auf, Hepzibah und Benne erschienen hinter ihr im Eingang.

Ich war unangemeldet gekommen, ich hatte Mutter in einen Stapel Kochbücher vertieft zu Hause gelassen. »Ich wusste nicht, ob du hier oder im Meerjungfrauenschuppen sein würdest«, sagte ich zu Kat.

»Heute mache ich erst am Nachmittag auf«, sagte sie und schob mich ins Haus.

Hepzibah sprach aus, was sie alle dachten: »Was macht Hugh denn heute Morgen?«

»Er ist gestern schon gefahren.«

»Hab' ich euch doch gesagt«, meinte Benne und verkreuzte ihre Arme vor der Brust.

Benne konnte einem mit ihrer Selbstgefälligkeit schon auf die Nerven gehen, und manchmal, so wie jetzt, konnte sie geradezu eine Plage sein.

Kat überhörte sie einfach. »Was ist denn passiert? Der arme Mann ist doch gestern erst angekommen!«

»Weißt du, du solltest wirklich irgendwann mal lernen, die Klappe zu halten«, meinte Hepzibah zu ihr. Sie nahm meine Hand und führte mich in die Küche, in den warmen Geruch von Knoblauch und das summende *Schlosch* des Geschirrspülers. Die Küche war in der Farbe von Schlick gestrichen – einem tiefen, gärenden Braun – und überall fanden sich Meerjungfrauen-Nippes. »Ich bin nur kurz reingesprungen, um einen Kaffee zu trinken. Ich wollte gerade einschenken«, sagte sie.

Sie füllte vier Tassen, und wir setzten uns um den langen Eichentisch, auf dessen Mitte eine Tonschüssel stand, aus der Pflaumen, Orangen, grüne Paprikaschoten und riesige Limonen quollen.

»Mutter ist heute Morgen eine völlig andere Frau«, sagte ich, weil ich das Thema Hugh umschiffen wollte. »Ich glaube, das Mittagessen hat ihr unheimlich gut getan. Sie spricht sogar davon, wieder für die Mönche zu kochen. Sie sitzt zu Hause und arbeitet sich durch ihre Kochbücher.«

»Na, dann sieh bloß zu, dass sie diesmal ihre Fleischmesser in Sicherheit bringen«, sagte Kat.

»*Kat!*«, rief Hepzibah aus.

Ich stellte meine Tasse ab. »Glaubst du, sie könnte es wieder tun?«

»Nein, eigentlich nicht«, meinte Kat. »Aber sag ihnen trotzdem, sie sollen die Messer wegräumen. Man kann nie vorsichtig genug sein.« Sie stand auf und stellte eine Einkaufstüte neben meinen Stuhl. »Shem hat gestern dein Material abgeliefert.«

Ich wühlte durch die Tüte und breitete ihren Inhalt vor mir auf dem Tisch aus. Ein 50 mm Lasurpinsel aus Zobelhaar und ein Pinsel Nr. 4 für feinere Arbeiten, eine Palette, ein DIN A2 Block mit 170 gr/m² kaltgepresstem Papier. Das Papierformat flößte mir Angst ein – es war viel größer, als ich bestellt hatte. Und auch die Farben waren nicht in Studienqualität, sondern Künstlerqualität. *Künstler.* Ich nahm jede einzelne Tube in die Hand: Ockergelb, Indischrot, Ceruleanblau, Krapprot, Gebranntes Siena, Umbra Natur, Chromoxidgrün, Ultramarinblau.

Ich nahm nur schwach wahr, dass mich die anderen beobachteten. In meinem Herzen war eine Stelle entflammt, die Funken sprühte, wie die Wunderkerzen, mit denen Mike und ich als Kinder in der frühen Dunkelheit des Sommers herumgelaufen waren.

Als ich aufsah, lächelte Kat mich an. Einige lose Haarsträhnen fielen ihr über die Ohren. Heute schien ihr Haar die Farbe von rotem Ocker zu haben. »Und, wann kann ich die ersten Meerjungfrauenbilder in meinem Laden erwarten?«

»Die Inspiration lässt sich nicht befehlen, sie kommt, wenn sie kommt«, antwortete ich.

»Oh, sicher. *Entschuldige* bitte«, sagte sie. »Dann lass es mich so formulieren: Wann glaubst du denn, dass ich die *Inspiration* erwarten kann?«

»Soweit ich mich erinnere, haben wir eine Abmachung. Du wolltest mit Bruder Dominikus sprechen und versuchen herauszufinden, ob er eine Ahnung hat, warum sich Mutter den Finger abgetrennt hat – erinnerst du dich? Und im Gegenzug wollte ich dann für dich ein paar Meerjungfrauen malen. Nun ... wie sieht's aus?«

Kat ließ die Blicke zum Fenster über der Spüle wandern, über das filigrane Muster aus Licht, das die Sonne auf der Anrichte zeichnete. Der Moment dehnte sich. Durch die Stille hindurch klapperte der Deckel der Zuckerdose, mit dem Benne herumspielte. Hepzibah stand auf und ging zur Kaffeemaschine, um sich noch eine Tasse nachzuschenken.

»Ich hab' nicht mit ihm gesprochen, Jessie«, sagte Kat, als sie sich schließlich wieder zu mir wandte. »Ich stimme leider mit Dominikus überein. Ich glaube nicht, dass es irgendjemandem von uns gut tun würde, und ganz sicher nicht deiner Mutter, in ihrem Herzen herumzuwühlen. Es würde sie nur noch mehr aufregen. Und es ist sowieso sinnlos. Hör zu, es tut mir leid. Ich weiß, dass ich dir versprochen habe, mit ihm zu reden, aber ich glaube, das wäre falsch. Ich wünschte, du würdest auf mich hören und es dabei belassen.«

Ich wurde von einer Welle von Wut erfasst, und dennoch war ich auch versucht zu tun, was sie vorschlug. Meine Mutter zu verstehen war anstrengend, vielleicht sogar unmöglich.

»Na schön.«

»Willst du damit sagen, du lässt es auf sich beruhen?«, fragte sie.

»Nein, ich will damit sagen, es ist schon gut – ich werde dich nicht mehr bitten, mir zu helfen.« Ich sagte es resigniert, meine Wut war schon wieder abgeebbt. Kat glaubte, sie täte, was am Besten war, und ich würde sie niemals vom Gegenteil überzeugen können.

Sie legte den Kopf zur Seite und schenkte mir ein reuevolles Lächeln und tat so, als wäre sie zerknirscht. »Aber du malst doch trotzdem noch ein paar Meerjungfrauen für mich, oder?«

Ich seufzte. »In Gottes Namen, ja, ich male deine Meerjungfrauen.« Ich wollte mich über sie ärgern – und ich gab mir Mühe, wenigstens ärgerlich zu klingen –, aber als ich auf den Tisch und all die Farben und Pinsel darauf sah, die sie für mich besorgt hatte, da konnte ich es nicht.

Das Telefon klingelte, und Kat ging aus der Küche, um zu antworten. Hepzibah stand am Spülbecken und wusch die Kaffeekanne aus. Das Zimmer war erfüllt vom Rauschen des Wassers, und einen kurzen Augenblick lang blitzte mein Traum der vergangenen Nacht auf. Ich fragte mich, was Whit wohl gerade tat – in dieser Minute. Ich stellte ihn mir in seinem Cottage vor, wie er sich über ein Pult mit Büchern beugte, die Kapuze seines Habits zwischen seinen starken Schultern. Ich sah ihn im Motorboot durch die Buchten schneiden, sah diese unglaubliche Farbe, die seine Augen im Sonnenlicht angenommen hatten.

Ich kam mir wie ein schwärmerischer Teenager vor. Aber manchmal konnte ich einfach an nichts anderes denken. Ich stellte mir vor, wie sich unsere Körper aneinander drängten und wie ich mich aus mir selbst heraus zu etwas Zeitlosem und Großem erhob, wo ich alles tun konnte, alles fühlen konnte, wo es keine leeren Stellen in meinem Herzen gab, die ich ausfüllen musste.

»Und, wirst du uns nun erzählen, warum Hugh schon abgefahren ist?«, fragte Kat, die sich an die Spüle gelehnt hatte. Ich hatte nicht einmal gehört, dass sie zurückgekommen war.

»Er hatte gar nicht vorgehabt zu bleiben«, antwortete ich.

»Nicht einmal eine einzige Nacht?« Sie blickte auf meine linke Hand. »Gestern hattest du noch deinen Ehering an. Heute nicht mehr.«

Benne starrte vom Tisch aus auf meine Hand, dann in mein Gesicht. Es war derselbe Blick, mit dem sie mich im Geschäft angesehen hatte, als sie mir kundgetan hatte, dass ich mich in einen der Mönche verliebt hätte. Das Wissen, dass sie diese Tatsache auch ihrer Mutter mitgeteilt hatte, erzeugte in mir den irrationalen Wunsch, alles zu beichten.

Als Hepzibah sich neben Kat stellte, wurde mir klar, dass das wohl ohnehin der eigentliche Grund war, weshalb ich hierher gekommen war. Weil ich dringend jemanden brauchte, dem ich mich anvertrauen konnte. Weil das Gewicht dessen, was ich mit mir herumtrug, bestimmt zehnmal schwerer war als ich, und ich hatte das Ende meiner Kräfte erreicht – ich konnte es nicht mehr alleine tragen. Ich wollte plötzlich vor Kat und Hepzibah niederknien, meinen Kopf in ihren Schoß legen und spüren, wie ihre Hände auf meinen Schultern lagen.

»Etwas Furchtbares ist passiert«, sagte ich und richtete meine Aufmerksamkeit auf die Schüssel, dann den Tisch. »Hugh und ich haben – ich glaube, wir haben uns getrennt.« Als ich meinen Blick ein wenig hob, sah ich den Saum von Hepzibahs Kleid, Kats spitze Schuhe, ein Spalier von Schatten, das vom Fenster kam. Der Wasserhahn in der Spüle tropfte. Der Geruch von Kaffee hing wie Nebelschwaden in der Küche. Ich fuhr fort. »Ich habe mich ... ich habe mich in einen anderen verliebt.«

Ich sah nicht auf. Ich fragte mich, ob sich auf ihren Gesichtern Entsetzen abzeichnete. Ich war mir bei meiner Beichte nicht so lächerlich vorgekommen, wie ich befürchtet hatte. Ich *fühlte* Scham, aber, so sagte ich mir, wenigstens war ich eine Frau, die wahrhaft empfand, die sich nichts vormachen, sondern sich und ihre Gefühle ernst nehmen wollte.

Kat sagte: »Benne hat es uns schon erzählt.«

Es stimmte zwar, dass sich Benne niemals irrte, es erstaunte mich trotzdem, dass sie ihr das einfach so abgenommen hatten.

»Sie hat uns gesagt, ›dieser andere‹ ist einer der Mönche«, fügte Kat hinzu.

»Ja«, sagte ich. »Bruder Thomas.«

»Das ist der Neue, oder?«, fragte Hepzibah.

Ich nickte. »Sein wahrer Name ist Whit O'Conner.«

»Hast du es Hugh gesagt?«, wollte Kat wissen.

»Nein, das ... das konnte ich nicht.«

»Gut«, sagte Kat und stieß einen Seufzer aus. »Manchmal ist Aufrichtigkeit nämlich bloß ein anderes Wort für Dummheit.«

Ich bemerkte, dass meine Hände vor mir lagen, als würde ich beten, meine Finger waren so fest verknotet, dass sie anfingen zu schmerzen. Meine Fingerspitzen pulsierten und waren dunkelrot angelaufen.

Kat setzte sich neben mich, Hepzibah auf die andere Seite und legte ihre braune Hand auf meine.

»Wenn ich an Hugh denke, fühle ich mich einfach entsetzlich«, sagte ich. »Aber ich kann nicht gegen das Gefühl an, dass Whit derjenige ist, der für mich bestimmt ist. Wir sind vor ein paar Tagen mit dem Boot rausgefahren, draußen in der Vogelkolonie, und haben miteinander geredet. Er war verheiratet, aber seine Frau ist gestorben.« Ich brach ab. »Das ergibt ja überhaupt keinen Sinn.«

»Zuerst einmal, nichts ergibt Sinn, wenn du dich verliebst«, sagte Kat. »Und niemand hier urteilt über dich. Nicht in diesem Haus. Gott weiß, dass ich sicher nicht den ersten

Stein werfen werde. Ich hab' das schließlich auch durchgemacht.«

Ich sah sie verblüfft an. Die Bogen ihrer Augenbrauen waren die Stirn hinaufgewandert, und ihr Mund hatte sich in bitterer Selbstironie verzogen. »Nein, es war kein Mönch. Dieses lustige Detail hat mir Gott – gesegnet sei Sie – erspart. Nein, es war ein Hafenpilot aus Charleston, und er ist früher hierher gekommen, um zu fischen und um Netze zu kaufen. Gott, ich habe diesen Mann geliebt, trotz der störenden Tatsache, dass ich ja eigentlich mit Henry Bowers verheiratet war. Ich war damals ungefähr in deinem Alter, gerade in dem Alter, in dem sich die ersten Abnutzungserscheinungen zeigen, verstehst du? Du siehst dich um und denkst, so, und *das* soll es jetzt gewesen sein? Ich war zu dem Zeitpunkt seit zwanzig Jahren verheiratet. *Zwanzig* Jahre. Da wird der Kitt einer Ehe allmählich so alt und brüchig, dass sich die ersten Risse zeigen.«

Ich spürte, wie sich mir die Kehle zusammenzog. Hepzibah fing an, ihren Daumen über meinen zu reiben. Hin und her. Das Gefühl und der Rhythmus beruhigten mich ein wenig. Meine Finger entknoteten sich und sanken in meine Handflächen.

»Ich will nur sagen, ich weiß, wie das ist, jemanden zu lieben, den du eigentlich nicht lieben solltest«, fuhr Kat fort. »Es gibt wohl kaum eine Frau auf dieser Welt, die das Gefühl nicht kennt. Die eine Hälfte verliebt sich in ihren Gynäkologen, die andere in ihren Priester. Man kann dem Herzen nicht befehlen, nicht zu lieben – dann kann man sich auch gleich ans Meer stellen und die Wellen anschreien, sie sollten Ruhe geben.«

»Aber, eines solltest du auch bedenken«, fügte Kat hinzu. »Heute wünschte ich, ich hätte meinen Gefühlen damals nicht nachgegeben. Ich habe damit sehr viel Leid verursacht, Jessie. Aber, ehrlich gesagt, ich bin nicht sicher, ob ich damals irgendetwas hätte anders machen können, so, wie ich gefühlt habe und wie wenig ich gewusst habe. Ich will damit nur sagen, ich weiß, wie du dich fühlst, und du solltest dir das gut überlegen.«

Ich sank im Stuhl zurück, ich hörte, wie der hölzerne Sitz knirschte und knarrte. Ich wandte mich zu Hepzibah. Ihre Augen waren halb geschlossen.

Sie sagte: »Als ich vierzig war, als ich mich noch nicht mit den Gullah-Sitten beschäftigt hatte, habe ich mich in einen Mann aus Beaufort verliebt, der unzählige Geschichten aus der Sklavenzeit auswendig erzählen konnte, die von Generation zu Generation mündlich überliefert worden waren. Ich hatte niemals zuvor jemanden kennen gelernt, dem es so ein dringendes Anliegen war, ihre Wurzeln zu bewahren, und was ich an ihm liebte, war in erster Linie mein eigenes Verlangen, das Gleiche zu tun.«

»Was ist passiert?«, fragte ich.

»Ich war damals schon geschieden und hätte nichts dagegen gehabt, noch einmal zu heiraten, aber er hatte eine Frau. Kat hat Recht, das hat mich natürlich nicht daran gehindert zu fühlen, was ich gefühlt habe. Ich habe mich jedoch entschieden, ihn zu lieben, ohne ... na, du weißt schon, ohne ihn körperlich zu lieben, und das war hart, das war die schwerste Entscheidung, die ich je getroffen habe, aber heute bin ich froh darüber. Denn er hat mich dazu gebracht, meine Wurzeln zu verstehen, und wie viel ist daraus erwachsen.«

Benne hatte sich auf beide Ellbogen gestützt und hörte diesen Offenbarungen mit halb geöffnetem Mund zu, die Strähnen ihres glatten, braunen Haares fielen ihr über die Augenbrauen. »Auch ich habe jemanden geliebt«, verkündete sie mit leuchtenden Augen, und wir wandten uns zu ihr und starrten sie an.

»Erzähl es uns«, sagte Kat. »Wer war der Glückliche – dein Gynäkologe oder dein Priester?«

»Mike«, sagte sie. »Und auch *ich* konnte nichts gegen meine Gefühle tun.« Sie saß aufrecht da und lächelte, glücklich darüber, zu uns zu gehören. »Ich habe es ihm an dem Tag gesagt, als er die Insel verlassen hat, um aufs College zu gehen. Wir waren alle auf dem Dock, um uns von ihm zu verabschieden, erinnert ihr euch? Ich hab' ihm gesagt: ›Ich liebe dich‹, und er hat gesagt: ›Ich liebe dich auch, Benne‹, und dann ist er ins Boot gestiegen.« Kat streichelte ihren Arm.

Im Zimmer wurde es still. Ich begriff, worum es Kat und Hepzibah ging. Sie machten sich Sorgen, dass ich verletzt werden könnte, sie versuchten, das Ganze in einem größeren Zusammenhang zu sehen, von einem Standpunkt aus, den ich noch nicht bedacht hatte. Ich verstand in gewisser Weise sehr wohl, was sie sagen wollten, aber ich konnte mich dem nicht öffnen. Vielleicht liegt es in der Natur des Menschen, zu glauben, die eigene Situation sei einzigartig und unvergleichlich, die eine berühmte Ausnahme. Vielleicht war das Gefühl, das mich in meinem Innern zu ihm drängte, ja weiser als all ihre Erfahrung.

»Aber was, wenn ich ihn gehen lasse und wir in Wahrheit füreinander bestimmt sind?«, sagte ich.

»Ihr *seid* füreinander bestimmt«, sagte Benne.

Eine Benne-Wahrheit? Oder war es bloß ein Ausbruch romantisch verklärten Wunschdenkens einer Erwachsenen, die doch eigentlich ein Kind war?

»Niemand kann dir vorschreiben, was du tun sollst«, meinte Kat. »Es ist dein Leben. Und deine Entscheidung.«

»E come a time when eby tub haffa res pon e won bottom«, sagte Hepzibah und übersetzte: »Ab einem bestimmten Punkt im Leben musst du ohne fremde Hilfe laufen.«

Kat rückte näher an mich heran, auf ihrer Stirn zeichneten sich kleine Furchen ab: »Gib aber bitte auf dich Acht und sei vorsichtig bei dem, was du tust«, sagte sie.

Ich stand auf. Die Farbtuben, die Palette und die Pinsel

209

lagen um die Obstschale herum verteilt, wie aus einem Füllhorn gefallen. Ich sammelte sie ein und steckte sie zurück in die Tüte.

»Ich bin mein ganzes Leben lang immer nur vorsichtig gewesen«, erwiderte ich.

Ich lächelte sie an und fühlte mich, als ob ich bereits alleine laufen *würde*.

»Ich hab' dein Kanu in der Vogelkolonie gesehen«, sagte ich zu Hepzibah. »Was dagegen, wenn ich's mir mal ausleihe?«

»Bedien dich«, sagte sie.

Sie fragte nicht, wozu ich es brauchte. Kat auch nicht. Sie wussten es ja sowieso.

KAPITEL 23

An dem Tag, als ich mit Hepzibahs ehemals rotem Kanu durch die verschlungenen Buchten paddelte, hörte ich in der Ferne einen Alligator brüllen. Es war Mitte März, vier Tage noch bis Frühlingsanfang, aber es war schon so warm, dass ein paar Bullen anfingen, draußen auf den Bänken in der Marsch lautstark nach einem Weibchen zu verlangen. Es klang wie entferntes Donnergrollen. Im April würde das Gebrüll so laut werden, dass das Wasser davon aufgeschäumt wurde. Mike und ich hatten, wenn das Spektakel in vollem Gange war, unser Boot immer durch die nadelfeinen Kurven gerudert und den Scharen sich sonnender Schildkröten zugerufen, sie sollten sich schnell in ihren Schlammlöchern verstecken, ehe sie alle aufgefressen würden.

Als ich vorhin am Pier der Kolonie angekommen war und das Kanu umgedreht hatte, hatte der Schildkrötenschädel neben dem Paddel gelegen. Hepzibah hatte ihn offensichtlich dort für mich hingelegt. Ich erinnerte mich, wie sie, Kat und Mutter ihn während all der Jahre untereinander weitergereicht hatten, zur Erinnerung daran, wie sie ihr Leben miteinander verknüpft hatten. Der Schädel lag jetzt auf dem durchgescheuerten Korbsitz am Bug und sah sehr alt aus. Seine leeren Augen stierten geradeaus, als ob sie das Boot leiten würden.

In diesen Tagen stieg das Pfefferminzgrün wieder in die Halme des Schlickgrases, und an jeder Biegung standen ein Reiher oder ein Löffler wie eine Gartenskulptur im Flachwasser. Ihre Geduld war unglaublich. Immer, wenn ich dachte, sie würden sich niemals mehr bewegen, erwachten sie blitzartig zum Leben und spießten einen Krebs auf.

Ich schlängelte mich mit der langsam aufsteigenden Flut durch die Buchten, bog zweimal falsch ab, bis ich schließlich den Nebenarm entdeckte, in den Whit uns geführt hatte, als wir zusammen hier gewesen waren. Als sich der Korridor aus Schilf zu der winzigen Bucht hin öffnete, in der wir in seinem Motorboot gesessen und geredet hatten, zog ich das Paddel aus dem Wasser und überließ mich der Strömung. Sie spülte mich an die winzige Marschinsel, wo Whit sich seine Klause auf einer Anhöhe unter der einzigen Palmettopalme gebaut hatte.

Ich hatte das Paar alter Gummistiefel an, das Mutter früher getragen hatte, wenn sie zusammen mit Kat und Hepzibah an den Riffen ganze Körbe von Austern für das Neujahrsessen geerntet hatte. Als ich aus dem Kanu stieg, versank ich bis zu den Knöcheln im Schlick. Er hatte die Konsistenz von Kuchenteig, und aus ihm stieg der Geruch seines modrigen Gebräus auf, den ich seit meinen Kindertagen so sehr liebte.

Ich zog das Kanu ins Gras. Mir wurde warm, und so schlüpfte ich aus meinem Sweatshirt und knotete es mir um die Hüften. Dann stand ich in meinem schwarzen T-Shirt da und lauschte auf das Tuckern von Whits Motorboot. Es hatte noch am Dock gelegen, als ich losgepaddelt war. Ich sah auf die Uhr. Ich war genau zu der Zeit gekommen, zu der wir beide hier auch gewesen waren – wenn er, wie ich glaubte, seine Runden machte.

Als ich auf das Wasserrund sah, das einen beinahe vollkommenen Kreis beschrieb, dachte ich einen Augenblick lang, ich hätte das Boot gehört, und erstarrte. Ich sah, wie sich schwarze Scherenschnäbel im Sturzflug ins Wasser stürzten und wie die Oberfläche von Meeräschen silbern aufgewühlt wurde, aber das Geräusch erstarb, und die Insel lag wieder still.

Ich hatte mir einen Korb mit Farben und Pinseln mitgebracht, weil ich mir überlegt hatte, dass ich ja versuchen könnte zu malen, falls Whit nicht erscheinen sollte. Eigentlich aber brauchte ich einen Grund, hier draußen zu sein, einen anderen jedenfalls als den, ihn sehen zu wollen, eine gute Ausrede: *Ich bin bloß hierher gekommen, um zu malen.*

Als ich den Korb aus dem Kanu hievte, nahm ich spontan auch den Schildkrötenschädel mit. Es war albern, ihn hier mit mir herumzutragen, aber ich wollte ihn nicht beim Boot lassen. Ich bahnte mir meinen Weg durch Nadelgras und Palmgebüsch. Als ich bei Whits Einsiedelei ankam, musste ich laut lachen. Hier hatten ganz offensichtlich Beschreibungen der Krippe von Bethlehem Pate gestanden.

Als ich unter das abfallende Dach trat, musste ich mich leicht bücken. Eine Krebsfalle aus Drahtgittern stand wie ein kleiner Tisch im hinteren, verschatteten Teil der Klause, daneben lag ein zusammengefaltetes Netz. Er hatte ein Kreuz aus Palmenblättern geflochten und an ein Brett genagelt – aber davon abgesehen wies nichts darauf hin, dass dies hier das Versteck eines Mönchs war.

Ich verstand, warum er diesen Ort liebte. Er lag abgeschieden, geschützt von Wasser und dem Marschland, doch herrschten hier weder Abt noch Ordensregel, nur der Instinkt und das Gesetz der Natur, so wie sie hier von Anbeginn an gewaltet hatten.

Ich legte den Schildkrötenschädel auf die Krebsfalle und bewunderte das ausgeblichene Elfenbein. Ich beschloss, dass er einem Weibchen gehört haben musste, einer dreihundert Pfund schweren Karettschildkröte, die sich Jahr für Jahr an den Strand geschleppt hatte, um den Sand mit ihren Eiern zu befruchten. Einmal hatte Dad Mike und mich nachts im Sommer nach Bone Yard Beach mitgenommen, als es am Strand von kleinen, frisch geschlüpften Schildkröten nur so gewimmelt hatte. Wir hatten zugesehen, wie sie zum Meer eilten, zu einem hellen Flecken, den das Mondlicht auf das Wasser malte.

Ich legte meine Hand auf den Schildkrötenschädel und spürte, wie mich Hepzibahs Anwesenheit durchströmte. Kats Anwesenheit. Sogar die meiner Mutter und Bennes.

Ich stellte die Tischstaffelei, die ich im *Braunen Pelikan* entdeckt hatte, auf den Boden und legte die Aquarellpalette darauf. Ich breitete meine Farben vor mir aus, Kohlestifte, Pinsel, ein Glas Wasser, und dann zog ich mir die Stiefel aus und setzte mich mit überkreuzten Beinen vor mein Blatt Papier und starrte die weiße Fläche an.

Ich hatte schon ein gutes Dutzend Meerjungfrauen für Kat gemalt, manchmal war ich sogar bis nach Mitternacht aufgeblieben, um ein Bild zu beenden. Ich hatte mit den typischen Motiven angefangen – Meerjungfrauen auf Felsen, unter Wasser, am Strand –, bis ich begonnen hatte, mich zu langweilen, und sie dann an alltägliche, für Meerjungfrauen jedoch ganz ungewöhnliche Orte versetzte: Eine fuhr in einem kleinen Lastwagen auf einer Schnellstraße in Atlanta, auf der Rückbank ein Meerjungfrauenbaby in einem Kindersitz angeschnallt, eine andere balancierte auf ihrem Schwanzende vor einem Ofen, sie trug eine Schürze, auf der »Fischers Fritz« stand, und briet Fisch in einer Pfanne, und wieder eine andere saß – das war mein Lieblingsbild – in einem Friseurstuhl und ließ sich ihre langen, seidigen Locken zu einem modischen, asymmetrischen Kurzhaarschnitt mit Pony stutzen.

»Na, jetzt gibst du richtig Gas«, hatte Kat gesagt. Die Bilder hatten sich auf der Stelle verkauft, und sie lag mir dauernd damit in den Ohren, ich sollte ihr weitere bringen.

Vorhin war mir die Idee gekommen, eine Meerjungfrau zu malen, die mit einer Schwimmweste bekleidet in einem Kanu paddelt, aber jetzt, als ich den Stift in der Hand hielt, begann ich die Zeichnung von Stirn und Augenpartie einer Frau. Ich skizzierte sie am unteren Rand des Blatts, so als würde sie über eine Mauer spähen. Sie streckte ihre Arme über den Kopf, die Ellbogen lagen eng an den Ohren an, wodurch der Eindruck entstand, als würde sie nach etwas greifen, das sich über ihrem Kopf befand. Ich hatte keine Ahnung, woher dieses merkwürdige Bild kam.

Ich befeuchtete das Papier, legte Schichten lasierender Blaus darüber, verdünnte das Pigment immer mehr, je weiter ich mich das Blatt hinunter bewegte, und schuf so hellere Bereiche am unteren Bildrand, um den Kopf der Frau herum. Ich malte Kopf und Arme in Siena und Umbra. Ihre Augen waren konzentriert und weit aufgerissen, sahen hinauf in die leere, blaue Fläche, die fast das gesamte Blatt füllte. Ganz zum Schluss schlug ich den Pinsel über dem Papier aus und schuf so absichtlich einige Spritzer um ihre Arme herum.

Als ich den Pinsel weglegte, kam mir das Bild albern vor. Aber als ich mich zurücklehnte und mir noch einmal ansah, was ich da gemalt hatte, sah ich in den Farbspritzern an ihren Armen Wasserbläschen, und die unterschiedlichen Schattierungen in Blau erschienen mir wie Schichten tiefen Wassers. Das Bild, entschied ich, stand auf dem Kopf.

Dies war *nicht* das Bildnis einer Frau, die mit ausgestreckten Armen über eine Mauer blickte, sondern einer Frau, die tauchte. Ich drehte das Bild um hundertachtzig Grad und sah, dass es genau den Moment wiedergab, in dem sie kopfüber ins Wasser sprang, in dem sie in die blaue Leere drang.

Ich starrte es an. Von dem Augenblick an, als ich es auf

den Kopf gestellt und betrachtet hatte, hatte ich gewusst – *so* war es richtig.

Ich hörte das Dröhnen eines Bootsmotors in der Ferne, und ich griff mir unwillkürlich an den Hals. Ich stellte mir vor, wie Whit sich der Insel näherte, Hepzibahs Kanu entdeckte und sich fragte, wer wohl da war. Das Geräusch erstarb, als er den Motor ausschaltete. Ein Hund fing an zu bellen. Max.

Eine Erwartung stieg in mir auf, es war die eigenartige, euphorische Energie, die es mir in den letzten Tagen unmöglich gemacht hatte, zu schlafen oder zu essen, die mich zu unendlich vielen Tagträumen inspiriert hatte, in denen es immer um uns beide gegangen war. Sie hatte mich kühn und furchtlos werden lassen. Hatte aus mir eine andere Person gemacht. Was geschehen würde, würde geschehen.

Ich sah zuerst Max. Er sprang heran, die Zunge hing ihm seitlich aus dem Maul. Ich bückte mich, um ihn zu streicheln, und als ich aufsah, sah ich, wie Whit über einen verrotteten Palmenstumpf kletterte. Als er mich entdeckte, blieb er stehen.

Ich fuhr fort, Max den Kopf zu kraulen, mein Atem ging schnell und heiß. Ich sagte: »So, das ist also die geheimnisvolle Einsiedelei, von der Ihr Abt nichts wissen darf.«

Er bewegte sich noch immer nicht, sprach nicht. Er trug wieder sein Jeanshemd, das Kreuz um den Hals und hatte einen Leinenbeutel in der Hand. Ich vermutete, dass er Bücher enthielt. Licht und Schatten malten Pinselstriche auf sein Gesicht, so dass ich seinen Ausdruck nicht erkennen konnte. Ich wusste nicht, ob er starr vor Schreck oder vor Freude war. Es hätte auch vor Beklommenheit sein können. Er wusste offensichtlich, weshalb ich hier war. Sein Körper verriet es ganz deutlich.

Er ließ eine Hand in seine Hosentasche wandern und kam auf mich zu. Ich konnte in seinem schwarzen Haar einzelne graue Strähnen leuchten sehen.

Als er an die Staffelei trat, stellte er den Beutel ab und kauerte sich neben mein Bild, er war erleichtert, glaube ich, dass es ihm eine Ablenkung bot.

»Das ist gut«, meinte er. »Sehr ungewöhnlich.«

Ich rieb mit meinem Daumen an meinem Ringfinger entlang, dort, wo mein Ehering gesessen hatte. Die Haut fühlte sich nackt und frisch an. Zart. Er tat so, als würde er mein Bild betrachten.

»Ich hoffe, Sie haben nichts dagegen, dass ich hierher komme und male«, sagte ich. »Ich hätte Sie ja um Erlaubnis gebeten, aber ... nun, ich konnte ja nicht einfach das Telefon in die Hand nehmen und Sie anrufen.«

»Sie brauchen mich nicht um Erlaubnis zu bitten«, sagte er. »Dieser Ort hier gehört allen.« Er stand auf, sah aber weiter hinunter auf das Bild, stand mit dem Rücken zu mir.

Um uns herum wogte und bebte das Gras, als ob es sich am Meeresgrund befände. Ich wollte zu ihm gehen, meine Arme um ihn schlingen, mein Gesicht an seinen Rücken legen und sagen: *Es ist alles gut. Es ist vorherbestimmt,* aber ich konnte nicht diejenige sein, die es aussprach. Er musste es von einer anderen Stimme hören, von einer, die aus seinem Innern sprach. Er musste ebenso wie ich von der Richtigkeit unseres Tuns überzeugt sein.

Er stand vollkommen starr da, und ich fragte mich, ob er sich bemühte, die Stimme zu hören, die ihm raten würde, was er tun sollte, die Stimme, die nicht irrte, oder ob er sich dort vor mir verbarrikadierte.

Ich nahm mir vor, noch eine Minute lang barfuß stehen zu bleiben, bis es ganz offensichtlich würde, dass es das einzig Vernünftige wäre, meine Stiefel wieder anzuziehen, meine Sachen einzusammeln und zu gehen. Ich würde zurückpaddeln und dies hier niemals mehr erwähnen.

Er drehte sich abrupt um, fast so, als ob er meine Gedanken gehört hätte. Ich ging auf ihn zu, stand nahe genug vor ihm, um den salzigen Geruch wahrzunehmen, der von seiner Brust kam, von den feuchten Perlen unter seinen Armen. Ein Licht flammte im Blau seiner Augen auf. Er streckte die Arme aus und zog mich zu sich, schlang seine Arme um mich. »Jessie«, flüsterte er und barg sein Gesicht in meinem Haar.

Ich schloss die Augen und legte meinen Mund auf die Stelle, an der sein Hemd offen stand, ich ließ meine Lippen gewähren, sie öffneten und schlossen sich auf seiner Brust, ich schmeckte die Haut an seiner Kehle, den Geschmack der Hitze. Ich öffnete jeden einzelnen, weißen Knopf und küsste die Haut darunter. Das hölzerne Kreuz hing über seinem Brustbein, und ich musste es beiseite schieben, um die kleine Wölbung des Knochens küssen zu können.

»Warte«, sagte er und zog sich das Lederband über den Kopf und ließ das Kreuz zu Boden fallen.

Als ich den Knopf erreicht hatte, der unter seinem Gürtel steckte, zog ich das Hemd aus seiner Jeans und knöpfte es weiter auf, bis er mit offenem Hemd vor mir stand und ein sanfter Windhauch damit spielte. Er beugte sich vor und küsste mich. Sein Mund schmeckte nach Wein, den Zeichen der Heiligen Messe.

Er führte mich in das gesprenkelte Licht seiner Klause, zog sein Hemd aus und breitete es auf dem Boden aus, dann zog er mich aus, zog mir das T-Shirt über den Kopf, öffnete meine Hose und zog sie mir bis auf die Knöchel. Ich stieg heraus und stand nun vor ihm, in meinem hellblauen Höschen und dem passenden Büstenhalter, und gab ihm Gelegenheit, mich anzuschauen. Sein Blick wanderte über die Kurvung meiner Taille, über die Rundung, an der sie in die Hüften übergeht, dann sah er einen Augenblick lang wieder in mein Gesicht, bevor seine Augen hinunterglitten zu meinen Brüsten, zu meinen Schenkeln.

Ich stand reglos da, aber in mir brach eine Lawine los – ein ganzes Leben stürzte davon.

Er sagte: »Ich kann nicht fassen, wie schön du bist.«

Ich wollte sagen, *Nein, nein, überhaupt nicht,* aber ich tat es nicht. Stattdessen öffnete ich meinen Büstenhalter und ließ ihn neben das Kreuz fallen.

Ich sah atemlos zu, wie er sich bückte und seine Stiefel aufschnürte. Die Haut auf seinen Schultern war wie von der Sonne kandiert. Er richtete sich auf, stand vor mir mit nackten Füßen, mit nackter Brust, seine Jeans hingen tief auf seinen Hüften. »Komm her«, sagte er, und ich sank in die Weichheit seiner Haut.

»Ich habe dich von Anfang an gewollt«, sagte er, und die Art, wie er es sagte – seine Augen fest auf meinem Gesicht, die Entschlossenheit in seine Stirn eingegraben –, ließ mich erbeben. Er ließ mich ganz sanft zu Boden gleiten, auf sein Jeanshemd, und küsste die zarten Stellen an meinem Hals, meinen Brüsten, an den Innenseiten meiner Schenkel.

Wir liebten uns, während die Flut an die Insel spülte und Max in der Sonne schlief. Ein betörender Geruch hing in der Luft, wie gebrannte Mandeln. Später wurde mir klar, dass es der Geruch von Glyzinien war, der über der Insel schwebte. Als er sich auf mir bewegte, hörte ich den spitzen Schrei eines Fischadlers in den Höhen der Wolken. Ich hörte, wie kleine Krebse im Gebüsch mit ihren Scheren knackten.

Der Boden war uneben, überzogen mit Knorpeln von Beerenranken und Sprösslingen von Fächerpalmen. Etwas drückte sich von unten in meine Schulter, und ich bekam eine Gänsehaut von der kalten Luft, von den tiefen, kobaltblauen Schatten im Schutz seines Unterstands. Ich begann zu zittern. Whit ließ eine Hand unter meine Schulter gleiten und schob sie sanft von den spitzen Trieben der Palme. Er sagte: »Ist alles in Ordnung?«

Ich nickte. Es machte mir gar nichts aus. Ich wollte nur hier sein, auf diesem von den Gezeiten umspülten winzigen

Stück Erde, und ich wollte zu dieser Erde gehören, mich der Marsch darbieten und den Vögeln, die über unseren Köpfen kreisten.

Er lächelte mich an, berührte mein Gesicht mit der anderen Hand, folgte der Kontur meines Kinns, meiner Lippen, meiner Nase. Er verbarg sein Gesicht in meinem Hals und atmete tief ein, und ich verlor mich in diesem Augenblick – Whit, mein Körper mit all seinen Adern und Knochen, die Wildheit, mit der ich ihn liebte.

Ich erlebte diese Momente auf eine Weise, die mir bisher verschlossen gewesen war. Ich empfand intensiver, die Bewegung unserer Körper und die pulsierende Welt um uns herum schienen lebendiger und strahlender, wirklicher. Ich verstand, wie flüchtig *alle* Momente in Wahrheit waren, dabei waren sie mein ganzes Leben lang zu mir gekommen und hatten darum gebettelt, gelebt zu werden, ausgekostet zu werden, und ich, ich hatte sie an mir vorüberziehen lassen.

Später dann dachte ich, wenn Sex wirklich eine Form von Kommunikation war, eine Möglichkeit, dem anderen etwas zu sagen, was teilten wir einander dann mit? Woher kamen diese drängenden, beredten Stimmen?

Hinterher lag ich neben ihm, noch immer nackt, gewärmt von seinem Körper, der Hitzewellen von sich gab. Auf meinen Hüften waren kleine Lehmspritzer, winzige, grüne Myrteblätter klebten von unten an meinen Beinen. Max wurde wach und trottete zu uns, er rollte sich auf meine andere Seite.

»Ich fühle mich wie die Frau auf dem Gauguin-Gemälde«, sagte ich.

Er zog seinen Arm fester um mich. »Wie welche Frau?«

»Die Frau auf der exotischen Insel, die er immer gemalt hat. Du weißt schon, die in dem roten Sarong.«

Er sah auf den Schildkrötenschädel, den ich auf die

Krebsfalle gelegt hatte, und lächelte. Dann bewegte er seinen Finger sachte zwischen meinen Brüsten hindurch. Ich sah, dass seine Knöchel aus winzigen Schnitten von den spitzen Blättern der Fächerpalme bluteten.

Max fing an zu schnarchen. Whits Augen schlossen sich langsam. Ich habe nie verstehen können, wieso andere nach dem Sex so benommen sind. Die Zellen in meinem Körper waren in Adrenalin-Aufruhr.

Als Whit tiefer in den Schlaf sank und sein Atem schwerer ging, lag ich einfach nur da und lauschte. Der Nachmittag glitt mit der Flut davon, wurde wie Treibgut mitgespült. Whit schlief. Ich sah ihn an. Ich sah alles mit staunenden Augen an. Ein Paar verschwommener, weißer Flügel stürzte in die Bucht – ein Seeadler tauchte wie ein gefallener Engel ins Wasser.

Ich fühlte mich, als wäre ich aus meinem alten Leben vertrieben – nein, nicht vertrieben, entflohen. Frei. Ich lag dort – die Gauguin-Frau – gesättigt von dem, was gerade geschehen war, und fühlte mich erfüllt, *lebendig*.

Nur einmal musste ich an Hugh denken, und eine Schockwelle durchfuhr mich, ein Entsetzen über die moralische Falschheit dessen, was ich gerade getan hatte. Ich drückte mich fest an Whit, bis das Gefühl verging.

Als er wach wurde, sank die Sonne bereits gen Westen. Aus dem Unterstand konnte ich die zitronengelben Farben sehen, die am Horizont schwebten. Er setzte sich auf. »Es ist spät. Ich muss zurück zur Vesper.«

Als ich nach meinen Kleidern griff, sagte er: »Bereust du es? Das hier?«

»Ich bereue gar nichts«, sagte ich ihm. Aber das stimmte nicht. Ich bereute, dass ich verheiratet war. Dass ich Hugh wehtun würde, ihm bereits wehgetan hatte. Dass ich Dee wehtun könnte. Dass all der Kitt, der uns so lange verbunden hatte, zerbröselte. Aber ich bereute nicht, was wir gerade getan hatten. Ich sollte es wohl, aber ich tat es nicht. Ich wusste, ich würde es wieder tun. Es sei denn ... es sei denn, *er* würde es bereuen.

Ich fragte ihn nicht danach. Ich wollte es nicht wissen. Ich konnte den Gedanken nicht ertragen, dass er jetzt zur Vesper gehen und Gott um Vergebung bitten würde.

KAPITEL 24

Whit

Er ging nicht zur Vesper. Er ging auch nicht zur Komplet. Er ging mit schnellen Schritten auf dem Weg zu seinem Cottage am Kreuzgang vorbei. In seinem Zimmer setzte er sich an sein Pult, ohne ein Licht anzuzünden, und ließ die Dunkelheit hinter dem Fenster aufziehen und mit ihr die Stille, mit der sie die Bäume verschlang.

Er war schon so lange nicht mehr berührt worden. Seit *Jahren* schon nicht mehr. Er hatte eine Art erotischen Schock – so zumindest beschrieb er es in seinem Notizbuch. Als er die Umrisse der Bäume nicht länger erkennen konnte, schaltete er die Lampe ein und schrieb alles nieder, alles, was geschehen war, alles, was er empfand.

Er hätte das Risiko, es auf Papier zu bannen, nicht eingehen sollen, aber er konnte nicht anders. Seine Gefühle hatten schon immer nichts als seltsame, unergründliche Spuren auf seinem Herzen hinterlassen, wie die Zeichen, die er einst auf dem Stein von Rosetta gesehen hatte. Er hatte den Stein sehr, sehr lange betrachtet, während Hunderte, vielleicht sogar Tausende von Touristen daran vorbeigegangen waren. Er hatte das Gefühl gehabt, auf etwas sehr Persönliches zu schauen, und seither hatte er sich bemüht, die emotionalen Schriftzeichen in seinem Innern zu entziffern, indem er sie niederschrieb. Merkwürdigerweise wurden sie ihm auf diese Weise zugänglich.

So wie jetzt. Er konnte ihre Hände an seinem Rücken spüren. Sah ihren Körper vor sich auf der Erde, die Gänsehaut an ihren Brüsten. Er konnte noch einmal spüren, wie er in ihr war und sich verlor.

Er legte seinen Stift beiseite und stand auf, er musste sich bewegen. Er ging von einer Seite des Bettes zur anderen und sah auf das Kruzifix, das darüber hing. Das Bett war eine einfache Matratze auf einem Metallrahmen, der fast den ganzen Raum einnahm. Er wünschte sich, er könnte sich einfach auf die kratzige Decke legen und augenblicklich einschlafen. Er fürchtete sich vor der langen Nacht, die vor ihm lag.

Er hatte eine Frau geliebt.

Er wusste nicht, wie er sein Leben in der Abtei fortführen sollte.

Er ließ die Jalousien an den Flügelfenstern herunter und setzte sich wieder an sein Schreibpult. Er schrieb Gründe auf für das, was geschehen war, Gründe, die logisch klangen. Dass er durch sein Zusammensein mit Jessie den Schmerz über den Verlust seiner Frau linderte. Oder dass er, wo er nun in absehbarer Zeit die ewige Profess ablegen würde, vielleicht nach einem Ausweg suchte. Vielleicht aber war er auch gezwungen gewesen, seine Libido derart zu verleugnen, dass sie plötzlich ins andere Extrem ausgeschlagen war. Es kam ihm sogar in den Sinn, dass Dichter und Mönche seit Jahrhunderten sinnliche Bilder heranzogen, um über ihre Verbindung mit Gott zu schreiben. Hatte er möglicherweise nach einer Vereinigung mit Gott gestrebt?

Er las noch einmal all die Beweggründe, die ihm eingefallen waren, und sie klangen lächerlich. Er musste an die *Summa Theologica* des Heiligen Thomas von Aquin denken, über die der Novizenmeister gesagt hatte, sie sei erhaben, aber Aquinas selbst hatte doch auf seinem Sterbebett gesagt, diese Worte wären Stroh, verglichen mit den Dingen, die er erfahren hatte, die er in seinem Herzen trug.

So empfand auch Whit. Als ob seine Erörterungen nichts als Stroh wären. Ein Haufen Mist.

Er hatte das Unglaubliche getan, weil er sie liebte, weil er sie wollte – das zumindest wusste er mit Sicherheit. Er wusste, dass das Leben in ihm erneut zum Ausbruch gekommen war, und er spürte jetzt, was für ein kalter, erloschener Krater sein Herz gewesen war, bevor er sie getroffen hatte.

Er schloss sein Tagebuch und nahm den abgegriffenen Gedichtband von Yeats in die Hand. Er fiel an einer bestimmten Stelle auf, und er las die Zeilen immer und immer wieder:

> *... Jetzt ist die Leiter weg,*
> *Ich krieche um den Leitergrund, verroht*
> *Lieg ich beim Lumpensammler Herz im Kot.*

Er stand auf und wusch sich Gesicht und Hände. An seinen Knöcheln waren kleine Wunden. Er wusch sie mit Seife, dann zog er sein Hemd aus und roch daran. Er konnte sie riechen, konnte riechen, was sie getan hatten. Aber anstatt das Hemd in den kleinen Wäschekorb zu werfen, hängte er es auf den Haken zu den Hemden und Habits zum Wechseln.

Die Komplet war vorüber, und das Silentium begann. Die Mönche hatten sich jetzt in ihre Zellen zurückgezogen. Er hatte gehört, dass Dominikus vor einer halben Stunde gekommen war, er hatte gehört, wie das Klappern der Schreibmaschine eingesetzt hatte.

Whit zog sich ein T-Shirt über den Kopf und schlüpfte in seinen Mantel. Er öffnete die Tür und schloss sie leise hinter sich. Er nahm keine Taschenlampe, nur seinen Rosenkranz.

Er klimperte bei jedem Schritt in seiner Tasche. Neumond war gerade vorüber, eine vergoldete Sichel hing am Himmel, und er wusste, in wenigen Stunden würde es eine Springflut geben. Sie würde sich über das Nadelgras ergießen wie eine Brühe, die über den Rand ihrer Schüssel schwappt. Draußen auf dem kleinen Hügel, wo er Jessie geliebt hatte, würde das Wasser ganz nah an seine Klause reichen.

In den Nächten, in denen Whit nicht schlafen konnte, ging er die Stationen des Kreuzwegs ab. Es lenkte ihn ab, es beruhigte ihn. Und es gefiel ihm, dass der Kreuzweg nicht in der Kirche war, sondern dass er aus einfachen Zement-platten bestand, die wie Steinfliesen in den Boden eingelas-sen waren. Er fand es wunderschön, wie sich der Kreuzweg zwischen den Eichen hinter den Cottages hindurchwand. Und er liebte die Tiere, auf die er dort manchmal einen Blick erhaschen konnte, das plötzliche Aufglühen ihrer Au-gen. Er hatte gestreifte Stinktiere, Rotfüchse, Eulen und einmal sogar einen Luchs gesehen.

Bei der ersten Station nahm er seinen Rosenkranz hervor, berührte seine Stirn damit und kniete sich neben die grobe Steingravur, die Jesus vor Pontius Pilatus zeigte. JESUS WIRD ZUM TODE VERURTEILT. Der Abt hatte ihnen gesagt, sie sollten versuchen, in den Stationen aufzugehen, wenn sie den Kreuzweg abschritten, aber er konnte sich kaum konzentrieren.

Er schloss die Augen und versuchte, sich an das Gebet zu erinnern, das er bei der ersten Station sprechen sollte. Er wusste nicht, wie es ihm möglich sein sollte, sie *nicht* mehr zu sehen. Jetzt, in diesem Moment, wäre er am liebsten hi-nüber zum Haus ihrer Mutter gestürmt und hätte wie ein Siebzehnjähriger an ihr Fenster geklopft. Er wollte in ihr Bett kriechen und seine Knie gegen ihre legen, seine Finger um ihre schlingen, seinen Körper an ihren pressen und ihr sagen, was er fühlte.

Er sah auf den Stein am Boden. Er wollte wissen, ob Jesus jemals so mit sich gerungen hatte, ob er je eine Frau so geliebt hatte. Er wollte es gerne glauben.

An der zweiten Station – JESUS NIMMT DAS KREUZ AUF SEINE SCHULTERN – kniete sich Whit erneut nieder, diesmal schon entschiedener. Er sagte das dazugehörige Gebet auf und dachte über die Bedeutung der Szene nach und schüttelte wild den Kopf, als Bilder von ihr dazwischen aufstiegen.

Er beugte sich gerade über die sechste Station – VERONIKA REICHT JESUS IHR SCHWEISSTUCH –, als er einen Lichtstrahl entdeckte, der durch die Dunkelheit schoss, und eine Gestalt, die auf ihn zukam. Er stand auf. Die Gestalt trug Habit, soviel konnte er erkennen, aber durch den tiefen Schatten über dem Gesicht sah er erst, dass es Pater Sebastian war, als er schon fast vor ihm stand.

Die Lampe blendete Whit. »So, hier bist du also«, sagte Sebastian. »Ich komme gerade von deinem Cottage. Ich habe dich gesucht. Du warst nicht bei der Vesper, nicht beim Abendessen und – Wunder aller Wunder – auch nicht bei der Komplet. Nun, löse dieses Rätsel für mich und erkläre mir, wo du warst.«

Bei dem scharfen Ton in Sebastians Stimme wurde Whit unbehaglich zumute. Argwöhnisch fragte er sich, ob er auf die Probe gestellt würde. Es war, als ob der Prior Bescheid wüsste. Aber wie könnte das sein?

Whit schaute auf und sah die Sterne über seinem Kopf strahlen, dann sah er Sebastian an, der die Arme über seinem Skapulier verschränkt hatte und Whit durch seinen strengen Brillenrahmen hindurch eindringlich musterte.

Sebastian war in meinem Cottage. War er in seinem Zimmer gewesen? Hatte er in sein Tagebuch geblickt?

»Nun? Ich warte«, sagte der alte Mönch. »Warst du krank? Falls ja, hast du dich ja prächtig erholt.«

»Ich war nicht krank, Vater.«

»Was dann?«

»Ich war in der Vogelkolonie.«

»Du warst in der Vogelkolonie. Nun, ist das nicht entzückend? Hast du dich da draußen gut amüsiert, während wir anderen im Chor unseren Heiligen Pflichten nachgekommen sind?«

»Es tut mir leid, dass ich die Messe versäumt habe.«

»Hör mir gut zu, Bruder Thomas. Als Prior bin ich verantwortlich für die Disziplin in diesem Kloster. Ich muss zusehen, dass niemand hier die Regel missachtet. Ich werde dein Betragen nicht tolerieren, ist dir das klar?«

Wenn er es nicht sowieso schon weiß, dann ahnt er zumindest etwas.

Whit antwortete nicht. Er stand durch eine lange Stille hindurch ruhig da und weigerte sich, Sebastians Blick zu meiden. Er würde sich deshalb nicht niedrig fühlen. Es war nicht so, als würde er keine Schuld empfinden, das tat er durchaus. In dem Moment, als er von der Kolonie zurückgekehrt war, von ihrer Umarmung, hatte sich die Schuld mit schneidender Macht auf ihn gestürzt. Ihn hatte erstaunt, wie heftig beißend der Drang nach Vergebung in ihm war, und dennoch, ein Teil von ihm fühlte sich vollkommen reuelos, ein Teil, der nur ihr gehörte – ein unzugänglicher Teil, den die Abtei, ja selbst Gott, nicht besaßen und nie besitzen würden.

Er sah weg von Sebastian, hin zu den restlichen acht Stationen entlang der Eichen, deren Steine schwach am Boden schimmerten, hin zu der schützenden Wildheit des Marschlands. Er dachte, was für ein Trost ihm dieser Ort stets gewesen war, seine Abgeschiedenheit hatte ihm Freiheit gewährt. Ein Zuhause. Eine dunkle und gnädige Schlichtheit. Aber was sollte er tun, wenn der Ort, an den es ihn am meisten zog, nicht mehr die Abtei, sondern das Herz einer Frau war?

»Ich weiß nicht, ob ich wirklich hierher gehöre«, sagte Whit, und seine Stimme brach. *Hierher.*

Sebastian beobachtete, wie Whit sich einen dünnen Tränenfilm aus den Augen wischte, er wartete, bis er sich geräuspert und wieder gefasst hatte. Als der ältere Mönch wieder sprach, hatte sich sein Ausdruck verändert, er wirkte friedlicher. Die Schärfe war aus seiner Stimme gewichen. »Ich verstehe.« Er scharrte mit den Füßen und fasste sich hinter seine Brille, um sich die Augenlider zu reiben.

Als er sich die Brille zurück auf die Nase geschoben hatte, sagte er: »Ich möchte, dass du die restlichen Stationen des Kreuzwegs abgehst. Wenn du willst, kannst du es zur Buße auf den Knien tun. Aber tu es in erster Linie, um über deine eigene Berufung nachzudenken. Frag dich, warum du hierher gekommen bist, was es für dich bedeutet, hier mit Gott verborgen zu sein. Jeder von uns hat sich gefragt, ob er hierher gehört, Bruder Thomas. Wir alle mussten etwas oder jemanden aufgeben.« Er sah auf den Boden. »Du musst dein eigenes Kreuz tragen, das müssen wir alle.«

Whit nickte ihm zu. Am liebsten hätte er gesagt: *Aber ich weiß doch nicht, was mein Kreuz ist. Heißt es, ohne sie zu leben, nun, da ich sie geliebt habe? Oder heißt es, ohne die Abtei zu leben? Oder ist mein Kreuz der furchtbare Wettstreit, zugleich Geist und Körper zu sein?*

»Wenn du den Kreuzweg beendet hast, geh zu Bett und ruh dich aus«, sagte Sebastian. »Du willst ja nicht die Laudes am Morgen versäumen, wenn wir die ›Rückkehr des Lichts‹ preisen.«

»Ja, Vater«, sagte er.

Er wartete, bis Sebastian gegangen war, und fragte sich, ob er zum Abt gehen oder ob er alles für sich behalten würde. Er sank auf die Knie und rutschte den Weg zur nächsten Station – JESUS FÄLLT ZUM ZWEITEN MAL UNTER DEM KREUZ.

Whit wiederholte die Fragmente der Laudate-Psalmen: »Barmherzig und gnädig ist der Herr, geduldig und von großer Güte ... Denn so hoch der Himmel über der Erde ist, lässt er seine Gnade walten über denen, die ihn fürchten. Lobe den Herrn, meine Seele!«

Dann die Verse aus dem Gesang des Zacharias: »... zu leuchten denen, die in Finsternis und in Todesschatten sitzen ...«

Whit wünschte sich, dass das Licht käme, das Licht, von dem Sebastian gesprochen hatte, aber mehr noch wünschte er sich, hinabzusteigen in sein eigenes Herz und in dessen Dunkelheit zu ruhen.

KAPITEL 25

Am Morgen nach dem Tag, als ich Whit O'Conner geliebt hatte, kam ich in die Küche und traf dort auf Mutter, die den Hibiskusschal um den Kragen ihres Bademantels geschlungen hatte, und Perlo kochte den traditionellen Gullah-Reiseintopf. Vier riesige Aluminiumtöpfe. Genug für ein ganzes Kloster.

Sie hob den Deckel des größten Topfs, und weiße Dampfschwaden stiegen auf, die nach Shrimps und nach Andouille rochen.

»Was *machst* du da?«, fragte ich. »Es ist sieben Uhr morgens.« Ich wollte Kaffee. Ich wollte ganz alleine in der Küche sitzen und in Ruhe meinen Kaffee trinken.

»Ich koche für die Mönche. Wir müssen die Töpfe noch vor elf rüberbringen, bevor Bruder Timotheus anfängt zu kochen. Ich muss sie dann im Kloster aufwärmen. Hol schon mal Brot raus und mach uns süßen Tee.«

Überall auf dem Küchentisch verstreut lagen Kochbücher, zwischen Zwiebelschalen, Krabbenschwänzen und kleinen Häufchen Carolina Goldreis. Wenn sie nicht so sehr wie *sie selbst* ausgesehen hätte, als sie dort stand und mit dem hölzernen Kochlöffel herumfuchtelte, eine Medaille Unserer Wundertätigen Madonna an den Schal geheftet, hätte ich protestiert und gesagt, dass es verrückt wäre, das Essen hier zu kochen und dann zum Kloster zu schleppen.

»Wie kriegen wir das alles rüber zur Abtei?«, fragte ich.

»Wir fahren es mit dem Golfwägelchen durch das Haupttor.« Sie klang entnervt, weil sie mir etwas so Offensichtliches erklären musste.

Ich nahm meine Kaffeetasse mit auf die vordere Veranda und setzte mich in einen der Korbstühle und wickelte einen Quilt um meine Schultern. Die Wolken waren hell und schwammig, sie schwebten hoch und wurden von dem schimmernden Bronzeton des Himmels aufgesogen. Ich rutschte tief in den Stuhl, damit ich sie betrachten konnte.

Ich hatte in traumlosem Schlaf gelegen, nur einmal war ich in eiskaltem Schweiß gebadet wach geworden, von demselben Entsetzen durchfahren, das mich einen Atemzug lang befallen hatte, als ich neben Whit gelegen hatte.

Später erst begriff ich, dass diese Anfälle eine Art Nachwehen waren. Sie überkamen mich noch Wochen später mit aller Heftigkeit, es waren schreckliche Momente, in denen ich mich völlig verloren fühlte, in denen ich mich selbst nicht mehr erkannte, in denen das Bild, das ich mir von meinem Leben gemacht hatte, zersplitterte, und mit ihm all die Angeln und Scharniere, die es zusammengehalten hatten. Es war der eigenartige Schwindel angesichts des Abgrunds, die eigenartige Demut, die in einem aufkommt, wenn man begreift, wozu man fähig ist. Die Nachwehen ebbten allmählich ab, aber anfangs hatten sie die Macht besessen, mich beinahe zu lähmen.

In der vergangenen Nacht hatte es viel länger gedauert, bis das Gefühl nachgelassen hatte, als am Tag zuvor auf der Insel bei Whit. Als ich auf der Bettkante gesessen und versucht hatte, mich zu beruhigen, war mein Blick auf das Bild gefallen, das ich gegen die Wand gelehnt hatte. Das Leuchten des tiefen Wassers, das auf dem Gesicht der Frau leicht schimmerte, ließ sie fast lebendig aussehen. Der Anblick hatte mich nervös gemacht, und ich war aufgestanden und hatte mich vor die Kommode gestellt. Dort lag das Nadel-kissen, und meine Ringe waren wie Insekten darauf aufge-spießt, wie die Bilder eines kostbaren, aber verblichenen Lebens.

Als ich in den Spiegel geblickt hatte, hatte ich mich so ge-sehen, wie ich wirklich war – eine schwarze Silhouette in ei-nem Zimmer, eine Frau, deren Dunkelheit ganz und gar von ihr Besitz ergriffen hatte.

Was, wenn ich Hugh und Whit verlieren würde? Was, wenn ich Hugh aufgeben und Whit sich von mir abwenden würde? Dann wäre ich ganz alleine, ganz verlassen.

Das war er, das war mein tiefer, stiller Schrecken. Das war mein Schmerz, und er musste immerzu gestillt werden. Ich erkannte in diesem Augenblick, wie lange ich diesen Schmerz schon in mir trug. Er reichte über Hugh hinaus, über Whit hinaus, durch die Zeit zurück zu meinem Vater.

An diesem Morgen jedoch waren die Erschütterungen der vergangenen Nacht verflogen. Ich sah von der Veranda aus den Wolken zu und dachte an Whit, an die Seligkeit, die ich bei unserer Vereinigung verspürt hatte, an das neue, andere Leben, das auf mich wartete. Ich hatte das Gefühl, ich wäre an der äußersten Grenze meiner selbst. Obwohl er bisweilen von einem leichten Beben erschüttert wurde, war das hier ein unerwartet schöner Außenposten.

Als wir zur Abtei fuhren, sahen wir Hepzibah vor der Ka-pelle *Stern der See*. Sie hielt ihre Gullah-Trommel und stand auf der Veranda der kleinen Holzkirche und sprach zu etwa einem Dutzend Zuhörern.

Sie war bei ihrer Gullah-Führung.

Ich hielt hinter der Gruppe an, weil ich etwas von dem mitbekommen wollte, was sie sagte, und fragte mich, ob sie tatsächlich die Trommel schlagen würde, so wie sie es für uns bei den Allerfrauen-Picknicks immer getan hatte. Sie sprach gerade davon, dass die Kapelle auf den Fundamenten einer alten Kirche ruhte, die von befreiten Sklaven erbaut worden war.

Sie ging, während sie sprach, hin und her und schlug ganz sanft mit den Fingern auf die Trommel. Ich bewunderte ihr kunstvolles Kopftuch und den Kaftan aus toffeefarbenem Stoff, auf dem kleine Zebras aufgedruckt waren. Dazu trug sie ihre berühmten Kreolen. Kat hatte einmal gesagt, sie wären so groß, dass eine Katze hindurchspringen könnte, aber ich mochte sie.

»Es gibt eine alte Gullah-Sitte«, sagte sie. »Bevor jemand bei uns Kirchenmitglied werden kann, muss der Gläubige eine Woche lang dreimal täglich an einen heiligen Ort in den Wäldern gehen und über den Zustand seiner Seele meditieren. Wir nennen es ›die Reise‹, weil man dabei in sein Inneres reist.«

Sie schlug ihre Trommel mit der flachen Hand und forderte die Gruppe auf, in die Kapelle zu treten.

Als die Besucher hineingegangen waren, kam sie zu uns und umarmte Nelle, dann mich.

Als Mutter ausstieg, um nachzusehen, ob die Kordel, mit der wir die Töpfe auf dem Rücksitz verankert hatten, noch fest saß, beugte sich Hepzibah dicht zu mir.

»Wie geht es *dir*, Jessie?« Es war nicht nur einfach eine höfliche Floskel, ihre Augen suchten meine. Ich wusste, dass sie sich fragte, ob ich mit Whit in der Kolonie gewesen war, ob ich den Schildkrötenschädel gefunden hatte, den sie für mich unter das Kanu gelegt hatte.

»Prima, alles bestens«, sagte ich. »Ich wünschte, ich könnte den Rest deiner Führung hören, aber wir müssen das Essen ins Kloster bringen.«

»Hast du eine Kanutour gemacht?«, fragte sie.

Ich spürte, wie mir die Hitze in die Wangen stieg. »Gestern«, sagte ich. »Und danke für den Schildkrötenschädel«, fügte ich hinzu. Ich hatte ihn als Talisman in Whits Klause gelassen, in der Hoffnung, dass er mich dorthin zurückführen würde.

Mutter kletterte wieder in den Wagen.

»Gib gut auf ihn Acht«, flüsterte Hepzibah.

Die Klosterküche war ein alter, aber heller Raum mit langen Fenstern, deren Scheiben abgeschliffene Kanten hatten, und mit Eichenschränken, in deren Ecken kleine, keltische Kreuze eingebrannt waren. Sie hatte sich kaum verändert, seit ich das letzte Mal als Kind hier gewesen war und den Sous-Chef meiner Mutter gespielt hatte. Wir hatten am Arbeitstisch in der Mitte des Raums gestanden, während sie ihre Hand ausgestreckt und gerufen hatte: »Kartoffelstampfer! ... Teigschneider! ... Apfelentkerner! ...« Ich hatte jedes einzelne Küchengerät in ihre Handfläche gelegt, als wäre sie ein Chirurg und ich eine OP-Schwester. Unsere »Kochoperation«, wie sie es genannt hatte, war ein ernstes Unterfangen gewesen. Immerhin hatten wir die Heiligkeit genährt.

Der Anblick des Arbeitstischs erfüllte meine Brust mit einem dumpfen Schmerz. Ich blieb einen Augenblick stehen, hielt die Töpfe fest und starrte auf die zerfurchte Oberfläche des Tischs. Noch immer baumelten die gleichen zerbeulten Kupfertöpfe von der Decke herab und reflektierten das Licht. War es hier gewesen? Hatte Mutter es hier getan, ihren Finger ausgestreckt, das Fleischmesser angesetzt und ihn bis auf den Knochen durchgetrennt? Hier auf diesem alten Operationstisch?

Ich stellte den Topf auf den Ofen, ging zu dem Spülbecken aus Stahl und ließ etwas kaltes Wasser über meine Hände laufen. Ich betupfte mir gerade meinen Nacken, als Bruder Timotheus erschien, gerade noch rechtzeitig, um den letzten Topf zu holen. Er schien über Mutters plötzliche, unerwartete Rückkehr außergewöhnlich aufgeregt zu sein und schnatterte mit ihr über Lieferungen von Eiern und über das Problem, gescheite Tomaten zu finden. Er folgte ihr durch die Küche, während sie Schubladen öffnete und schloss, in einem großen Kühlschrank wühlte und an verschiedenen Büscheln Oregano roch, die auf einer Arbeitstheke trockneten. Er ging leicht schlurfend, sein Körper war nach vorne gebeugt, als würde er sich einem Sturm entgegenstemmen.

Mutter nahm eine frische, aber fleckige Schürze von einem Haken neben der Vorratskammer und band sie sich um. Sie schaltete den Gasherd ein und beugte sich vor, um in die blauen Flammen zu blicken, die von unten gegen die Töpfe schlugen.

»Ich habe schon gehört, dass du hier bist«, sagte eine Stimme hinter uns. »Die ganze Abtei ist in jubelndem Aufruhr über das, was wohl in diesen Töpfen sein mag.« Pater Dominikus stand im Türrahmen, sein Gesicht war gerötet, und er sah ein wenig besorgt aus. Er war so schnell hierher geeilt, dass er seinen Strohhut vergessen hatte. Einige Strähnen langen, weißen Haars waren sorgfältig über seinen Glatzenansatz drapiert.

Ich konnte mich nicht erinnern, Mutter und Dominikus je zusammen in einem Raum gesehen zu haben – seit dem Tag, als er zu unserem Haus gekommen war und die Überreste von Vaters Boot gebracht hatte. Ich beobachtete sie genau, sah, wie Mutter automatisch einen Schritt zurückwich, als sie ihn erblickte, und wie sie sich an die Kehle fasste.

Dominikus sah Bruder Timotheus an. »Könntest du bitte die Wasserkrüge im Refektorium füllen? Und nach den Salzstreuern sehen?«

Da er sich der Bitte des älteren Mönchs nicht widersetzen konnte, zuckte Timotheus mit den Achseln und ging durch die Küche, das Schlurfen seiner Schuhe klang laut und mürrisch. Als er weg war, befühlte Dominikus seinen Kopf, tätschelte sein Haar, um sich zu vergewissern, dass alles noch an Ort und Stelle klebte. Er nahm mich kaum zur Kenntnis, seine Aufmerksamkeit war voll auf Mutter gerichtet. Ich sah, wie seine Augen zu ihrer verletzten Hand wanderten und den fleischfarbenen Verband bemerkten, der den bauchigen Mullverband ersetzte.

»Ich bin froh, dass es dir wieder gut genug geht, um für uns zu kochen, Nelle. Du hast uns allen gefehlt.«

Ich erinnerte mich, wie er das letzte Mal, als ich mit ihm gesprochen hatte, »unsere Nelle« gesagt hatte, so als ob ihm ein Teil von ihr gehörte.

Mutter wischte sich die Hände an der Schürze ab. »Ich bin auch froh, wieder hier zu sein«, sagte sie, ihre Worte klangen frostig, abgehackt – es war der Tonfall, den sie annahm, wenn sie von etwas abgestoßen war. Ich kannte ihn sehr gut. Dann drehte sie sich um und fing an, wie wild im Reis herumzurühren.

Dominikus faltete mehrere Male seine Hände. Seine Knöchel waren gewaltig und von roten Flecken überzogen. Arthritis, nahm ich an. Er schenkte mir ein gezwungenes Lächeln. »Klopf, klopf«, sagte er.

Ich fragte mich, wie ich auf dieses alberne, erbarmungslose Spiel reagieren sollte. Der Reis fing an zu köcheln. »Ich glaube, ich möchte nicht spielen«, sagte ich und übernahm dabei ein wenig von Mutters Tonfall.

Es wäre lächerlich gewesen, mich darauf einzulassen, und außerdem wollte ich Mutter gegenüber loyal sein, und sie wollte ganz offensichtlich nicht mit ihm reden. Aber dann drehte sie sich um, verlegen, vermutlich wegen meiner Unhöflichkeit, meiner Weigerung, mit ihm zu scherzen. »Wer ist da?«, sagte sie und warf mir einen scharfen Blick zu.

Nach all ihrer zur Schau gestellten Abweisung war dies

das Letzte, was ich erwartet hätte. Nun war sie mir gegenüber illoyal.

Dominikus zögerte, ehe er antwortete, aber später verstand ich, dass es nur war, weil er den Witz, den er sich für mich ausgedacht hatte, jetzt verwerfen und sich einen neuen ausdenken musste, der zu ihr passte. Etwas Gewagtes und eigenartig Vertrauliches.

»Vanille«, sagte er.

Sie presste ihre Lippen zusammen und hob das Kinn ein wenig. »Vanille wer?«

Er ging bis auf Armeslänge zu ihr und stellte sich so vor sie, dass ich sein Gesicht nicht sehen konnte. Er senkte die Stimme, in der Hoffnung, ich würde ihn nicht verstehen, aber ich *habe* ihn verstanden, gerade noch: »Vanille wirst du uns endlich vergeben?«

Mutters Gesicht war angespannt, sie zeigte keine Regung. »Und *Vanille* wirst du mich endlich in Frieden lassen, damit ich kochen kann?«, antwortete sie. Sie eilte in die Vorratskammer und kam mit einer Tüte Maismehl zurück. »Nun würde ich gerne, wenn du nichts dagegen hast, Maisplätzchen backen.«

»Maisplätzchen!«, rief Dominikus aus. »Die Heiligen mögen sich unserer Seelen erbarmen! Wir verdienen dich einfach nicht.« Er schlenderte zurück zur Tür, aber nach ein paar Schritten blieb er stehen und sah zu mir zurück. »Oh, Jessie, das hätte ich ja fast vergessen. Da ist jemand in der Bibliothek, der dich gerne sprechen würde.«

Ich durchquerte den Innenhof des Klosters und zwang meine Beine, sich mit unverfänglicher Lässigkeit zu bewegen – das Schlendertempo einer Besucherin, die zur Bibliothek geht, um sich dort ein wenig umzusehen, weiter nichts.

Ich hielt an der Tür vor einer kleinen Statue des Heiligen Benedikt, der die Ordensregeln präsentierte, kurz inne und las das kleine Schild daneben, so wie, das stellte ich mir vor, es eine fromme Besucherin wohl tun würde. »Höre, mein Sohn, auf die Weisung des Meisters, neige das Ohr deines Herzens.« Mein Herz hämmerte wie wild. Lichtkügelchen, die aus einem Fenster über der Tür fielen, hüpften auf dem Kiefernholzboden umher. Ich holte tief Luft und versuchte, mein Gleichgewicht wiederzuerlangen.

Ich begann, in den Gängen zwischen den Büchern hin und her zu laufen, blieb manchmal stehen, um meinen Kopf zu neigen und einige der Titel zu lesen: *Gott schauen, Gott lieben* des Wilhelm von St. Thierry, Lucretius' *Von der Natur der Dinge*, *Die Gesammelten Werke* des Hl. Johannes vom Kreuz. Ich lauschte nach Fußtritten. Wo war er?

Als ich in der Leseecke am hinteren Ende der Bibliothek ankam, hatte sich meine Unruhe nur noch vergrößert. Ich setzte mich an einen der drei Tische, die gegenüber dem großen Fenster standen. Die Tischplatte war mit so viel Eifer poliert worden, dass ich mich in dem Holz spiegeln konnte. Meine Haare waren völlig wirr. Ich glättete sie ein wenig mit den Händen, dann änderte ich meine Meinung und versuchte, sie wieder ein wenig aufzuplustern.

Ich sah aus dem Fenster, und die Szenerie fügte sich vor meinen Augen wie ein Gemälde zusammen – Farbtupfer von zyklamfarbenen Azaleen vor dem weiß getünchten Haus, in dem die Mönche ihre Netze knüpften. Ein Japanischer Ahorn, blau gesprenkeltes Gras, ein winziger Hügel, der verschattet war.

Hinter mir knarrte eine Tür. Ich drehte mich um und sah Whit im Eingang zu einem kleinen Büro stehen, das direkt neben dem Lesebereich lag. Es war das Büro von Pater Dominikus, wie sich herausstellte.

Er trug den Habit und seine Arbeitsstiefel. Meine Augen wanderten an die Stelle an seinem Hals, an der ich ihn geküsst hatte.

Als ich in das Büro ging, schloss er die Tür hinter uns und schob den Riegel vor, und wir standen einen Augenblick in dem engen Raum, umgeben vom Geruch von Paraffin, der von einer Kerze in einem Wandhalter hinter ihm aufstieg. Eine Neonröhre summte über unseren Köpfen. Ich bemerkte, dass die Jalousien vor dem einzigen Fenster geschlossen waren, und der Raum wirkte düster und beklemmend. Impulsiv streckte ich die Hand nach dem Lichtschalter aus und machte das Licht an, blickte in sein Gesicht, als der Raum in sanfte Helligkeit getaucht wurde. Er schaltete das Licht wieder aus.

Ein Gefühl tiefer Zugehörigkeit und Intimität durchströmte mich. Ich dachte daran, wie er sich auf dem Marschland an mich gedrückt hatte, wie er mich geliebt hatte – der unauflösliche Bund, den wir geschlossen hatten, und um uns herum die atmende Welt. Ich ging zu ihm und legte meinen Kopf an seine Schulter und spürte, wie mich seine Arme, die übergroßen Ärmel seines Habits, langsam umfassten.

»Jessie«, sagte er nach einer Weile. »Die Bibliothek ist normalerweise um diese Zeit leer, trotzdem müssen wir vorsichtig sein.« Er sah zur Tür, und ich begriff, was für ein gewaltiges Risiko er einging. »Ich habe nur eine Viertelstunde bis zum Chorgebet, aber ich musste dich einfach sehen.«

Ich hob meinen Kopf von seiner Schulter und sah zu ihm auf. Selbst hier im Halbdunkel sah ich die kleinen Schatten unter seinen Augen, und seine Haltung erschien mir seltsam steif, als ob sich seine Lungen ausgedehnt und nicht wieder zusammengezogen hätten.

Ich war in hellem Aufruhr, wenn ich mir ausmalte, was in ihm vorgehen musste, angesichts seines Mönchtums und der Macht dessen, was ihn hierher in die Abtei geführt hatte. Wenn wir zusammen sein wollten – und ich wollte es mit verzweifelter Macht –, dann musste auch er es wollen, ebenso, wie er Gott gewollt hatte, und ich wusste nicht, ob ich damit konkurrieren konnte. Ich wollte nicht eine der Sirenen sein, die Seefahrer an Felsen lockte, nicht die Meerjungfrau Asenora, die einst die Mönche in ihr Verderben getrieben hatte. Ich wollte sein Gesicht berühren, die Öffnung in seinem Habit finden, aber ich zwang mich, einen kleinen Schritt zurückzutreten.

»Kannst du mich morgen um zwei treffen, am Pier der Kolonie?«, fragte er mich.

»Natürlich. Ich werde da sein«, sagte ich.

Wieder Schweigen. Er ließ, während wir sprachen, seine Hand lose auf meiner Taille ruhen, aber plötzlich zog er sie zurück und zupfte etwas von seinem Habit, es war eines meiner langen, braunen Haare.

»Es ist wunderbar, dass deine Mutter wieder für uns kocht«, sagte er. »Ich nehme an, das ist ein Zeichen dafür, dass sie auf dem Wege der Besserung ist.«

Wir würden also Konversation betreiben. Wir würden in diesem kleinen Raum stehen – nicht länger durchflutet von sanften, romantischen Farben, sondern umfangen von gewöhnlicher Düsternis – und würden uns in ein unverfängliches Gespräch retten.

»Ihre Hand ist fast verheilt«, sagte ich. »Aber ich mache mir Sorgen, dass ihr Geist nie mehr heilen wird.«

Er sah auf eine Digitaluhr auf dem Schreibtisch, die neben einem kleinen Stapel von Dominikus' Büchlein, *Die Legende unserer Meerjungfrau,* stand. Eine geradezu schmerzhaft spürbare Pause entstand, in der er sich räusperte. Was *war* dieses Schwere in ihm? Vorsicht? Es war sicher nicht einfach für ihn. Oder war sein lauwarmes Benehmen eine Art Rückzug? War er so von Schuld verheert, dass er versuchte, wieder dahin zu kommen, wo wir am Anfang gestanden hatten? Oder hatte er einfach Angst?

»Nachdem Nelle das getan hatte«, sagte er schließlich,

»mussten viele von uns zwangsläufig an die Bibelstelle denken, in der Jesus davon spricht, eine Hand abzutrennen.«

Seine Worte verblüfften mich. »Darüber steht was in der Bibel?«

Sein Blick glitt über ein Wandregal, dann zog er eine Bibel heraus und blätterte durch die Seiten. »Hier ist es, eine Stelle aus der Bergpredigt: ›Und wenn dich deine rechte Hand zur Sünde reizt, so hau sie ab und wirf sie von dir. Denn es ist besser für dich, dass eines deiner Glieder verloren geht, als dass dein ganzer Leib in die Hölle fährt.‹«

Ich nahm die Bibel aus seinen Händen und las die Worte noch einmal, dann schlug ich das Buch zu. »Das ist es, oder? Daher hat sie die Idee. Es ist besser, ihren Finger abzuschneiden, als dass ihr ganzer Leib in die Hölle fährt.« Ich stellte die Bibel zurück in das Regal. Es war völlig irrational, aber ich war irgendwie empört.

»Jesus hat natürlich bildhaft gesprochen. Natürlich wollte er nicht, dass man seine Worte wörtlich nimmt«, sagte Whit.

»Nun, meinst du nicht, er hätte daran denken müssen, dass ein paar Verrückte sein Argument missverstehen könnten? Ich finde, es ist nicht gerade sehr verantwortungsbewusst, so etwas zu sagen.«

Seine Lippen zuckten, als ob er ein Lachen unterdrücken müsste, und sein ganzer Körper schien sich endlich zu entspannen und wieder zu atmen. Schließlich entfuhr ihm ein Kichern.

»*Was?*«, nun musste auch ich lächeln.

»Ich habe ja wohl schon so manche Vorwürfe gegen Jesus gehört, aber noch niemals, er sei verantwortungslos.«

Er berührte mein Haar, ließ seine Knöchel über die Rundung meiner Wange streichen. Seine Augen erstrahlten, nicht nur vor Belustigung, sie schimmerten so wie gestern, als wir uns geliebt hatten. Als ich mich vorbeugte, um ihn zu küssen, bekamen wir beide einen leichten elektrischen Schlag. Wir sprangen lachend zurück.

»Siehst du, was passiert, wenn du Jesus verantwortungslos nennst?« Ich scherzte. »Du bekommst einen Schlag.«

»Aber ganz im Ernst«, sagte er, »es gibt sehr seltsame Legenden von Heiligen, die sich selbst verstümmelt haben. Und sie scheinen ihre Inspiration dafür aus dieser Bibelstelle bezogen zu haben.«

»Ich habe ja auch gesagt, dass Mutter dies als eine Art Buße tut, aber selbst Hugh denkt, dass ich mich irre.«

»Hugh?«, sagte er.

Es wurde wieder still.

Mir war sein Name ganz automatisch herausgerutscht, und es war dumm gewesen. Warum hatte ich ihn erwähnt? In dem Moment dachte ich, es wäre reine Gedankenlosigkeit gewesen, aber später zweifelte ich daran. Hatte ich Hughs Namen sagen *wollen?* Whit das Schlimmste entgegenschloudern und sehen wollen, was er tun würde? War ich dabei, Hindernisse aufzustellen? Er hatte von Jesus angefangen, ich von Hugh.

»Oh«, sagte ich, »Hugh ist ... er ist mein Mann. Er ist Psychiater.«

Whit sah zur Seite, sah zum tagblinden Fenster. Er schaltete das Licht wieder an, und wir wurden in eine gleißende Helligkeit getaucht.

Verzweifelt bemüht, darüber hinwegzugehen, uns um Hughs Namen herumzumanövrieren, fuhr ich fort zu sprechen. »Es ist nur so, dass er ... nun, er sieht darin, dass sie sich einen Finger abgeschnitten hat, nur den Ausdruck einer bedeutungslosen, willkürlichen Obsession.«

Er versuchte zu lächeln, sah mich an, als ob er sagen wollte, *Na schön, wir tun so, als sei nichts geschehen.* Er sagte: »Aber *du* glaubst doch, es sei die Buße für etwas ganz Bestimmtes?«

»Ja, ich weiß bloß nicht, wofür.« Ich wollte meiner Stimme einen natürlichen Tonfall aufzwingen, aber es klang verkrampft. »Es muss lange zurückliegen. Und, ehrlich gesagt, ich vermute, Pater Dominikus weiß, was es ist.«

»Dominikus?«, sagte er scharf, sah zur Tür und senkte seine Stimme. »Weshalb glaubst du das denn?«

»Sag mir erst, was du von ihm hältst.«

»Er ist sehr aufrichtig. Er macht ständig Witze, aber er hat auch eine sehr ernste Seite. Er macht sich immer seinen eigenen Reim auf die Dinge und ist sehr unkonventionell, aber das mag ich an ihm. Also, warum glaubst du, er weiß etwas darüber?«

»Mutter hat so etwas angedeutet«, sagte ich. »Und eben in der Küche habe ich gehört, wie Dominikus sie gefragt hat, ob sie ihnen jemals vergeben würde. ›Uns‹, hat er gesagt. ›Wirst du *uns* denn nie vergeben?‹«

Whit schüttelte vollkommen verwirrt den Kopf. »Vergebung? Wofür denn?«

Ich zuckte mit den Schultern. »Ich wünschte, ich wüsste es. Ich habe schon versucht, mit Dominikus zu sprechen, aber er hat sich sehr geheimnisvoll gegeben. Und Mutter ... na, sie wird mir erst recht nichts erzählen.«

Er sah wieder auf die Uhr. »Es tut mir leid, ich hätte schon vor fünf Minuten gehen sollen.«

»Ja, geh nur. Ich warte hier noch ein paar Minuten, dann geh' ich auch.«

Als er fort war, wanderten meine Gedanken zurück zu dem Moment, als Whit die Bibel geöffnet und die Stelle laut vorgelesen hatte, die harten Worte darüber, dass es gut sei, ein Glied abzutrennen, um den ganzen Leib zu retten. War es in dieser Predigt nur um meine Mutter gegangen? Oder hatte er daran gedacht, wie seine Hand mich, meine Brüste und meine Hüften gestreichelt hatte? Hatte er mir auf diese Weise etwas über sich sagen wollen? Über uns?

KAPITEL 26

Ein brauner Pelikan hockte wie eine Galionsfigur auf dem Bug des Motorboots. Der gekrümmte Hals des Vogels versank in seiner weißen Brust. Als ich mich dem Pier der Vogelkolonie näherte, breitete der Pelikan seine Flügel aus, ihre Spannweite war enorm, und trocknete seine Federn in der Sonne. Whit stand auf dem Kai und sah sich das Schauspiel an. Er bemerkte mich erst, als ich seinen Namen rief, und als er sich umdrehte, schlug der Pelikan mit den Flügeln und erhob sich.

Ich hatte nicht gewusst, was ich erwarten sollte, ob wir wieder ins Boot steigen und zu seiner Klause hinausfahren oder ob wir hier auf dem Dock bleiben würden. Ob er mich in seine Arme schließen oder ob er mich aus seinem Leben heraustrennen würde. Ich war letzte Nacht aus einem Albtraum hochgeschreckt, in dem amputierte Hände und Finger vorgekommen waren. Sie hatten zu großen Haufen aufgeschichtet im Rosengarten des Klosters gelegen, zu Füßen der Heiligen Senara, und alle hatten noch gezuckt, waren noch lebendig gewesen.

»Ist das nicht ein unglaublich schöner Tag?«, sagte er völlig unbekümmert.

Sprich mit mir nicht über das Wetter. Wenn du mit mir über das Wetter redest, fange ich an zu schreien.

»Ja, wirklich schön«, sagte ich. Es war tatsächlich ein herr-

245

licher Tag. Sonnig und warm, und in der Luft lag das Gefühl von Frühling.

Ich hatte Jeans und ein langärmeliges T-Shirt angezogen, und mir war jetzt schon warm. Haarsträhnen klebten mir am Hals – schweiß-geklebt, wie Dee sagen würde. Ich griff in meine Handtasche, holte die granatfarbene Baseballkappe hervor und zog sie mir tief ins Gesicht. Dann setzte ich mir die Sonnenbrille auf.

»Wie wär's mit einer kleinen Spritztour?«, fragte er, und als ich nickte, begann er, das Tau zu lösen. Als ich ins Boot kletterte, bemerkte ich, dass er seinen Leinenbeutel schon unter dem Sitz verstaut hatte.

»Wo ist denn Max?«, fragte ich.

Er blickte zurück zum Pfad und zuckte mit den Schultern. »Er lässt mich heute wohl im Stich.«

»Vielleicht ist er ja beleidigt, dass ich mich letztes Mal dazwischen gedrängt hab'.«

»Soweit ich mich erinnere, warst *du* es, an die er sich geschmiegt hat, nachdem ...« Er brach abrupt ab.

Er führte das Boot langsam durch die Bucht, während ich auf dem Sitz saß und geradeaus starrte und mir des dünnen Films aus Schuld und Zögern bewusst war, der sich über uns gelegt hatte – und den die Erwähnung von Hughs Namen noch verdichtet hatte.

Es war jetzt zwei Wochen her, seit Hugh mich auf dem Sklavenfriedhof verlassen hatte, und er hatte seither nicht ein einziges Mal angerufen. Natürlich war er verletzt und wütend. Aber ich hatte das Gefühl, er wartete auch ab, bis ich mich wieder beruhigte. Hugh war unglaublich geduldig, er war ein Meister darin abzuwarten, bis sich die Gemüter beruhigten, die Dinge sich von alleine regelten, sich alles wieder einrenkte, er gab das ganz offen zu. In solchen Momenten sprach der Psychiater aus ihm, der über die uralten Geheimnisse der menschlichen Seele erhaben war. Er hatte

Dee einmal eine Geschichte von einem Mädchen erzählt, das einen Kokon gefunden und aufgeschnitten hatte, um den Schmetterling herauszulassen, aber das arme Geschöpf hatte völlig deformierte Flügel gehabt. »Man kann die Dinge nun einmal nicht zwingen«, hatte er zu Dee gesagt.

Ich hatte Hugh gesagt, ich wollte Zeit für mich allein, und die gab er mir nun tatsächlich.

»Wir haben uns getrennt«, sagte ich und drehte mich zu Whit. »Hugh und ich. Wir nehmen eine Auszeit.«

Er sah hinunter auf den Boden des Boots, dann wieder zu mir, sein Gesicht wirkte sehr ernst, aber ich glaubte, auch Dankbarkeit darin zu sehen. Er drosselte die Geschwindigkeit, und rings um uns wurde es viel stiller.

»Wie lang bist du schon verheiratet?«, fragte er.

»Zwanzig Jahre.«

Er spielte an seinem Kreuz herum, ohne es zu merken.

»Glücklich?«

»Ja, am Anfang sehr glücklich. Aber dann – ach, ich weiß auch nicht. Es ist nicht so, dass wir unglücklich gewesen wären. Alle, die uns zusammen erlebt haben, haben immer gemeint, es wäre eine gute Ehe – ›Hugh und Jessie, die passen ja so gut zusammen!‹, hat es immer geheißen. Und sie haben sicher nicht Unrecht gehabt.«

Ich setzte meine Sonnenbrille ab, ich wollte, dass er mein Gesicht sehen konnte, meine Augen, ich wollte, dass nichts zwischen uns stand. Ich lauschte einen Augenblick darauf, wie das Wasser sanft gegen das Boot schlug. Als er nichts sagte, fuhr ich fort. »Wie sagt man so schön? ›Wir haben uns auseinander gelebt.‹ Das hab' ich zuerst auch gedacht. Dass meine Unzufriedenheit aus einer Distanz zwischen uns beiden herrührt. Das liegt nach zwanzig Jahren ja ziemlich nahe. Aber inzwischen glaub' ich nicht mehr, dass es das war. Wir haben uns nicht auseinander gelebt, wir haben im Gegenteil viel zu nah miteinander gelebt. Wir waren zu sehr miteinander verflochten und voneinander abhängig. Ich glaube, ich brauche ...« Ich brach ab. Ich wusste nicht, wie ich es nennen sollte. »Mir fallen immer nur so alberne Worte wie ›meinen Freiraum‹ oder ›meine Unabhängigkeit‹ ein, aber das klingt so flach. Das trifft es überhaupt nicht.«

»Ich weiß, so etwas lässt sich kaum erklären. An dem Tag, als ich meinen Rechtsanwaltseltern erklärt habe, dass ich hierher kommen wollte, haben sie bloß gelacht. Als hätte ich einen schlechten Witz gemacht.« Er schüttelte den Kopf und lächelte ein wenig. »Ich habe ihnen nie begreiflich machen können, dass ich einfach nur mit mir selbst allein sein muss. Auf eine spirituelle Weise, meine ich.«

Während er sprach, hatte er seinen Blick auf die Windungen und Kurven der Bucht gerichtet, aber jetzt wandte er sich mir zu. »Hier nennen sie das ›mit sich selbst sein‹.«

Meine Augen füllten sich mit Tränen. Weil ich *verstand,* was er meinte, weil er mir diese Worte schenkte – *mit sich selbst sein –,* und sie waren vollkommen.

Ich schob mir die Sonnenbrille ins Gesicht und wandte mich zurück, um über die Bucht zu schauen, in der die Flut mit Macht heranrollte.

Zehn Minuten später steuerte Whit das Boot aus der Bucht in den kleinen Nebenarm, der zu der Insel führte. Ich erkannte den Ort gleich wieder und sah zu ihm hin. Er lächelte auf die Art und Weise, die ich so liebte. Seine Mundwinkel hoben sich dabei kaum. Es schien mir, als ob sich etwas in ihm verändert hätte, als ob etwas aufgebrochen wäre. Ich konnte es in der Luft um uns herum spüren.

Als sich der Nebenarm zu dem Wasserbecken hin öffnete, das so vollkommen von Marschgras umschlossen war, steuerte Whit das Boot genau in dessen Mitte und stellte den Motor ab. Das Geräusch erstarb, als er Anker setzte.

»Lass uns schwimmen gehen«, sagte er und fing an, sein Hemd aufzuknöpfen. Ich saß sprachlos da, während er sich auszog. Auf seinem Gesicht erschien ein vollkommen entwaffnender, jungenhafter Ausdruck. Dann sprang er kopfüber ins Wasser, das Boot schwankte so stark, dass ich nach den Schandecks griff.

Er kam wieder hoch, lachte, schüttelte den Kopf. Tropfen spritzten wie schillernde Glasperlen aus seinen Haaren. »Was sitzt du da noch rum?«, rief er und kraulte los.

Ich zog mir aus, was ich am Leib hatte, und sprang.

Das Wasser war eiskalt. Es war, als würde man in einen Gletscher stürzen. Einen Augenblick lang konnte ich nur Wasser treten, alle Poren waren weit geöffnet. Vor ein paar Jahren im Dezember hatte Hugh plötzlich vom Fernseher aufgesehen und vorgeschlagen, am Neujahrstag zum Lake Lanier zu gehen und am traditionellen Eisbärentauchen teilzunehmen, bei dem sich ansonsten vollkommen normale und eigentlich intelligente Menschen in eisig-kaltes Wasser wagten. Ich hatte ihn vollkommen fassungslos angesehen, ich hatte nicht einmal darüber nachdenken wollen. Und nun war ich hier, in diesem kühlen, klaren Wasser.

Schließlich schwamm ich los, nicht mit maßvollen, athletischen Bewegungen wie Whit, es war eher ein verspieltes Baden, ich plantschte nur herum. Das Wasser war sämig, wie Milchkaffee, und viel tiefer, als ich gedacht hatte, fünf oder sogar sechs Meter wahrscheinlich. Es war berauschend, mir war, als ob mein Körper überwach wäre und nach einem langen Schweigen einen Gesang anstimmen würde.

Ich sah, dass Whit wieder im Boot war, er hatte sich ein weißes Handtuch um die Hüften geschlungen. Ich hatte gar nicht bemerkt, dass er schon zurückgeschwommen war. Ich paddelte zu ihm hinüber, und er zog mich hoch und wickelte mich in ein Handtuch, das unglaublich rau war. »Ist Klosterleinen immer so hart?«, scherzte ich.

»Das gehört zu unserem Körperverleugnungsprogramm«, sagte er.

Er manövrierte das Boot an das Ufer der Insel, und wir gingen zu der kleinen Klause, noch immer in Handtüchern. Unsere Kleider trugen wir über den Armen. Er breitete eine braune Decke in der Sonne aus, gleich neben der kleinen Hütte. Ich spähte hinein, Hepzibahs Schildkrötenschädel lag unverändert auf der Krebsfalle.

Wir streckten uns nebeneinander auf der Decke aus, der Himmel lag über uns, gesprenkelt mit wenigen Wolken. Ich fühlte mich benommen, es war wie der Taumel, den man als Kind erlebt, wenn man sich um sich selbst gedreht hat und dann in einem süßen Schwindel zu Boden sinkt. Ich lag neben ihm mit nassem Haar, Schlamm an meinen Füßen, und sagte zu ihm: »Ich möchte, dass wir beide ehrlich miteinander sind, brutal ehrlich.«

Er sagte: »Brutal?«

Ich lächelte. »Ja, brutal.«

»Na gut«, sagte er, noch grinsend. »Aber eigentlich bin ich grundsätzlich gegen jede Form von Brutalität.«

Ich fixierte eine glitzernde Wolke. »Ich habe mich in dich verliebt«, sagte ich. »Sonst wäre ich nicht hier bei dir.«

Er hatte die Hände lässig unter seinem Kopf verschränkt, und jetzt führte er sie langsam an seine Brust. Er sagte. »Ich weiß, dass wir offen über das reden sollten, was hier passiert, aber – ich hatte das Gefühl, wenn wir das tun, dann öffnen wir eine Schleuse, die wir nicht mehr zusperren können.«

»Warum sollten wir sie zusperren wollen?«

Er setzte sich auf, sah in die Ferne, sein gekrümmter Rücken war mir zugewandt. »Aber Jessie, was, wenn du dich wegen mir aus deiner Ehe befreist, und dann ...« Er sprach nicht weiter.

»Und dann kannst *du* dich nicht aus dem Kloster befreien? Willst du darauf hinaus?«

»Das meine ich nicht.« Er stieß einen lauten Atemzug

aus. »Na gut, du willst wissen, wie ich darüber denke?« Er klang, als wäre er herausgefordert worden, als ob er auf ein Sprungbrett gezwungen worden wäre und nun erkannt hatte, wie tief er springen musste.

Mein Hals brannte, unten an der knotigen Stelle, wo die Schlüsselbeinknochen aufeinander stoßen.

»Ich liebe dich auch«, sagte er. »Und das ängstigt mich zu Tode.«

Die Luft um uns herum stand still. Ich konnte nichts anderes tun, als ihn unentwegt ansehen. Sein Körper war mit einem kieseligen Schattenmuster überzogen.

»Aber wir wissen beide, dass es so einfach nicht ist«, fuhr er fort. »Was ich eben sagen wollte, ist, was, wenn du deine Ehe beendest und es später bereust? Ich weiß, du sagst, du bist im Moment von deinem Mann getrennt, aber wie könntest du damit leben, wenn du deine Ehe endgültig beenden würdest? Mein Gott, Jessie, wie könnte *ich* damit leben?« Er seufzte, und sein Atem wehte über mein Gesicht.

Ich zog ihn wieder zu mir herunter. Wir lagen still da und hörten auf die leisen, suchenden Geräusche um uns herum. »Wenn wir das hier tun, wird es viel Leid geben«, sagte er. »Unsere Liebe bedeutet Verdammnis *und* Erlösung zugleich.«

»Ich weiß«, sagte ich. »*Ich weiß.*«

Er stützte sich auf einen Ellbogen und zog mich ganz eng an sich. Ich wusste, er gab sich hin. Mir, uns, dem, was immer auch geschehen würde. Er umklammerte mich, hielt meinen Kopf mit einer Hand. Seine Finger prägten sich in meine Kopfhaut, sein Herz schlug wild, und es sandte Blut auch durch meinen Körper.

Wir liebten uns unter der Sonne, und als wir danach auf der Decke lagen, musste ich einfach weinen. Es war ein bebendes Schluchzen, das Whit zuerst völlig verstörte, aber ich lächelte ihn unter Tränen an und sagte: »Nein, nein, es ist alles in Ordnung, ich weine doch nur, weil ich so glücklich bin.« Ich hatte nicht *so erfüllt* gesagt, obwohl ich das eigentlich gewollt hatte.

Wir zogen uns an, und er breitete die Decke unter dem schattigen Dach der Einsiedelei aus. Als wir uns setzten, reichte er mir eine altmodische Thermoskanne, die mit Wasser gefüllt war, und wühlte in seinem Beutel herum.

»Ich möchte dir etwas zeigen«, sagte er und zog zwei Bücher hervor. Die *Legenda Aurea,* das Heiligenbrevier des Jacobus de Voragine, den anderen Titel konnte ich nicht entziffern.

»Ich habe in den Heiligenlegenden nachgeschlagen, bei den Heiligen, die Jesus ein wenig zu wörtlich genommen haben.«

Mir gefiel, dass er beteiligt sein wollte, dass er mir mit Mutter helfen wollte. Erst später ging mir auf, wie sehr ich mich gegen Hughs Einmischung gewehrt hatte, und ich konnte mir die verschiedenen Reaktionen nicht erklären.

»Ich bin auf Eudoria gestoßen, eine Heilige aus dem 12. Jahrhundert – sie hat sich einen Finger abgeschnitten«, sagte er. »Sie war Prostituierte, bevor sie von einem Franziskanermönch bekehrt wurde.«

»Prostituierte?«

»Ja, aber das ist nicht das eigentlich Interessante«, sagte er, obwohl ich da nicht so sicher war.

»Angeblich hat sie ihren Finger, nachdem sie ihn sich abgeschnitten hatte, in ein Feld gepflanzt, und er soll zu einer Kornähre gesprossen sein. Nelle hat ihren Finger möglicherweise *eingepflanzt,* nicht begraben.«

Der Gedanke wühlte mich doch ein wenig auf.

»Glaubst du wirklich, Mutter könnte ihr nachgeeifert haben?«

»In Irland hat es das so genannte ›Weiße Märtyrertum‹ gegeben«, sagte Whit. »Der Abt hat oft darüber gepredigt –

ich bin sicher, Nelle hat auch einige der Predigten gehört. Es bedeutet, dass man in die Fußstapfen eines Heiligen tritt, tut, was er oder sie getan hat.«

»Das sähe Mutter ähnlich – sich einen Finger abzuschneiden und dann einzupflanzen, weil irgendeine Heilige das vor sechshundert Jahren auch gemacht hat.«

Die *Legenda Aurea* hatte einen abgegriffenen, altmodischen Umschlag, mit einem grässlichen Bild von Jesus darauf, der etwas auf dem Kopf trug, das wie eine Königskrone aussah. Er hielt ein Zepter über einer Schar kniender Männer mit Heiligenscheinen.

»Als ich das Buch gesucht habe«, sagte Whit, »war es nicht an seinem Platz, also habe ich Dominikus danach gefragt. Er hat die Schublade an seinem Schreibtisch geöffnet, und da hat es gelegen, zusammen mit diesem Buch.« Er hielt es hoch: *Religiöse Volkstraditionen.*

»Dominikus hat mir erzählt, dass Bruder Timotheus die beiden Bücher in der Küche entdeckt hat, und zwar direkt, nachdem sich Nelle ihren Finger abgetrennt hat. Offenbar hat sie die Bücher aus der Bibliothek geholt. Sie hat in jedem eine Seite markiert – die über St. Eudoria und dann diese hier.« Er schlug das zweite Buch an einer Seite auf, die ein Eselsohr hatte, und legte es mir in den Schoß.

Ich starrte auf die Illustration einer Meerjungfrau, deren Finger in Form von Delfinen, Seehunden, Fischen und Walen dargestellt waren.

»Was ist *das*?«

»Das ist Sedna, sie ist eine Meeresgottheit der Inuit. Ihr wurden *alle* Finger abgetrennt. Alle zehn.«

Ich las den Text unter dem Bild, eine wundersame, wenn auch leicht beklemmende Geschichte: Eine junge Frau schickte nach ihrem Vater, damit er sie vor ihrem grausamen Ehemann retten möge. Sie flohen in seinem Boot, aber der Ehemann verfolgte sie. Aus Angst um sein Leben warf der Vater die Tochter über Bord, aber sie klammerte sich am Bootsrand fest und weigerte sich loszulassen. Von Panik überwältigt schnitt ihr der Vater die Finger ab, jeden einzelnen.

Die letzten Sätze las ich laut. »Während sie auf den Meeresgrund sank, wurde Sedna in eine mächtige, weibliche Gottheit verwandelt, mit dem Kopf und dem Leib einer Frau und dem Schwanz eines Fisches oder Seehundes. Sie wurde zur ›Mutter des Ozeans‹, und ihre zehn abgetrennten Finger verwandelten sich in die Geschöpfe, die das Meer bevölkern.«

Neben der Geschichte stand eine Anmerkung, die sich auf die Zahl Zehn bezog. Ich überflog den Text. »Die Zehn galt als die heiligste aller Zahlen. Den Pythagoräern war sie die Zahl der Erneuerung und Erfüllung. Alles entsprang der Zehn.«

Ich sah auf das Bild der Sedna, auf ihre langen Zöpfe, ihr ausgeprägtes Inuit-Gesicht. »Besonders katholisch sieht sie nicht aus.«

»Aber sie hat Nelle möglicherweise an St. Senara erinnert«, sagte Whit. »So wie sie war, bevor sie bekehrt wurde, als sie noch Asenora war, die Meerjungfrau.«

Ich schauderte, und er rutschte zu mir her und zog mich an sich. Wir saßen eine Weile still da. Ich konnte einfach nicht mehr darüber reden, über den Hang meiner Mutter zum Märtyrertum.

Eine Brise kam auf und schob sich unter die Enden der Decke. Ich merkte, dass sich das Licht allmählich auflöste.

Whit sagte: »Ich sage das nur ungern, aber ich muss gehen.«

Er legte die Bücher wieder in seinen Beutel, schraubte den Deckel auf seine Thermosflasche und faltete die Decke zusammen, die von seinem Bett stammen musste. Er tat all dies schweigend, und ich besah mir seine Hände, sah, wie sie die Luft durchschnitten, die Haut getönt wie Pergament, die langen Finger von kleinen Schwielen übersät.

Ich legte meine Hand auf seinen Arm. »Wird es schwer sein, jetzt zum Chorgebet zu gehen ... nach dem hier?«

»Ja«, sagte er, aber er sah mich nicht an.

Als wir ans Ufer kamen, sah ich, dass Stillwasser war, die wenigen Augenblicke zwischen Ebbe und Flut. Mein Vater hatte das »den Wendepunkt« genannt. Er hatte Mike und mich eines Tages aus dem Garten gehetzt und war mit uns zur Pelikanbucht gegangen, damit wir es sehen konnten. Wir hatten unendlich gelangweilt auf die steigende Flut geblickt, Mike hatte Matschschnecken über die Wasseroberfläche hüpfen lassen. Als das Wasser endlich aufgehört hatte zu drängen, war die Bucht plötzlich vollkommen still geworden – nicht einmal ein zarter Halm Schlickgras hatte sich bewegt, und dann, Minuten später, als ob der Maestro seinen Taktstock erhoben hätte, war all das Wasser in die entgegengesetzte Richtung gerauscht und hatte sich zurückgezogen.

Whit steuerte das Boot in den Nebenarm, der in die Bucht mündete. Über uns segelten Möwen durch den Himmel, und hinter uns schob sich das kleine Eiland aus unserem Blickfeld. Ich spürte, wie er wieder in sein Mönchsleben schlüpfte, wie das Meer um uns herum sich wandelte. Der unbarmherzige Wechsel von Ebbe und Flut.

KAPITEL 27

Whit

Whit stand am ersten Tag im Frühling vor dem Büro des Abts und hielt einen Zettel umklammert, den Bruder Beda ihm in die Hand gedrückt hatte, der erbötige Sekretär des Abts. Er hatte ihn Whit unmittelbar vor der Terz gegeben und dabei geflüstert: »Der Abt wünscht dich gleich nach dem Chorgebet zu sehen.«

Whit hatte den Zettel zusammengefaltet, mit einem heißen, flatterigen Gefühl im Magen. Nachdem die Gebete vorüber waren, war er Beda durch das Seitenschiff der Kirche zum Büro des Ehrwürdigen Vaters gefolgt. Als sie vor der Tür angelangt waren, hatte er versucht, in Bedas Gesicht zu lesen, hatte die unglaublich kurze Stirn und die erbsengroßen Augen eindringlich gemustert, aber er hatte darin nichts Erhellendes entdecken können.

»Der Abt wird dich gleich hineinrufen«, sagte ihm Beda und machte sich davon, wobei der Saum seines Habits über den Teppich im Korridor schleifte.

Nun also wartete er, es war ein Warten, das von einer Kruste vorgeblicher Ruhe überzogen war, obwohl es darunter brodelte.

Er hörte ein scharfes, zackiges Summen und trat an ein Fenster. Einer der Mönche fällte eine tote Kreppmyrte mit einer Kettensäge. War er wegen Jessie zum Abt bestellt worden? Weil Pater Sebastian in jener Nacht in seinem Notizbuch gelesen hatte, als er bei seinem Cottage gewesen war?

Als der Ehrwürdige Antonius die Tür öffnete, nickte er ihm einmal zu. Sein irisches Gesicht war streng, und die Wangen waren rosarot. Whit verbeugte sich leicht, bevor er eintrat.

Hinter dem Schreibtisch des Abts hing ein Gemälde. Whit liebte das Bild – es war eine Verkündigung, eine lesende Maria wird von Gabriel überrascht. Die Kunde des Engels, dass sie ein Kind gebären wird, bestürzt Maria dermaßen, dass sie das Buch fallen lässt. Es gleitet ihr aus der Hand, die regungslos verharrt. Ihre Lippen sind geöffnet, ihre Augen sehen aus wie die eines aufgeschreckten Rehs. Whit sah hinauf zu dem Bild, und zum allerersten Mal bemerkte er den Ausdruck völligen Entsetzens auf ihrem Gesicht. Sie tat ihm plötzlich leid. Gott zu gebären. Das war für einen Menschen zu viel.

Der Ehrwürdige Vater setzte sich hinter seinen Mahagonischreibtisch, aber Whit blieb stehen. Er fühlte Bedauern, er war betrübt darüber, dass es so enden musste. Er fragte sich, wie er es anstellen sollte, wieder in die Welt zurückzukehren. Zu Rambofilmen und Boy George. Zu Dolly Partons toupierten Haaren. Wie konnte er zurück in diese Welt von Konsum und Gier? Im vergangenen Oktober hatte es einen Börsencrash gegeben, das hatte er in der Zeitung gelesen, und es hatte ihn überhaupt nicht berührt. Wenn er wieder zurückgehen müsste, dann müsste er sich auch wieder mit der Wirtschaftslage beschäftigen, sich mit dem Gedanken auseinander setzen, wieder eine Anwaltskanzlei zu eröffnen.

Durch das Fenster zu seiner Rechten erspähte er ein Stück saphirblauen Himmels, und er musste an die Vogelkolonie denken, wo die Reiher in Scharen in den Bäumen saßen und ihre Federn wie weiße Flammen in den Zweigen gleißten. Er dachte, wie sehr er das alles vermissen würde.

»Es ist wohl an der Zeit«, hub der Abt an, »die Zeremonie für deine ewige Profess anzusetzen.« Der alte Mönch begann, in seinem Kalender zu blättern. »Ich dachte an den Namenstag Johannes des Täufers am 24. Juni, oder vielleicht an St. Barnabas, am elften.«

»Ewige Profess?«, wiederholte Whit. Er war sich so sicher gewesen, dass man ihn auffordern würde zu gehen. Er war auf diese Erniedrigung gefasst gewesen. Er wiederholte es ein zweites Mal. »Ewige Profess?«

Abt Antonius blinkerte zu ihm hinauf. »Ja, Bruder Thomas. Es ist an der Zeit, deine Professurkunde zu unterschreiben.« Seine Stimme hatte den Ton eines Lehrers einem unaufmerksamen Schüler gegenüber angenommen. Er nahm einen Stift, hielt ihn locker in der Hand und lies ihn wie einen Trommelstock auf den Schreibtisch fallen. »Nun, was die Zeremonie betrifft. Du darfst einladen, wen du willst. Leben deine Eltern noch?«

»Ich weiß es nicht«, sagte Whit.

Der Abt legte den Stift beiseite und faltete seine Hände zusammen. »*Du weißt es nicht?* Du weißt nicht, ob deine Eltern tot sind oder lebendig?«

»Aber natürlich weiß ich das«, sagte Whit. »Meine Mutter lebt noch. Was ich sagen wollte, ist ...« Er sah hinauf zur Verkündigung, er spürte den Blick des Abts auf sich.

Er stand kurz davor zu sagen, dass er nicht wusste, ob er das Gelübde ablegen konnte, aber er ließ es bleiben. Er dachte an das Gebet von Thomas Merton, das er auf eine kleine blaue Karte gedruckt und an den Spiegel über seinem Waschbecken geheftet hatte: »*Mein Herr und mein Gott! Ich weiß nicht, wohin ich gehe. Ich sehe den Weg nicht, der vor mir liegt. Ich weiß nicht sicher, wohin er führt. Auch kenne ich mich im Grunde selbst nicht recht.*«

»Ehrwürdiger Vater«, begann er, »ich bin mir nicht sicher wegen der ewigen Profess. Ob ich sie ablegen kann.«

Abt Antonius schob seinen Stuhl zurück und stand unerträglich langsam auf. Er sah einen Augenblick lang auf den jüngeren Mönch und seufzte. »Hast du wieder Dietrich Bonhoeffer gelesen, mein Sohn?«

»Nein, Ehrwürdiger Vater.«

Der Abt hatte ihm verboten, weiter in den Schriften des protestantischen Theologen zu lesen, nachdem er eine Paradoxie von Bonhoeffer in Whits Notizbuch entdeckt hatte: »Vor Gott und mit Gott leben wir ohne Gott.« Whit hatte die spröde Aufrichtigkeit des Zitats gemocht. Es schien ihm so treffend den Konflikt zu beschreiben, den auch er immerzu mit sich selbst ausfocht.

Abt Antonius ging um den Schreibtisch herum und legte seine Hand auf Whits Schulter. »Ich bin erfreut zu hören, dass du ihn aufgegeben hast. Du bist besonders empfänglich für Zweifel, und du solltest den Zweifel nicht noch nähren. Besonders jetzt, wo du davorstehst, die ewige Profess abzulegen. Es ist eine dunkle Nacht der Erprobung, durch die wir alle gehen mussten – du bist damit nicht alleine. Du wirst geloben, den Rest deines Lebens hier zu verbringen, hier zu sterben, nichts zu besitzen, das Zölibat einzuhalten und Gehorsam zu leisten. Niemand tut dies leichten Herzens, aber wir tun es dennoch. Wir tun es, weil unsere Herzen nach Gott verlangen.« Der Abt lächelte ihn an. »Du wirst durch deine dunkle Nacht finden, Bruder Thomas. Denk an den Jünger, nach dem du benannt bist. Warum wohl, glaubst du, habe ich diesen Namen für dich gewählt? Er war ein Zweifelnder, aber am Ende hat er seinen Zweifel überwunden und zum Glauben gefunden, und das wirst auch du, mein Sohn.«

Der Abt kehrte zu seinem Stuhl zurück, als wäre nun alles geregelt, die dunkle Nacht, der Zweifel, der Glauben, alles war gründlich seziert, wieder zusammengesetzt und an seinen eigentlichen Platz zurückgestellt worden. Whit dachte, dass der Abt ihm wohl besser den Namen Jonas hätte geben sollen – schließlich war er von der Abtei verschluckt worden, und nun würde ihn das Kloster wieder ins Leben hinausspeien. Zu Jay Leno, Oprah Winfrey, Johnny Carson. Zu einer Madonna in Netzstrumpfhosen. Zu Filmen wie *Die Supertrottel.* In eine Welt, in der völlig gewöhnliche Bankangestellte Ausdrücke wie »total abgefahren« gebrauchten.

Er hörte die Kettensäge wieder. Er spürte sie in seiner Brust. Abt Antonius brütete über dem Kalender. Whit bemerkte die kleinen Büschel weißer Haare an seinen Knöcheln. Über seinem Kopf fiel Maria das Buch von Ewigkeit zu Ewigkeit aus der Hand.

Was hatte er *wirklich* hier gesucht?

Was, wenn er nicht an diesen Ort gekommen war, um seinen Frieden mit einem Gott zu machen, der hier und nicht hier war, was, wenn es ihm eigentlich darum ging, eine Art Immunität vom Leben zu erlangen? Was, wenn er statt Erleuchtung nur eine Zufluchtsstätte gesucht hatte?

Was, wenn der für ihn bestimmte Weg zu Gott hinaus in die Welt führte, wenn er das Leben *dort draußen* in seine Hände nehmen sollte?

Der Abt hatte gesagt, er sollte seine Profess ablegen, weil sein Herz nach Gott verlangte, und er wollte Gott, aber – das wusste er jetzt – Jessie wollte er noch mehr.

Das konnte er nicht leugnen. Weder sein Körper noch sein Herz würden das zulassen, noch seine *Seele.* Sie versuchte, ihm etwas zu sagen. Er war sich dessen sicher. Eines hatte er aus seiner Zeit hier im Kloster gelernt, und das war, dass die Seele unablässig zu sprechen versuchte, in ihn irritierenden Rätseln – sie sprach durch seine Träume, durch den Taumel von Eindrücken und Gefühlen, der ihn überfiel, wenn er alleine in der Marsch war, und manchmal auch durch körperliche Symptome, so wie damals, als er die Nesselsucht bekommen hatte, als man ihn von seinen Pflichten in der Kolonie entbunden und im Netzhaus hatte arbeiten lassen.

Nie jedoch sprach die Seele eindringlicher als durch Verlangen. Manchmal wollte das Herz, wonach die Seele verlangte.

»Ich glaube, der Namenstag Johannes des Täufers ist besser«, sagte der Abt.

»Es tut mir leid, Ehrwürdiger Vater, aber ich kann den Termin noch nicht festsetzen.« Whit hob sein Kinn. Er verkreuzte die Arme vor der Brust und stellte seine Füße weit auseinander, eine selbstbewusste, bestimmte Haltung, die er bei Gericht immer eingenommen hatte, wenn er sein Schlussplädoyer gehalten hatte. Ein Gerichtsreporter hatte ihn einmal mit Napoleon verglichen, der am Bug seines Schiffes steht, bereit, in die Schlacht zu ziehen. »Ich kann nicht, denn ich weiß nicht, ob ich jemals die ewige Profess ablegen werde. Ich weiß nicht, ob mein Herz wirklich nach Gott verlangt.«

Der Raum füllte sich mit Schweigen, einem vollkommenen Schweigen. Es rauschte in seinen Ohren und drückte gegen sein Trommelfell, als ob er sich im Sinkflug befinden würde. Abt Antonius ging zum Fenster und drehte Whit den Rücken zu.

Minuten vergingen, ehe er sich endlich zu ihm wandte. »Dann musst du dich der dunklen Nacht hingeben. Dann musst du dort so lange verweilen, bis du deinen Glauben findest und zu einer Entscheidung gelangst. Möge Gott mit dir sein.« Er hob die Hand, und Whit war entlassen.

Als er zu seinem Cottage ging, dachte Whit an die unzähligen kleinen Dinge auf dieser Insel, die er vermissen würde. Die Alligatoren, die unter der Oberfläche des Wassers die Buchten durchquerten und nur ihre großen Augenbeulen hervorschauen ließen. Die Austern, die bei Nacht, wenn es niemand sah, ihre Schalen öffneten. Aber am meisten würde er die Reiher vermissen, wenn sie sich aus der Marsch erhoben und auf ihren Flügeln das Licht mit sich trugen.

KAPITEL 28

Von nun an kam ich oft alleine auf die kleine Insel in der Vogelkolonie. Ich paddelte in Hepzibahs altem Kanu dorthin, lange noch, bevor Whit zu seinen Runden erschien. Ich schuf mir mein eigenes Reich, einen Ort, an dem ich mich vor der Welt verbarg, wo ich allein war, mit blauen Krebsen und watenden Reihern. Den ganzen März über und die ersten beiden Wochen im April fuhr ich jeden Tag auf die Insel, hungrig nach Whit, aber auch von dem unstillbaren Drang getrieben, allein zu sein.

Ich sagte Mutter die Wahrheit, zumindest teilweise – dass ich in den Buchten herumpaddelte, dass ich Zeit brauchte, um über ein paar Dinge nachzudenken. Sie kam sofort zu dem Schluss, dass ich über meine Ehe nachdachte. Ihr war aufgefallen, dass mein Ehering auf dem Nadelkissen steckte, und sie hatte wiederholt gefragt, warum Hugh die Insel so schnell wieder verlassen hatte, warum er nicht mehr anrief. Ich sprach nur noch mit Dee, wir telefonierten jede Woche, und falls *sie* Vermutungen anstellte, warum ich meine Abwesenheit von Atlanta so in die Länge zog, so verlor sie jedenfalls kein Wort darüber.

»In deiner Ehe gibt es Schwierigkeiten, oder?«, stieß Mutter hervor, und bevor ich mir eine Antwort zurechtlegen konnte, sagte sie schon: »Es steht dir im Gesicht geschrieben, ich weiß nur nicht, wie du das in Ordnung bringen willst, wenn du noch länger hier bleibst und jeden Tag in den Buchten herumstrolchst.«

So war das tagelang gegangen.

Sogar als Kat und Hepzibah eines Tages vorbeikamen, fing Mutter damit an und erging sich endlos in dem Thema. »Nun sagt ihr doch mal«, meinte sie zu ihnen, »wie lange kann man sich eigentlich da draußen rumtreiben, so ganz alleine? Es ist ja fast, als wär' sie wieder Kind geworden, so wie damals, als sie und Mike den ganzen lieben Tag lang da draußen gewesen sind.«

Hepzibah und Kat tauschten einen bedeutungsvollen Blick.

»Ich bin da draußen, um *allein* zu sein«, beeilte ich mich zu sagen.

Als die beiden gingen, folgte ich ihnen auf die Veranda.

»Ich treffe mich mit ihm«, sagte ich. »Jeden Nachmittag für ein paar Stunden. Aber die meiste Zeit bin ich wirklich alleine, ich weiß nicht warum – aber ich muss einfach alleine sein.«

»Klingt, als wärst du auf der *Reise*«, sagte Hepzibah.

Ich bin sicher, meine einsamen Besuche in der Kolonie waren eine Art Reise, aber ich bezweifelte, dass meine Beweggründe so erhaben waren wie die der Gläubigen, die in den Wäldern ihre Herzen erforschten. Mein Antrieb war eindeutig sinnlicher Natur, ich hatte eine Affäre mit mir selbst und mit der Insel. Und natürlich mit Whit.

Fest steht, dass sie alles andere überschattete – die Sorge, die ich wegen Mutter hatte, die Frage, warum sie die Bücher aus der Klosterbibliothek gelesen hatte, und die bange Vorstellung, dass sie sich einer Art weißen Märtyrertums hingegeben haben könnte. All das konnte man in diesen Tagen leicht verdrängen, weil es ihr so viel besser zu gehen schien. Sie kochte für die Mönche, war beschäftigt und wirkte so *normal.*

Ich war es jetzt, die sich einem sonderbaren Verhalten hingab.

Eines Nachmittags nach der Springflut saß ich neben Whits Klause, sah zu, wie sich ein Schlammtreter sein Nest in der Marsch baute und hörte David Bowies *Let's Dance* auf dem Walkman, den ich im *Braunen Pelikan* entdeckt hatte. Es war beinahe schon schwül, die Strandschnecken hockten benommen im Schlickgras. Reiher, Austernfischer und Sichler drängten sich so dicht beieinander im Schatten, dass mich das an das Gewühl in einem Supermarkt nach Feierabend erinnerte. Ich fand eine kleine Diamant-Sumpf-schildkröte in meiner Nähe – Mike hatte sie immer »Schmuckschildkröte« genannt –, stand auf und folgte ihr.

Das Tier erinnerte mich an den Schädel, der jetzt dauerhaft auf der Krebsfalle aufgestellt war, und ich musste daran denken, wie Kat, Hepzibah und Mutter immer bei den Allerfrauen-Picknicks getanzt hatten. Dabei fing ich an, mich ein wenig zu wiegen. Ich hatte nie bei den Picknicks getanzt; das war *ihr* Ding gewesen. Später, als Erwachsene, war ich mir beim Tanzen immer komisch vorgekommen, ich war viel zu gehemmt zu tanzen, aber jetzt, wo mir David Bowie immer wieder *Let's dance, let's dance* ins Ohr sang, fing ich an, mich völlig losgelöst zur Musik zu bewegen, und der Rock meines weißen Musselinkleids flatterte, als ob ich Isadora Duncan wäre. Ich mochte das Gefühl, mochte, dass mein Körper machte, was er wollte.

Jeden Tag nahm ich nun den Walkman mit auf die Insel und tanzte zu den Kassetten, die ich im *Braunen Pelikan* fand: Julio Iglesias und Willie Nelson, die *To All the Girls I've Loved Before* schmachteten, Stevie Wonders *Woman in Love,* der Soundtrack zu *Dirty Dancing.* Ich kaufte mir sogar Pink Floyd.

Danach ließ ich mich dann atemlos und müde in den Schlick fallen und schmierte mir schwarzen Schlamm auf

Arme und Beine – als ob ich in einem Schönheitssalon eine Moorpackung bekommen würde. Der Matsch roch warm, lebendig, nach Chlorophyll und dem moderigen Gestank von Papiermühlen, ich brauchte das. Ich kann noch nicht einmal sagen, warum. Ich lag einfach nur da, während der Schlamm auf meiner Haut trocknete. Ich gab mich diesem Genuss eine Stunde lang hin, manchmal sogar noch länger, sah, wie sich der Himmel im Wasser spiegelte und spürte den ewigen Atem der Erde, die sich um mich herum bewegte.

An einem Nachmittag, als Whit nicht erschienen war, weil im Kloster eine der Toiletten des Empfangszentrums übergelaufen war, beobachtete ich, wie die Sonne unterging und wie sich die Oberfläche des Wassers in Karneol und Topas verwandelte. Ich hörte das Prusten vorbeischwimmender Delfine, und als die Stille überwältigend wurde, lauschte ich dem knackenden Kriechen der Winkerkrabben im Schlamm und den leisen Klicks, die Knallkrebse machen, wenn sie ihre Scheren schließen.

Ich sank in den Kompost der Insel und wurde zu einem Teil davon. Erst wenn meine Haut so spannte und juckte, dass ich den Schlamm am liebsten abgeschabt hätte, tauchte ich ins Wasser und wusch mich ab. Mit rosiger, durchbluteter Haut legte ich mich in die Fluten und ließ mich treiben. Einmal trugen sie mich hinüber in das runde Wasserbecken, in den Nebenarm, der zurück in die Pelikanbucht führte, und ich musste gegen eine überraschend starke Strömung ankämpfen, um zurück zur Insel zu kommen.

Mehr noch aber als den Tanz oder das Schlammbaden feierte ich das Wasser. Das wandernde Wasser. Es war erfüllt von Tod und Vergängnis, aber auch von Plankton und Fischeiern und aufkeimendem Leben. Es zog sich zurück, entblößte alles auf seinem Weg, um dann wieder als ein wimmelnder, fruchtbarer Strom zurückzukehren. Ich brauchte es wie die Luft zum Atmen.

Whit erzählte ich nie von diesen Dingen, obwohl er sicher wusste, dass ich täglich im Meer schwamm, und wahrscheinlich dachte er sich den Rest. Jeden Nachmittag wartete ich auf ihn mit feuchtem Haar und verräterischen Spuren von Schlamm in den Furchen meiner Ellbogen.

Wenn ich heute auf meine dionysische Phase zurückblicke, dann verstehe ich sie schon ein bisschen besser. Heute erkenne ich, dass ich mich meiner ureigenen Sinnlichkeit geöffnet und diese zelebriert habe. Diese Tage wurden von Instinkt und von Fleisch regiert. Wenn ich Hunger hatte, aß ich, was ich mir von zu Hause mitgenommen hatte, meistens stürzte ich mich auf Äpfel, und wenn ich müde war, legte ich mich einfach auf eines von Mutters alten Bettlaken und döste vor mich hin. Aber eigentlich, glaube ich, hatte Hepzibah Recht. Ich war auf der *Reise*.

Ich nahm Whits Krebsfalle in Besitz, verhängte sie mit dem Fangnetz und sammelte nach und nach eine kleine Assemblage zusammen, die sich zu dem Schildkrötenschädel gesellte: Seeadlerfedern, Sträuße blühender Trompetenblumen, Austern- und Muschelschalen, eine Krebsschere, die ich am Ufer gefunden hatte. Aus einer Laune heraus legte ich auch die so genannten Meerjungfrauentränen dazu – die kleinen Kiesel, die ich mir in Kats Laden ausgesucht hatte, als ich das erste Mal da gewesen war. Auf der Falle lagen schließlich auch ein halbes Dutzend Apfelschalen, meine kläglichen Versuche, die kunstvollen Windungen meines Vaters zu imitieren, die in kunterbunten Bruchstücken geendet hatten. Und dann war ich, als ich meine Tasche auf der Suche nach einem Kamm durchwühlt hatte, auf Vaters Pfeife gestoßen und hatte auch sie meiner Sammlung hinzugefügt.

Jedes Mal, wenn ich die Insel verließ, verstaute ich alles in einer Plastiktüte, die ich in die Falle stopfte, und wenn ich zurückkam, baute ich alles sorgsam wieder auf. Zuerst hatte ich gedacht, ich würde Hepzibahs Beispiel folgen und meinen eigenen, kleinen Präsentiertisch herrichten. Dann schoss mir durch den Sinn, dass ich vielleicht vorhatte, mich in der Einsiedelei häuslich einzurichten, sie auszustatten, daraus *unser* Reich zu machen. War ich dabei, ein Nest zu bauen?

Ich hatte Whit einmal dabei ertappt, wie er auf mein Arrangement unter seinem Kreuz aus Palmettopalmen blickte, das er an die Wand genagelt hatte. »Wird das ein Altar?«, hatte er mich zu meiner Verblüffung gefragt.

Oft baute ich in der Klause Palette und Staffelei auf und malte eine Tauchende nach der anderen. Ich malte sie aus unterschiedlichen Perspektiven, in den verschiedenen Stadien des Tauchens. Das Wasser um sie herum änderte mit jedem Bild seine Farbe, es ging durch eine Abfolge von Violett-Blau, Grün, Gelb-Orange und schließlich leuchtend Pompejanisch-Rot. Manchmal war die Frau – die immer nackt war – sorgfältig im realistischen Stil der Präraffaeliten ausgeführt, manchmal war sie nur ein schwarzer, golden umrahmter Schatten, dargestellt in der stilisierenden Manier der Naiven, aber immer, zumindest schien es mir so, sank sie hinab als strahlende Erscheinung. Auf einigen Gemälden ließ sie einen merkwürdigen Strom von Devotionalien hinter sich, der zurück an die Oberfläche trieb, während sie immer tiefer sank: Pfannenwender, Kühlschrankmagneten, Geschirr, Eheringe, Kruzifixe, verkohltes Holz, Apfelschalen, ein winziges Paar Plastikgänse, das sich küsste.

Ja, natürlich war mir bewusst, dass all diese Gemälde eine Serie von Selbstporträts darstellten – wie hätte ich das übersehen können? –, aber das passierte nicht vorsätzlich. Die Bilder kamen aus mir heraus wie Eruptionen, wie Geysire. Ich wusste nicht, wann die Tauchende aufhören würde zu sinken, welche Farbe des Regenbogenspektrums das Wasser als Nächstes annehmen würde, wo der Grund des

Meeres war oder was geschehen würde, wenn sie ihn erreichte.

Gegen Nachmittag eines jeden Tages hielt ich dann Ausschau nach Whit. Wenn er auf der Insel eintraf, war ich verrückt vor Verlangen. Wir umschlangen einander in der Klause und liebten uns, wir wurden immer vertrauter mit dem Körper des anderen, flüsterten uns unsere Liebe immer wieder ins Ohr. Ich war trunken vor Glück und Leidenschaft, ich hatte das Gefühl, nach Hause gekommen zu sein und dennoch fortzuziehen, fortzusegeln an einen ewigen Ort.

Wenn wir uns geliebt hatten, unterhielten wir uns, bis er gehen musste. Ich lag in seinen Armen, und einmal erzählte ich ihm von Chagalls *Die Liebenden vor rotem Himmel,* von dem Liebespaar – von dem einige glaubten, es seien Chagall und seine Frau Bella –, das in einer himmlischen Umarmung versunken war und das über der Welt schwebte.

»Aber sie können doch nicht ewig dort oben bleiben«, hatte Whit gesagt, und ich hatte einen leichten Stich verspürt, ein Unbehagen.

Nur gelegentlich sprachen wir über eine gemeinsame Zukunft. Wir nahmen beide an, dass es eine geben werde, aber wir waren noch nicht bereit, sie zu leben. Es schien uns beiden überstürzt. Ein Teil von ihm, ein stiller, verborgener Teil, den ich zugleich liebte und fürchtete, nahm schweren Herzens Abschied vom Kloster, von seinem Leben dort. Und irgendwo tief in mir nahm wohl auch ich Abschied, von zwanzig Jahren Ehe, obwohl ich mich weigerte, an Hugh zu denken.

An wen ich ununterbrochen dachte während dieser Stunden auf der Insel, war mein Vater. Er schien wie ein Geist über dem Dach der Klause zu schweben. Er war in dem Gewimmel auf der Erde. Immer und immer wieder rief ich mir jenen Tag ins Gedächtnis, als die Mönche an unsere Tür gekommen waren und die verbrannten Überreste des Bootes getragen hatten, und mir ging durch den Kopf, auf welch stoische Art und Weise Mutter ein Feuer im Kamin entzündet und das Holz den Flammen übergeben hatte. Das war der Moment gewesen, als ich zum ersten Mal die tiefe Leere empfunden hatte, die sein Sterben in mein Leben reißen würde.

Während der Osterwoche sah ich Whit nur ein einziges Mal. Seine Arbeit in der Kolonie ruhte, weil er Bruder Beda während der Passionszeit mit all den hohen und heiligen Vorbereitungen helfen musste, die zwischen Palmsonntag und der Osternacht auszuführen waren. Lilien mussten besorgt werden, Heiliges Öl, Osterkerzen, Becken und Krug für die Fußwaschung, schwarze Messgewänder, weiße Messgewänder. Er kam erst am Donnerstag wieder zu mir, am Gründonnerstag oder, wie Mutter an diesem Morgen gesagt hatte, wobei sie in ihr katholisches Kirchenlatein gefallen war: »Feria Quinta in Coena Domini«, am Donnerstag des Abendmahls.

Ich trug das meerblaue T-Shirt, das er so mochte, und wartete am Ufer auf ihn, harrte aus, bis er das Boot verankert hatte. Ich hatte uns auf einer rot-weiß geblümten Tischdecke, die ich in der Nähe des Wassers ausgebreitet hatte, ein Picknick hergerichtet: Mutters pikante Tomatenpastetchen, Erdbeeren, Pralinen, eine Flasche Rotwein. In der Mitte des Tuches lagen wilde, weiße Azaleen, die ich in Kats Vorgarten gepflückt hatte.

Als Whit sah, was ich vorbereitet hatte, beugte er sich zu mir und küsste mich auf die Stirn. »Das ist ja eine Überraschung. Was ist denn der Anlass?«

»Nun, lass mich nachdenken.« Ich tat so, als würde ich mir das Gehirn zermartern. »Heute *ist* Gründonnerstag. Und unser Sechs-Wochen-und-ein-Tag-Jahrestag.«

»Wir haben einen Jahrestag?«

»Natürlich. Der siebzehnte Februar, der Tag, als wir uns begegnet sind. Es war am Aschermittwoch, erinnerst du dich? Für mich ist Aschermittwoch nie ein fröhlicher Tag gewesen, also habe ich gedacht, ich mache ihn zu unserem Jahrestag.«

»Verstehe.«

Wir setzten uns auf die Tischdecke, und er griff nach dem Wein. Ich hatte Gläser vergessen, und so nahmen wir beide einen kräftigen Zug aus der Flasche und lachten, als uns der Wein das Kinn hinunterlief. Als ich die Tomatentörtchen schnitt und die dicken Stücke auf Papierteller legte, sprach ich weiter, gefangen in meinem Redetaumel. »Im ersten Jahr feiern wir unseren Jahrestag jeden Monat, und dann jedes Jahr. An jedem Aschermittwoch.«

Als ich zu ihm aufsah, lächelte er nicht mehr. Ich stellte den Teller ab. Ich hatte das entsetzliche Gefühl, er würde mir nun sagen, dass es für uns keine Jahrestage geben würde, dass er sich entschlossen hätte, in der Abtei zu bleiben. Was, wenn ihn das Osterfest umgestimmt hatte? Das Fest der Auferstehung. Mir wurde kalt.

Er zog mich zu sich und hielt mich beinahe beängstigend fest an sich gedrückt. »Wir könnten in der Nähe von Asheville leben«, sagte er. »Am Ende einer Schotterstraße, mitten im Nirgendwo. Und an den Wochenenden gehen wir wandern. Oder wir gehen in eine Buchhandlung und setzen uns danach in ein Café.« In dem Moment begriff ich, dass er einfach von dem Gedanken überwältigt gewesen war, wieder ein Leben zu führen, in dem die täglichen Dinge des Haushalts eine Rolle spielten und in dem es Jahrestage gab. Es war, als hätte es hier, in diesem Moment, für ihn mit einem Mal Gestalt angenommen.

»Das fände ich wundervoll«, antwortete ich. Aber in Wahrheit fühlte ich mich dabei ein wenig unwohl. Hugh und ich waren an den Wochenenden zusammen wandern gegangen. In den Bergen nördlich von Atlanta, bei einem kleinen Ort namens Mineral Bluff.

Später dann, als wir gegessen hatten, kamen Bienen zu den Azaleenblüten, und Whit erzählte mir die herrliche Geschichte von einem einen Meter langen Alligator, der sich in die Kirche verirrt hatte, als Whit in seinem zweiten Jahr im Kloster gewesen war. Der Abt war, als er das Untier entdeckt hatte, vor Schreck auf den Altar gesprungen.

Ich lehnte mich zurück auf die Ellbogen und legte meine nackten Füße in seinen Schoß. Ich aß die letzten Erdbeeren auf, während er mir die Füße rieb. Er sprach davon, dass es ein uralter Brauch wäre, Bräuten vor der Hochzeit die Füße zu waschen. Ich erinnere mich nicht mehr genau, ob er gesagt hatte, das stammte aus der Bibel oder aus Asien, nur dass es wieder eines dieser geheimnisvollen, archaischen Sachen war, die nur Whit wissen konnte.

Er rutschte näher ans Ufer und zog mich mit sich. Er schöpfte ein paar Hand voll Wasser aus der Bucht und ließ es über meine Füße laufen, ließ seine Hände über meine nassen Füße gleiten. Er bewegte sie langsam über meine Knöchel, streichelte die Wölbung meiner Füße mit den Daumen, dann ließ er seine Finger zwischen meine Zehen fahren. Ich sah ihm zu, ohne ein Wort zu sagen. Ich wusste nicht, was für einen Bund wir schlossen, aber ich spürte das Versprechen in seinen Händen und sah es in seinem Gesicht.

Ich schloss meine Augen und fühlte, wie ich mit der Tauchenden sank. Irgendwo in meinen Bildern war der Ort, von dem es kein Zurück mehr gab.

KAPITEL 29

Am Abend, als das Allerfrauen-Picknick stattfinden sollte, bockte Mutter. Sie stand auf der vorderen Veranda mit einer Tüte Waffeln in der Hand, trug eine blaue Baumwollbluse mit verknittertem Kragen und weite, beigefarbene Hosen, die an einem Gummiband in der Taille hingen, und informierte Kat, Hepzibah, Benne und mich, dass sie nicht mitgehen werde. Sie hatte sich das Haar gewaschen und an der Luft trocknen lassen, und nun stand eine krause, weiße Tolle unbezähmbar von ihrer Stirn ab.

»Herr im Himmel«, fauchte Kat, »wie kann diese Frau nur so sturköpfig sein? Muss ich erst wieder diesen verdammten Hibiskusschal holen?«

Mutter stemmte die Fäuste in die Hüften. »Es hat nichts mit meiner Hand zu tun, Kat Bowers.«

»Na, womit dann? Mit deiner Frisur?«

»Was stimmt mit meiner Frisur nicht?«, schrie Mutter fast.

»Oh je, sie fahren die Krallen aus«, sagte Benne.

Hepzibah ging dazwischen. »Was ist denn mit euch beiden los? *Heiland.*«

»Hör zu Mutter, ich kann ja verstehen, dass du Bedenken hast«, sagte ich, »aber wir haben das Essen vorbereitet. Das Golfwägelchen steht bepackt da, und Hepzibah hat am Strand sogar schon Holz für das Feuer gesammelt. Wir haben uns so darauf gefreut.«

273

»Na, dann geht doch in Gottes Namen ohne mich.«

»Wir gehen überhaupt nicht ohne dich«, sagte Kat. »Entweder gehen wir alle oder keine von uns – so lautet die Abmachung.«

Das war der Grund, warum mein Vater sie die Drei Egreterinnen genannt hatte. Es war die unausgesprochene *Abmachung,* dieser unauflösbare Knoten, den sie in ihre Bänder geflochten und in den Ozean geworfen hatten.

Wir gaben uns weiterhin Mühe, sie zu überreden, versuchten, ihr Schuldgefühle zu machen, ignorierten ihre Ausreden, bis sie schließlich in eines unserer Wägelchen stieg.

Heute wünschte ich mir, ich hätte auf sie gehört, ich wünschte mir, nur eine von uns hätte genug vorausschauenden Verstand besessen, genau hinzuhören. Nicht einmal Benne vernahm die stille Dringlichkeit, die in ihrem Widerstand hallte.

Es war der erste Sonntag nach Ostern, der 16. April, 18.00 Uhr. Wir hatten beschlossen, nicht auf den Ersten Mai zu warten, an dem eigentlich der Tradition gemäß die Allerfrauen-Picknicks veranstaltet wurden. Mutter brauchte unsere kleine Feier *jetzt*, hatten wir befunden.

Der Tag war warm, und das helle, funkelnde Nachmittagslicht ließ alle Umrisse klar und deutlich erstrahlen. Ich fuhr hinter Kat, folgte ihr durch die Dünen und den Seehafer bis hinunter zum Bone Yard Beach. Der Wind traf auf die Wellen und peitschte ihre Kronen, die sich in kleine Sprühregen ergossen. Max, der auf dem Rücksitz meines Wägelchens mitgekommen war, sprang noch während der Fahrt hinaus und jagte zum Wasser.

Hepzibah hatte das Treibholz in einem Haufen hoch oben am Strand gestapelt, da sie eine hohe Flut erwartete. »Gib bloß Acht, wo du parkst«, hörte ich sie zu Kat sagen, als wir bremsten, ein kleiner, stichelnder Kommentar, denn einmal hatte Kat ihr Wägelchen am Strand stehen lassen, wo es von der Flut mitgespült worden war. Als sie dann nach Stunden zurückgekommen war, hatte sie zuschauen müssen, wie ihr Gefährt gen England davontrieb.

Wir breiteten eine Decke auf dem Sand aus. Mutter setzte sich, kauerte sich auf die Ecke, die am weitesten vom Wasser entfernt war, und wickelte sich einen alten Alpakapullover um die Schultern. Sie wandte dem Wasser den Rücken zu und starrte in die Dünen. Es war ein merkwürdiges Verhalten, als wenn sich jemand in einem Aufzug mit dem Rücken zur Tür stellen würde. Ich spürte, wie sie sich zurückzog, wie sie wieder in ihre Dunkelheit zurückgesogen wurde.

Vor zwei Wochen hatte ich sie zu ihrer Anschlussuntersuchung nach Mount Pleasant gebracht, und sie hatte sich ins Innere der Fähre gesetzt und die ganze Zeit auf den Boden geblickt, so als ob sie nicht an das erinnert werden wollte, was vor dieiunddreißig Jahren dort draußen auf dem Wasser passiert war. Ihr Verhalten jetzt erinnerte mich daran. Hatte sie diese Abneigung gegen das Meer entwickelt, als Vater gestorben war, und war es mir nur jetzt erst aufgefallen? Es schien mir dieselbe unbegreifliche Feindseligkeit zu sein, die sie auch dem Stuhl der Meerjungfrau gegenüber hegte. Das hatte auch erst nach seinem Tod begonnen. Ich hatte erlebt, wie sie schon bei der bloßen Erwähnung des Stuhls den Raum verlassen hatte.

Ich behielt sie weiter im Auge, während wir das Essen auspackten. Wir hatten uns große Mühe gegeben, die gleichen Speisen vorzubereiten, die es früher bei den Picknicks gegeben hatte: Krabbenplätzchen, Hoppin' John – Reis mit Bohnen –, würzigen Streichkäse, Rosinenbrot und Wein, Chianti für Kat, Chardonnay für den Rest von uns. Als ich all das auf der Decke vor mir ausgebreitet sah, musste ich an Whit und das Picknick denken, das ich vor etwas mehr als einer Woche für uns beide auf der anderen Seite der Insel bereitet hatte, als er meine Füße gebadet hatte, die stille Zeremonie, bei der eine zarte Verlobung mitgeschwungen hatte.

Max gab sich seinem Lieblingssport hin, Sandkrabben zu fangen und damit zu uns zu trotten, während ihm Beine und Scheren aus dem Maul hingen. Ich beobachtete, wie er eine zu Mutter brachte, sie stolz zu ihren Füßen fallen ließ, und wie sie völlig geistesabwesend, wie betäubt, ihre Hand auf seinen Kopf legte. Sie hatte noch keinen einzigen Ton gesagt. Kat reichte ihr eine Rolle Frischhaltefolie und bat sie, den Anfang zu finden, und Mutter legte sie einfach in den Sand, ohne es überhaupt zu versuchen. Falls wir vorgehabt hatten, Mutter aufzuheitern, gelang uns das überhaupt nicht. Irgendetwas lief hier vollkommen falsch.

Kat ließ nicht locker. Ihre Versuche, Mutter in den Abend einzubeziehen, die Vision zu verwirklichen, die wir alle von ihrer wunderbaren Rückkehr zu ihrem früheren Selbst aus Allerfrauen-Picknick-Zeiten gehabt hatten, klangen zunehmend gezwungen. »Nelle, wer glaubst du, sollte unsere erste Präsidentin sein – Geraldine Ferraro oder Patricia Schroeder?«, fragte Kat.

Mutter reagierte darauf noch nicht einmal mit einem Achselzucken.

»Na komm schon, sag was. Jessie und Hepzibah meinen Patricia, ich sage Geraldine.«

»Nancy Reagan«, murmelte Mutter. Unsere Stimmung stieg, wir glaubten, sie würde endlich mitmachen, die Rettung von Nelle Dubois schien zum Greifen nahe.

»Nun, wenn Nancy kandidiert, dann sage ich für meinen Teil ... Nein!«, entgegnete Kat. Es war die Art von Stichelei, die Mutter sonst garantiert aufregte, aber es kam nichts zurück, sie ließ nur wieder, wie vorher, die Schultern sinken.

Sie aß wenig – ein Krabbenplätzchen und einen Löffel

Nachtisch. Wir übrigen beluden unsere Teller, wir waren immer noch wild entschlossen.

Als sich die Dunkelheit über dem Meer zeigte, zündete Hepzibah das Feuer an. Das trockene Holz brannte schnell. Innerhalb weniger Augenblicke wütete es und spuckte kleine Funken in die Luft, die in der Schwärze davontrieben. Wir saßen in seinem Lichtschein, in dem schwelenden Geruch des Feuers, und keiner von uns kam es in den Sinn, dass ein brennendes Feuer, hier, am Ufer des Meeres, einer Frau fürchterlich zusetzen könnte, für die Feuer und Wasser nichts als Unglück und Tod bedeuteten, einer Frau, die auf das Meer nicht einmal schauen konnte und die ihren Kamin mit Brettern zugenagelt hatte. Wir waren geblendet von unserer Sehnsucht nach der Frau, die sie davor einmal gewesen war. Heute kommen mir die Tränen, wenn ich daran denke, wie sehr Mutter sich an diesem Abend bemüht haben muss. Dass sie nur unseretwegen gekommen und bei uns geblieben war, während ihre Qualen wuchsen und wuchsen.

Während des ganzen Abends drängte sie sich an den Rand der Decke, dorthin, wo das Licht des Feuers nicht hintraf. Hepzibah schlug ihre Gullah-Trommel. Der Klang dröhnte traurig und dumpf. Benne legt ihren Kopf in Kats Schoß, und Max schlief ein, den Feuerschein in seinem Rücken. Das Holz knackte. Das Meer hob sich und donnerte an den Strand. Niemand redete. Wir hatten aufgegeben.

Irgendwann gegen drei Uhr früh, Stunden, nachdem unser Lagerfeuer erloschen war und wir unser misslungenes Experiment abgebrochen und den Strand verlassen hatten, wurde ich in meinem Bett davon wach, dass jemand meinen Namen sagte. Es war ein dringendes, schrilles Flüstern.

»Jessie!«

Ich setzte mich im Halbschlaf auf, mein Kopf war umnebelt. Ich konnte einen Umriss erkennen, einen *Menschen,* der im Schatten meines Türrahmens stand. Mein Herz fing an, wie wild zu schlagen, es wurde mit Adrenalin voll gepumpt. Ich suchte nach dem Lichtschalter neben dem Bett und stieß dabei ein Glas Wasser um, das sich über den Tisch und den Fußboden ergoss.

»Es tut mir leid, aber ich *musste* es tun«, sagte eine Stimme.

»*Mutter?*«

Das Aufblitzen des Lampenlichts fuhr durch das Zimmer. Blinzelnd wedelte ich mit der Hand, als ob ich das grelle Licht wegwischen könnte. Ihr Gesicht wirkte benommen. Sie hatte die Hand gehoben, als ob sie eine Schülerin wäre, die um Erlaubnis bat zu sprechen. Überall war Blut. Es war auf ihren Nylonbademantel getropft. Es lief in Windungen ihren Arm hinunter. Ergoss sich auf den Boden.

»Ich musste es tun«, sagte sie noch einmal, und dann wiederholte sie es, ich weiß nicht, wie viele Male – ein hysterisches Flüstern, das mich lähmte.

Einige Sekunden lang konnte ich mich nicht rühren, nicht sprechen, nicht zwinkern. Ich starrte wie hypnotisiert auf das Blut, das von ihrer Hand rann, das erstaunlich hell war, das sich aus kleinen, gemessenen Strahlen ergoss. Ich war stumpf vor Entsetzen – war in dem gnädigen Augenblick gefangen, der einer Panik vorangeht, bevor einen die Situation mit ihrem ganzen ungeheuren Gewicht erdrückt.

Aber selbst da sprang ich noch nicht wie eine Wahnsinnige aus dem Bett. Ich stand ganz langsam auf und ging auf sie zu, als wäre ich schwerelos, setzte einen Fuß vor den anderen, starr vor Schreck.

Der kleine Finger an ihrer rechten Hand fehlte.

Ich band ihren Unterarm mit einem Gürtel ab und machte eine Art Aderpresse. Ich legte sie auf den Boden und drückte ein Handtuch fest auf die klaffende Lücke, wo ihr kleiner Finger gesessen hatte, und mir wurde schlagartig bewusst, dass sie sterben könnte. Meine Mutter könnte auf dem Fußboden meines Kinderzimmers verbluten, unterhalb des Fensters, vor das ich früher meine Apfelschalen gehängt hatte.

Auf der Insel gab es keinen Notdienst, noch nicht einmal einen Arzt. Als sich das Handtuch rot färbte, holte ich ein neues. Mutter wurde still. Die Farbe wich aus ihrem Gesicht.

Als die Blutung endlich nachließ, wählte ich mit einer Hand Kats Nummer und drückte das Tuch mit der anderen fest auf die Wunde.

Kat kam mit Shem, der trotz seines Alters Mutter in seinen kräftigen Armen aus dem Haus in das Golfwägelchen trug. Ich ging neben ihnen her und behielt den Druck auf Mutters Hand bei. Auf dem Fährdock hob er sie noch einmal hoch und trug sie auf das Pontonboot. Er atmete schwer, aber die ganze Zeit über sprach er zu ihr: »Bleib bei uns, Nelle, bleib bei uns.«

Im Boot legte er sie auf die Passagiersitze. Und Mutter, die noch bei Bewusstsein war, aber doch schon von uns wegdriftete, starrte eine Weile an die Decke des Bootes, ehe sie schließlich die Augen schloss.

Kat und ich wechselten nicht ein Wort. Wir überquerten das unruhige Wasser, der Wind wehte wie Rauchschwaden um uns herum, und das Blut an Mutters Tuch trocknete und wurde zu einer starren, braunen Kruste.

Ein abnehmender Mond hing schwer über uns. Sein Licht, weich wie Mohair, schien um Mutters Kopf, und ich fragte mich, ob sie ein Fleischmesser benutzt hatte. Hatte es irgendwo in der Küche eins gegeben, und ich hatte es übersehen? Nachdem Kat gekommen war, hatte ich Mutters Finger gesucht, ich hatte gedacht, der Chirurg könnte ihn vielleicht wieder annähen. Ich hatte erwartet, ihn auf dem

Schneidebrett zu finden, wie ein Stück ungenießbaren Gemüses, aber ich hatte ihn nirgendwo entdecken können. Nur Blutlachen, überall.

Bei der Überfahrt über die Bucht war mir, als würden wir an einem Angelhaken aus der See gezogen und in die Wirklichkeit geschleudert. Dorthin zurück, wo einem wieder bewusst wird, dass es keine Abwehr gibt, kein Sturmzelt, keine Illusionen. Mutters unbändiger Drang, sich selbst zu verstümmeln, war die ganze Zeit über in ihr gewesen, hatte sie von innen aufgefressen wie ein Krebsgeschwür, und ich ... ich war anderweitig beschäftigt gewesen.

Bis zu diesem Abend hatte ich wirklich geglaubt, wir würden Fortschritte machen – drei Schritte vor, zwei Schritte zurück –, langsame und frustrierende, aber dennoch *Fortschritte*. Wir Menschen sind offenbar sehr gut darin, uns die Wirklichkeit so hinzubiegen, wie es uns passt. Ich hatte gesehen, was ich sehen wollte. Ich hatte die unverträglichsten, unverdaulichsten Stücke aus meinem Leben in etwas gewandelt, das halbwegs bekömmlich war. Ich hatte Mutters Verrücktheit zu etwas Normalem gemacht.

Wie kann ich in Worte fassen, wie niedergedrückt ich angesichts der Tiefe ihres Wahnsinns war? Angesichts meiner Untätigkeit und Ignoranz, angesichts meiner Schuld?

Ich drehte den Kopf und sah durch das Kunststofffenster des Bootes. Die Insel war von der Dunkelheit verschluckt worden. Das Wasser war unendlich, es glühte von unten heraus. Ich sah auf den kurzen Lichtstrahl, der aus dem Bug des Bootes kam, der wie eine Nadel in die Wellen hineinund wieder herausfuhr, und ich musste plötzlich an die Meeresgöttin denken, die Meerfrau Sedna, deren Legende Mutter in Dominikus' Büchern entdeckt hatte. Sie hatte zehn Finger verloren. *Zehn.*

Mit einem Mal wurde mir das ganze, entsetzliche Ausmaß deutlich.

Meine Mutter würde erst aufhören, nachdem sie sich je-
den einzelnen ihrer Finger von den Händen getrennt hatte.

Sie hatte Eudoria nachgeeifert, der Prostituierten, die zur Heiligen geworden war, indem sie sich einen Finger abgeschnitten und diesen eingepflanzt hatte, und dann, als das ihr keine Erleichterung verschafft hatte, war sie zu Sedna geworden, deren Finger sich in das Meeresgetier verwandelt hatten – in tanzende Delfine und Seehunde und singende Wale –, deren Finger das harmonische Ganze des Ozeans gebildet hatten. Zehn Finger von Sednas Opfer und Schmerz würden eine neue Welt erschaffen. Zehn. Am Tag, als Whit mir das Buch über Sedna gezeigt hatte, hatte ich auch die Passage über die Zahl Zehn gelesen, dieselben Worte, die auch Mutter gelesen haben musste: »Die Zehn galt als die heiligste aller Zahlen. Den Pythagoräern war sie die Zahl der Erneuerung und Erfüllung. Alles entsprang der Zehn.«

Wie hatte ich so blind sein können? Wie hatte ich übersehen können, dass Mutter eine einfache Geschichte, einen Mythos, eine Zahl, Dinge, die symbolisch gemeint waren, wörtlich genommen und zu etwas Gefährlichem verdreht hatte? Wie hatte ich ihre ständig verzweifelter werdenden Versuche ignorieren können, die Welt wieder so zu machen, wie sie gewesen war, bevor mein Vater gestorben war? Die singende Welt bei der See, in der wir alle einst gelebt hatten.

KAPITEL 30

Als Hugh den Parkplatz vor dem East Cooper Hospital überquerte, stand ich an einem Fenster im Wartebereich im dritten Stock, wo Kat und ich uns seit der Morgendämmerung niedergelassen hatten. Selbst von hier oben konnte ich sehen, dass sein Gesicht gebräunt war, und mir wurde sofort klar, dass er wieder im Garten gegraben hatte. Immer, wenn er mit einem Verlust konfrontiert wurde, holte Hugh die alte Handegge hervor, die seinem Vater gehört hatte, und reagierte sich mit körperlicher Arbeit ab, indem er große Bereiche des Gartens harkte. Meistens pflanzte er dabei noch nicht einmal etwas an, es schien ihm nur darum zu gehen, den Boden aufzureißen. Nachdem sein Vater gestorben war, hatte ich beobachtet, mit wie viel Kummer und Getriebenheit er im Garten geackert hatte, wie es ihn stoisch in die frühsommerliche Dunkelheit gedrängt hatte. Ich hatte es schließlich nicht länger ertragen können, ihm dabei zuzusehen. Er hatte den größten Teil der zwei Morgen Land, die zu unserem Grundstück gehörten, in einen nackten, bloßen Grund verwandelt, in den er frische Wunden geschlagen hatte. Einmal hatte ich sogar beobachtet, wie er eine Hand voll Erde aufgehoben und mit geschlossenen Augen daran gerochen hatte.

Ich hatte ihn um sechs Uhr morgens angerufen. Zu der Zeit hatte der Morgen zwar schon gegraut, aber die bedrohliche Dunkelheit und Stille, die während der ganzen Nacht über im Krankenhaus gehangen hatten, waren noch nicht verflogen. Als ich seine Nummer gewählt hatte, war ich völlig davon überwältigt gewesen, auf welch schauerliche und auch gründliche Weise Mutter Hand an sich gelegt hatte. Um der Wahrheit Genüge zu tun – ich fühlte mich geschlagen. Ich wusste, dass Hugh verstehen würde, wie ich empfand, er würde mein Gefühl bis in seine kleinsten Fasern kennen. Ich würde ihm nichts erklären müssen. Als ich dann seine Stimme gehört hatte, hatte ich angefangen zu weinen – es waren die Tränen, die ich auf der Fähre unterdrückt hatte.

»Ich muss sie einliefern lassen«, hatte ich gesagt und versucht, mich zu fassen. Der Notarzt, der Mutters Hand geflickt hatte, hatte mir das deutlich genug gemacht. »Ich schlage vor, *dieses Mal* ziehen Sie einen Psychiater zu Rate und bereiten die Papiere für ihre Einlieferung vor«, hatte der gesagt, zwar sehr freundlich, aber dennoch mit Betonung auf »*dieses Mal*«.

»Willst du, dass ich komme?«, hatte Hugh gefragt.

»Ich schaff' das nicht alleine«, hatte ich geantwortet. »Kat ist hier, aber, ja – bitte, kannst du kommen?«

Er war in Rekordzeit gekommen. Ich sah auf die Uhr an der Wand. Es war gerade kurz nach 13.00 Uhr.

Er trug ein Poloshirt, das terrakottafarbene, das ich so mochte, und Khakihosen, dazu seine Slipper mit den Quasten. Er sah gut aus, die gleiche attraktive, leuchtend warme Erscheinung wie immer, nur sein Haar war kürzer als je. Ich dagegen sah aus wie das Opfer einer Naturkatastrophe, das man auf den Fernsehbildschirmen während der Nachrichten herumirren sieht.

Mein Haar hätte dringend gewaschen, meine Zähne hätten geputzt werden müssen, meine Augen waren verschwollen und hatten dunkle Ränder. Ich trug noch immer die grauen Jogginghosen und das weiße T-Shirt, in denen ich geschlafen hatte. Ich hatte im Besuchszimmer Mutters Blut daraus reiben müssen. Am peinlichsten aber war mir – ich trug keine Schuhe. Wie um alles in der Welt hatte ich das Haus bloß ohne Schuhe verlassen können? Ich war auf der Fähre völlig fassungslos gewesen, als ich gemerkt hatte, dass ich barfuß war. Eine der Krankenschwestern hatte mir ein Paar billiger Frotteeschlappen gegeben, die das Krankenhaus für Notfälle bereithielt.

Am schlimmsten aber war das Warten auf eine Nachricht von den Ärzten gewesen, ob es Mutter gut ging – *körperlich,* muss ich wohl hinzufügen, denn inzwischen machten weder Kat noch ich uns große Illusionen, was ihren Geisteszustand anging. Wir hatten kurz zu ihr gedurft, als sie noch im Aufwachraum lag. Wir hatten uns am Bett festgehalten und in ihr Gesicht geblickt, das die Farbe von Hafermehl hatte. Ein blassgrüner Sauerstoffschlauch hatte unter ihrer Nase gegurgelt, und Blut, so zähflüssig wie Harz, war aus einer Tüte über ihrem Kopf in ihren Arm getropft. Ich hatte unter die Decke gegriffen und ihre gesunde Hand gedrückt. »Ich bin's, Mutter. Jessie.«

Nach mehreren Anläufen hatte sie schließlich die Augen aufbekommen und versucht, mich anzublicken, sie hatte ihren Mund auf- und zugemacht, ohne einen Ton hervorzubringen, hatte versucht, die Worte aus ihrem Innern zu schöpfen, ihrem Innern, das ich mir wie einen verseuchten Brunnen vorstellte.

»Wirf ihn nicht weg«, hatte sie gemurmelt, ihre Stimme war kaum wahrnehmbar gewesen.

Ich hatte mich über sie gebeugt. »Was meinst du denn? *Was* soll ich nicht wegwerfen?«

Eine Krankenschwester, die sich in der Nähe Notizen machte, hatte aufgeblickt. »Das hat sie schon die ganze Zeit über gesagt, seit sie wach geworden ist.«

Ich hatte mich zu ihr hinuntergebeugt und den üblen Geruch des Anästhetikums riechen können, der aus ihrem Mund kam. »*Was* soll ich nicht wegwerfen?«, hatte ich wiederholt.

»Meinen Finger«, hatte sie gesagt, und die Krankenschwester hatte aufgehört zu schreiben und mich angesehen, ihr Mund zu einem kleinen, spitzen Kreis geformt.

»Wo *ist* dein Finger?«, hatte ich gefragt. »Ich habe ihn schon gesucht.«

»In einer Schale, im Kühlschrank«, hatte sie gesagt, und ihre Augen hatten sich schon wieder geschlossen.

Ich hatte Mike um 10.00 Uhr morgens angerufen – 7.00 Uhr in Kalifornien. Als ich darauf gewartet hatte, dass er abhob, hatte ich mich wieder wie die kleine Schwester gefühlt, die ihn brauchte, die wollte, dass er kam und sich um alles kümmerte. Einmal waren wir als Kinder mit seinem Kahn auf eine Schlammbank aufgelaufen, und als wir versucht hatten, uns freizuschieben, war ich aus dem Boot gefallen und hatte bis zur Taille im Schlamm gestanden An einigen Stellen konnte man darin wie in Treibsand versinken, und ich hatte wie wild um mich geschlagen, als er mich herausgezogen hatte. Genau das hatte ich in dem Moment auch gebraucht. Mike, der mich aus all dem Schlamassel herausziehen würde.

Als er ans Telefon gegangen war, hatte ich ihm die ganze Geschichte erzählt, auch, dass ich Mutter einliefern lassen musste. Seine einzige Reaktion hatte darin bestanden, mir zu sagen, ich sollte ihn auf dem Laufenden halten. Nicht »Ich nehm' den nächsten Flieger«, so wie Hugh.

Ich hatte einen Moment lang das Gefühl gehabt, ich würde versinken. »Oh«, hatte ich hervorgebracht.

»Es tut mir leid, dass ich nicht da bin, um dir zu helfen, Jess. Ich komm', sobald ich kann, nur im Moment geht es nicht so gut.«

»Wann wird es denn gehen?«

»Eigentlich nie«, hatte er geantwortet. »Ich wünschte, ich wäre wie du, fähig, den ... Dingen ins Auge zu blicken. Du hast das immer besser verkraftet als ich.«

Wir hatten niemals über die Schublade gesprochen, in der wir als Kinder gewühlt und den Zeitungsartikel über den Tod unseres Vaters gefunden hatten, und über die seltsame, traurige Abwärtsspirale, die Mutters Leben genommen hatte, ihre zunehmende religiöse Besessenheit, deren verstörte Zeugen wir geworden waren. Wir wussten beide, dass er genauso von der Insel geflohen war wie ich, aber er war noch viel weiter geflohen, nicht nur in geografischer Hinsicht. Er hatte das Tischtuch durchgeschnitten.

»Ich habe seine Pfeife gefunden«, hatte ich unvermittelt gesagt. Ich war so wütend gewesen, dass er mich im Stich lassen wollte.

Er war still geworden. Ich hatte mir vorgestellt, wie die Neuigkeit wie eine Guillotine über seinem Kopf hing, die darauf wartete niederzusausen, so wie bei mir – die plötzliche, einschneidende Erkenntnis, dass ein ganz wesentlicher Teil der eigenen Vergangenheit nichts als eine Lüge war.

»Aber ...«, hatte er gesagt und war stecken geblieben, dann hatte er noch einmal angefangen. »Aber die hat doch das Feuer verursacht.«

»Ganz offensichtlich nicht.« Ich war plötzlich so erschöpft gewesen, bis in die winzigsten Furchen meines Körpers – bis in die Fingerspitzen, bis hinter meine Ohren, in meine Mundwinkel.

»Gott, das hört nie auf, oder?«

Er hatte so verzweifelt geklungen, dass sich mein Ärger langsam gelegt hatte. Ich hatte begriffen, er würde niemals zurückkommen und sich dem allen stellen. Er konnte es einfach nicht.

»Erinnerst du dich noch an Pater Dominikus?«, hatte ich

ihn gefragt. »Der Mönch, der immer diesen komischen Strohhut aufhatte?«

»Wie könnte ich den je vergessen?«

»Glaubst du, da hätte etwas zwischen ihm und Mutter sein können?«

Er hatte gelacht. »Das ist nicht dein Ernst! Du meinst, eine *Affäre?* Glaubst du, deshalb hat sie sich ihre Finger abgeschnitten? Um mit ihrem Fleisch dafür zu bezahlen?«

»Ich weiß es nicht, aber irgendwas ist zwischen den beiden.«

»Jess, nun *hör* aber auf.«

»Lach nicht, Mike. Das kann ich im Moment wirklich nicht vertragen.« Meine Stimme war lauter geworden. »Du bist nicht hier, du siehst nicht, was ich sehe. Glaub mir, in ihrem Leben gibt es noch viel ungeheuerlichere Dinge als *das.*«

»Du hast Recht, entschuldige«, hatte er gesagt und einen Seufzer ausgestoßen. »Ich hab' sie nur ein einziges Mal zusammen gesehen. Ich war rüber zum Kloster gegangen, um Mutter zu fragen, ob ich mit Shem raus dürfte, auf den Trawler – ich war damals fünfzehn, glaub' ich –, und sie war in der Küche mit Pater Dominikus, und sie haben sich gestritten.«

»Worüber denn, erinnerst du dich daran?«

»Es drehte sich um den Stuhl der Meerjungfrau. Pater Dominikus hat versucht, sie zu überreden, sich hineinzusetzen, und sie ist fuchsteufelswild geworden. Er hat zweimal zu ihr gesagt: ›Du musst endlich deinen Frieden damit machen.‹ Es hat überhaupt keinen Sinn für mich ergeben. Aber ich habe lange darüber nachgedacht. Ich kann dir nur sagen, falls die beiden jemals eine Affäre gehabt haben, was ich mir im Ernst nicht vorstellen kann, dann sind sie zu dem Zeitpunkt nicht besonders freundlich miteinander umgegangen.«

Als wir aufgelegt hatten, war ich noch verwirrter gewesen als vorher, aber wenigstens wusste er Bescheid. Und auch ich wusste Bescheid – wusste jetzt, dass ein Teil von ihm für mich für immer verloren war. Ich hatte mich dennoch getröstet gefühlt, dass es zumindest noch das Band zwischen uns gab, das uns früher zusammengehalten hatte – und es stammte nicht aus der unbeschwerten Zeit, als wir vor Vaters Tod als Kinder gemeinsam die Insel erobert hatten, sondern aus der Zeit danach, aus dem gemeinsamen Kampf ums Überleben. Aus dem Kampf, Mutter zu überleben.

Hugh näherte sich dem Eingang des Hospitals. Ich sah, wie er einen Moment lang auf dem Bürgersteig stehen blieb und nach unten schaute, so als ob er die feinen Risse betrachten würde, die sich wie ein Spinnennetz über den Zement zogen. Er schien sich auf etwas vorzubereiten. Auf mich, ganz offensichtlich. Es war ein Moment so intimer Verletzlichkeit, dass ich beschämt vom Fenster zurückwich.

Ich warf Kat einen Blick zu, die am anderen Ende des Wartezimmers saß und sich den Nasenrücken rieb. Mutters Verhalten schien eine ernüchternde Wirkung auf sie gehabt zu haben, ich hatte sie noch niemals so ruhig gesehen. Vorhin, als wir im Aufwachraum an Mutters Bett gestanden hatten, hatte ich gesehen, wie Kat ihre Augen geschlossen und beide Fäuste geballt hatte, als ob sie sich etwas schwören wollte, zumindest hatte ich es so interpretiert.

»Er ist da«, sagte ich zu ihr und versuchte, möglichst normal zu klingen. Ich hatte ein unruhiges Flattern im Magen.

Es würde das erste Mal sein, dass ich Hugh sehen würde, nachdem ich Whit geliebt hatte. Ich hatte das aberwitzige Gefühl, dass diese Tatsache auf mir angeschlagen stand, dass Hugh alles auf mir würde lesen können, kleine, scharlachrote Buchstaben, die hervorgeschossen waren wie Sommersprossen in der Sonne. Als ich in der vergangenen Nacht die Bucht überquert hatte und aus meinem imaginären Sturmzelt vertrieben worden war, als ich mir mit einem Mal ganz deutlich meiner Neigung bewusst geworden war, die Dinge so zu drehen, wie sie mir passten, hatte sich meine Erschütterung auf Mutter beschränkt. Aber als ich Hugh sah, war es, als würde ich erst jetzt das ganze Ausmaß meiner Selbsttäuschung erfassen, es war, als würde eine Karte vor mir liegen, auf der die Schockwellen eines Erdbebens eingezeichnet waren, und in dessen Epizentrum lag ich. Der Ort, an dem das Herz und seine Begierden alles andere auslöschen: das Gewissen, den Willen, das empfindliche Gefüge zweier Lebensgeschichten.

Der Schmerz in meinem Magen war ein Knoten aus Schuld. Hugh hatte sein Leben auf mich gewettet und verloren. Aber in meine Gefühle mischte sich auch Trotz. Was ich gefühlt hatte, was ich getan hatte – es war nicht nur aus einem erotischen Drang heraus geschehen, der zu lange unterdrückt gewesen war, es waren nicht nur Lust und Libido und überaktive Sexualorgane gewesen. Das würde dem Ganzen nicht gerecht. Das Herz war doch schließlich auch ein Organ! Ich hatte mein Herz ja lange genug abgewiesen. Eine kleine Gefühlsfabrik, die ich einfach stillgelegt hatte. Natürlich hatte sich das gerächt. Denn die Gefühle, die sich jetzt durchgesetzt hatten, hatten eine ungeheure Kraft und Macht und sogar die Zustimmung der Seele. Ich hatte gespürt, wie meine Seele die Hand erhoben hatte, um das, was mit mir geschehen war, abzusegnen.

»Hast du einen Kamm dabei?«, fragte ich Kat. »Und einen Lippenstift?« Meine Handtasche hatte ich natürlich auch nicht mitgenommen.

Sie reichte mir einen Lippenstift und eine kleine Bürste und zog die Augenbrauen hoch.

»Ich sehe beschissen aus«, sagte ich zu ihr. »Ich will nicht, dass er meint, ich würde ohne ihn glatt vor die Hunde gehen.«

»Na, da wünsche ich dir viel Glück«, sagte sie, aber sie lächelte mich an.

Als er ins Wartezimmer kam, sah er mich an, dann sah er weg. Ich musste plötzlich an Whit denken und fühlte, wie sich mir der Magen umdrehte, ich musste atmen, auf die Insel im Marschland paddeln, eine Million Meilen von der Welt entfernt in das kühle, dunkle Wasser eintauchen.

Wir alle hatten Mühe, sogar Kat, durch die Begrüßung, durch das »Wie-geht's-dir-denn-so« zu stolpern. Einerseits *wollte* ich gar nicht wissen, wie es ihm ergangen war, weil ich Angst hatte, meine Knie könnten nachgeben. Aber andererseits dachte ich, es wäre ja wohl das Geringste, was ich verdient hätte. Mir von ihm haarklein schildern zu lassen, wie sehr er gelitten hatte.

Etwa drei oder vier Minuten lang versuchten Hugh und ich, unseren emotionalen Thermostat einzustellen. Wir drehten ihn rauf und runter, gingen zu freundlich, dann wieder zu reserviert miteinander um. Erst als das Gespräch auf Mutter kam, entspannten wir uns, obwohl oder weil dieses Thema so entsetzlich war.

Wir saßen in gepolsterten Holzstühlen um einen Tisch mit alten Zeitschriften herum, von denen einige noch aus dem Jahr 1982 stammten. Ich wusste jetzt alles über Sandra Day O'Connors Berufung an das Oberste Gericht bis hin zu Michael Jacksons Silberhandschuh.

Hugh trug ein dünnes Armband an seinem Handgelenk, das aussah, als wäre es aus Stickfäden geflochten – blauen, hellbraunen und schwarzen –, was ich völlig entgeistert zur Kenntnis nahm. Hugh hasste jegliche Art von Schmuck, außer seinem Ehering. Den er, wie ich bemerkte, noch an seiner linken Hand trug.

Er spürte, dass ich auf das Armband blickte. »Das ist von Dee«, sagte er. »Sie hat es selbst gemacht. Sie sagt, es sei ein Freundschaftsband.« Er hob seinen Arm mit beschämter

Freude und zuckte mit den Achseln bei der merkwürdigen Vorstellung, dass seine Tochter damit ihre Freundschaft besiegeln wollte. »Ich habe strikten Befehl, es anzulassen. Sie hat gesagt, es würde schreckliche Folgen haben, falls ...«

Er brach mitten im Satz ab und ließ seinen Arm sinken. Es war absurd, sich über schreckliche Folgen Gedanken zu machen, wo sie ja wohl bereits eingetreten waren.

Was er nicht wusste, war, dass Dee ein solches Armband auch für ihre Freundin Heather Morgan gemacht hatte, als diese von ihrem Freund verlassen worden war. Zum Trost. Es war ein Akt der Solidarität zwischen Freundinnen gewesen. Dee hätte niemals so ein Armband für Hugh gemacht, es sei denn, sie wusste Bescheid. Hatte er ihr etwas erzählt?

»Das ist aber lieb von ihr«, sagte ich. »Was war denn der Anlass?«

Er sah unbehaglich aus. »Der zehnte April.«

Sein Geburtstag, und ich hatte ihn vergessen. Aber selbst, wenn ich daran gedacht hätte, ich bezweifelte, dass ich ihn angerufen hätte. Angesichts der jüngsten Ereignisse. »Herzlichen Glückwunsch nachträglich«, sagte ich in seine Richtung.

»Ich habe dieses Jahr unser Hauskabarett vermisst«, sagte er. »Na ja, vielleicht nächstes Jahr wieder.«

Er blickte mich unverwandt und mit Nachdruck an. In seinen Augen stand die Frage *»Nächstes Jahr?«* geschrieben.

»Hauskabarett?«, sagte Kat. »Das klingt ja spannend.«

»Wir müssen über Mutter sprechen«, sagte ich mit offensichtlicher Beklommenheit, es war ein so durchsichtiges Ablenkungsmanöver, dass Hugh lächeln musste.

Ich sah auf die Einlieferungsformulare, die auf dem leeren Stuhl neben mir lagen.

Hugh beugte sich vor und nahm die Papiere in die Hand. Er trug kleine Pflaster an den Innenseiten der Daumen.

Gartenblasen. Der Beweis dafür, dass er wieder die Egge hervorgeholt hatte. Ich beobachtete, wie er durch das Formular blätterte, und starrte auf seine Hände. Einen seltsamen Augenblick lang schien es mir, als könnte ich meine ganze Ehe an ihnen ablesen. In den kleinen Haarbüscheln neben seinen Handgelenken, in den Linien seiner Hand, in seinen Fingern, die so viele Erinnerungen an die Berührungen meiner Haut bargen. Das Geheimnis dessen, was Menschen zusammenhielt, lag in ihnen.

»Gut«, sagte er und ließ die Papiere auf seinen Schoß sinken, »dann lass uns über deine Mutter reden.«

Ich fing ganz von vorne an. »Am Abend, als ich angekommen bin, hab' ich Mutter dabei erwischt, wie sie ihren Finger neben der Statue der St. Senara begraben wollte – das hab' ich dir ja damals erzählt.«

Hugh nickte.

»Ich hab' sie gefragt, warum sie sich einen Finger abgeschnitten hat, und sie hat angefangen zu sprechen – das ist ihr wohl einfach so rausgerutscht, aber sie hat Vater und auch Pater Dominikus erwähnt, und dann, als ihr aufgegangen ist, was sie da gesagt hat, hat sie den Mund gehalten. Sie hat keinen Ton mehr gesagt. Aber Dominikus ist ganz offensichtlich irgendwie darin verwickelt.« Ich sah zu Kat hinüber. »Kat ist da natürlich anderer Meinung.«

Sie verteidigte sich nicht, aber ich hatte das gerade vor allem deshalb gesagt, weil ich sehen wollte, wie sie reagierte. Sie sah mich nur an und rutschte nervös auf ihrem Stuhl hin und her.

»Hast du mit Pater Dominikus darüber gesprochen?«, fragte Hugh.

»Ja, und er hat mir geraten, die Dinge ruhen zu lassen.«

Hugh lehnte sich nach vorne und klemmte seine Hände zwischen die Knie. »Gut, lassen wir Dominikus mal außen vor. Warum glaubst *du*, hat sie sich ihre Finger abgeschnitten? Du bist ja jetzt zwei Monate lang bei ihr gewesen. Was sagt dein Bauchgefühl?«

Mein Bauchgefühl? Ich war erst einmal sprachlos. Hugh fragte *mich*, was mein Bauchgefühl sagte, und dazu noch bei einem Feld, worin er Experte war. Sonst hatte er mir immer sehr brüsk seine fachliche Meinung kundgetan – direkt aus dem DSM III, dem Handbuch für Diagnose und Statistik – und hatte das, was ich fühlte, immer weit von sich gewiesen.

»Ich habe das Gefühl, es reicht weit zurück in die Vergangenheit, und es hat mit etwas zu tun, für das sie sich verantwortlich fühlt«, sagte ich, ich wählte meine Worte sehr sorgfältig, ich wollte es unbedingt richtig ausdrücken. »Es hat mit meinem Vater zu tun, und es ist so fürchterlich, dass es sie wahnsinnig macht, und zwar wortwörtlich. Ich bin davon überzeugt, dass ihr aberwitziger Zwang, an sich selbst herumzuschnippeln, eine Art Buße ist. Sie versucht, etwas zu sühnen.«

Ich erinnere mich, dass Kat in dem Moment weggesehen und mit dem Kopf geschüttelt hatte, als könnte sie nicht glauben, was sie gerade gehört hatte.

Ich war wild entschlossen, sie, ebenso wie Hugh, zu überzeugen. Ich zitierte die Stelle aus der Bibel, an der von der Hand, die zur Sünde reizt, die Rede ist, davon, dass es besser sei, sie abzuschlagen, als mit dem ganzen Leib in die Hölle zu fahren. »Hast du irgendeine Vorstellung davon, welche Sünde Nelle auszulöschen versucht?«, fragte Hugh.

Kat rieb sich die Stirn, bis ihre Haut ganz rot wurde. Ihre Augen waren weit aufgerissen und in ihrem Blick lag, ja, in ihrem Blick lag eindeutig Angst.

Ich wollte gerade sagen, dass mir mehrmals durch den Kopf gegangen war, dass Muter möglicherweise eine Affäre mit Pater Dominikus gehabt haben könnte, aber ich konnte mich gerade noch zügeln. Das konnte ich ja wohl unmöglich sagen. Das lag zu dicht bei meiner eigenen Wahrheit. Und überhaupt, was für einen Beweis hätte ich dafür vorbringen können? Dass Dominikus meine Mutter gefragt hatte, ob sie ihnen jemals verzeihen würde? Dass er einen so ganz und gar unklösterlichen und unkeuschen Text für sein kleines Büchlein verfasst hatte, in dem er andeutete, dass die sinnliche Liebe ebenso spirituell sei wie die göttliche? Dass die Heilige Eudoria, der Mutter nachzueifern schien, eine Prostituierte gewesen war?

Ich zuckte mit den Achseln. »Ich weiß es nicht. Es geht wohl auch nur zum Teil um Buße. Ich bin der Meinung, sie glaubt, dass sie durch ihre Handlungen so etwas wie eine Erlösung bewirken kann.«

»Was meinst du mit ›Erlösung‹?«, fragte Kat.

Ich erzählte ihnen von den beiden Büchern, die Mutter aus der Klosterbibliothek geholt hatte.

Während ich redete, schaute ich immer wieder zu Hugh, um zu sehen, ob er das, was ich sagte, für ein Meer an ausgemachtem Unsinn hielt, oder ob er es ein klein wenig ernst nahm. Ich wollte eigentlich nicht, dass mir seine Meinung etwas bedeutete, aber es war so. Ich wollte, dass er sagte, *Ja, ja, du hast die Wahrheit erkannt. Siehst du, all das hast du für deine Mutter getan.*

»Was ich mit Erlösung meine?«, sagte ich. »Nun, ich glaube, dass sie sich ihre Finger abtrennt, weil sie etwas wachsen lassen will, weil sie eine neue Welt erschaffen will, sich auf eine neue Weise erinnern will. Sie muss sich von etwas lösen, um er-löst zu werden.«

Lösen und Er-lösen – der Gedanke war mir gerade erst in diesem Moment gekommen.

»Interessant«, sagte Hugh, und als ich meine Augen verdrehte, weil ich glaubte, er hätte meinen Gedanken verworfen, schüttelte er den Kopf. »Nein, es *ist* interessant, sehr sogar.«

Er sah mich mit einem traurigen, resignierten Lächeln an. »Das hab' ich früher immer gesagt, um dich zum Schweigen zu bringen, oder?«

Kat stand auf und ging auf die andere Seite des Wartezimmers, wo sie grundlos in ihrer Handtasche herumkramte.

»Wir haben beide unseren Teil beigetragen«, sagte ich.

»Es tut mir leid«, sagte er.

Ich wusste nicht, was ich sagen sollte. Er wollte, dass ich meine Hand nach ihm ausstreckte, dass ich sagen würde: *Ja, nächstes Jahr veranstalten wir wieder unser Hauskabarett ... Ich habe einen riesigen Fehler gemacht. Ich will wieder nach Hause.* Aber ich konnte nicht.

Ich hatte unser gemeinsames Leben immer für selbstverständlich gehalten. Es war etwas, in dem ich war, ohne weiter darüber nachzudenken. Es war wie der Lauf der Sonne – sie geht auf, sie geht unter, sie war ewig und unveränderlich am Himmel. Wie die Gestirne der Milchstraße. Wer hinterfragt schon diese Dinge? Sie sind einfach da. Ich war immer davon überzeugt gewesen, wir würden nebeneinander begraben werden. Seite an Seite, auf einem kleinen Friedhof in Atlanta. Oder dass unsere Überreste in zwei gleichen Urnen in Dees Haus stehen würden, bis sie dann eines Tages bereit wäre, unsere Asche zu verstreuen. Ich hatte mir sogar einmal ausgemalt, wie sie mit den Urnen nach Egret Island kommen und unseren Staub über Bone Yard Beach verteilen würde. Ich hatte mir vorgestellt, wie der Wind unsere Partikel durcheinander wehen würde – Hugh und ich fliegen in einem einzigen Wirbel in den Himmel und kehren gemeinsam zur Erde zurück. Und Dee geht fort, mit winzigen Aschekörnchen in ihren Haaren. Was war das für eine geheimnisvolle und beständige Kraft gewesen, die mir so lange dieses Gefühl von Sicherheit gegeben hatte? Wo war sie hin?

Ich sah auf seine Hände. Das Schweigen war entsetzlich. Er durchbrach es zuerst.

»Wenn du damit Recht hast, Jessie, und das ist gut möglich, dann liegt der Schlüssel in ihrer Erinnerung, dann muss sie sich die Vergangenheit auf eine Weise zurückrufen, die es ihr erlaubt, sich dem Geschehenen zu stellen. Das kann sehr heilsam sein.«

Er hatte die Einlieferungsformulare wieder auf den leeren Stuhl gelegt. »Wirst du unterzeichnen?«

Als ich meinen Namen kritzelte, hielt Kat ihren Kopf in den Händen und sah mich nicht an.

Hugh kam am Abend mit mir zurück nach Egret Island. Er stellte seinen Koffer in Mikes altes Kinderzimmer, während ich direkt ins Badezimmer ging und die Wanne mit dampfend heißem Wasser füllte. Kat hatte darauf bestanden, die Nacht über im Krankenhaus zu bleiben, und hatte mich nach Hause geschickt. Morgen würde Mutter in die psychiatrische Abteilung des Universitätskrankenhauses von Charleston verlegt werden, und Hugh hatte versprochen, mit mir zu kommen und mit dem zuständigen Psychiater zu reden. Ich war ihm dafür dankbar.

Ich glitt tief ins Wasser und lag ganz still, so regungslos, dass ich mein Herz unter Wasser schlagen hören konnte. Ich hielt den Atem an und musste an die Filme über den Zweiten Weltkrieg denken, in denen sich ein U-Boot am Meeresgrund versteckt, alle Maschinen auf Stopp, bis auf das *Ping ping* des Sonargeräts. Alle halten den Atem an und warten und hoffen, dass die Japaner sie nicht entdecken. So fühlte ich mich. Als ob mich mein Herzschlag verraten würde.

Vielleicht nächstes Jahr, hatte Hugh gesagt. Die Worte brannten in meinem Herzen.

Unser Hauskabarett – das »Psychiatrische Kabarett«, wie

wir es zum Spaß nannten – war für Hugh die Krönung seines Geburtstags. Ich glaube, in gewisser Weise war es für ihn sogar der Höhepunkt des Jahres.

Ich hatte einmal zufällig gehört, wie Dee versucht hatte, ihrer Freundin Heather zu erklären, was unser Hauskabarett ist: »Also, Mom und ich ziehen für Dad eine Schau ab. Wir denken uns ein Lied über seine Arbeit aus, über einen Mann, der hypnotisiert worden ist und nicht mehr aufwacht, oder über jemanden, der einen Ödipuskomplex hat, so was halt.«

Heather hatte die Nase gerümpft. »Ihr seid eine komische Familie.«

»Ich *weiß*«, hatte Dee gesagt, als wäre das ein großes Kompliment. Ich tauchte langsam wieder auf, lag aber immer noch so tief unter Wasser, dass es mir gerade bis an die Nasenlöcher reichte. Mir war sehr unbehaglich bei dem Gedanken, dass Dee, obwohl sie nun auf dem College war, sicher an das Kabarett gedacht, es mir gegenüber aber nicht erwähnt hatte. Die Gründe dafür wollte ich mir lieber gar nicht erst ausmalen. Hugh hatte ihr von unseren Problemen erzählt, da war ich mir sicher. Und sie hatte nichts zu mir gesagt.

Es war Dee gewesen, die das Kabarett ins Leben gerufen hatte, obwohl ich sie gewissermaßen dazu inspiriert hatte. Es hatte alles damit begonnen, dass ich mir die Haare bei einem neuen Friseur hatte schneiden lassen. Am Eingang hatte eine Schale mit Godiva-Pralinen gestanden, und ich hatte dort gewartet und mit meiner Uhr herumgespielt, einer billigen Timex mit einem elastischen Armband. Das machte ich manchmal, ich schob sie an meinem Arm auf und ab, so wie andere an ihren Haaren zwirbeln oder mit Stiften auf den Schreibtisch klopfen. Als ich gehen wollte, hatte ich mir eine Praline genommen – und da war sie gewesen: Meine Uhr hatte in der Pralinenschale gelegen.

»Ist das nicht seltsam?«, hatte ich abends beim Essen gesagt, als ich Hugh und Dee davon erzählte, ich hatte sie mit dieser Episode einfach nur unterhalten wollen, aber Hugh war natürlich gleich hellhörig geworden.

»Die klassische Freudsche Fehlleistung«, hatte er kommentiert.

»Was ist das?«, hatte Dee gefragt, sie war damals erst dreizehn.

»Das ist, wenn man etwas aus Versehen sagt oder tut«, hatte ihr Hugh erklärt. »Etwas, das eine tiefere Bedeutung hat, die man aber eigentlich nicht preisgeben wollte.«

Er hatte sich vorgebeugt, und ich hatte ihn kommen sehen – den unvermeidlichen Freudsche-Fehlleistungs-Witz: »Zwei Psychoanalytiker unterhalten sich. Sagt der eine: Neulich waren wir bei meiner Mutter zum Essen eingeladen, und da ist mir ein ziemlich heftiger Freudscher Versprecher unterlaufen. Ich wollte sagen: ›Gib mir bitte mal das Salz, Mama!‹ Stattdessen ist mir rausgerutscht: ›Du blöde Kuh hast mir mein ganzes Leben versaut!‹«

»Das ist aber merkwürdig«, hatte Dee gesagt. »Und was bedeutet es, dass Mom ihre Uhr abgemacht hat?«

Er hatte mich angesehen, und in dem Augenblick hatte ich mich wie eine Laborratte gefühlt. Er hatte mit der Gabel in meine Richtung gezeigt und gesagt: »Sie wollte sich von den Zwängen der Zeit befreien, das ist ein klassisches Symptom für die Angst vor dem Tod.«

»Oh, *bitte*«, hatte ich gesagt.

»Wisst ihr, was ich glaube?«, hatte Dee gefragt, und Hugh und ich hatten uns in der Erwartung einer ganz besonders altklugen Antwort aufgesetzt. »Ich glaube, Mom hat einfach, also sie hat einfach ihre Uhr in der Pralinenschale verloren.«

Dee und ich waren in ein verschwörerisches Gelächter ausgebrochen.

Damit hatte es angefangen. Angst vor dem Tod war zu AVDT geworden, und wir hatten ihn gnadenlos damit aufgezogen. In dem Jahr hatte Dee dann ein albernes Lied über AVDT geschrieben und mich dazu verdonnert, es mit ihr zur Melodie von *Pop Goes the Weasel* zu singen, und so hatte das Psychiatrische Kabarett seinen Anfang genommen. Hugh liebte es ganz außerordentlich.

Jedes Jahr versuchte er von Neuem mit List und Tücke, schon im März das Thema aus uns herauszulocken. Im vergangenen Jahr hatte Dee einen Text zu einer Melodie geschrieben, die sie selbst komponiert hatte. Das Stück hieß: *Penisneid: Das Musical.*

Lieber Dr. Freud,
wir sind heute hoch erfreut,
zu erklärn für Lug und Trug
Ihren Penisneidbetrug.
Glauben Sie, wir meinen,
das Glück läg' zwischen Ihren Deinen?
Dass unser Herz verlange
nach Ihrem männlichen Behange?
Ein Penis – Sie belieben wohl zu scherzen,
Keine Frau würd' das verschmerzen!
Unter uns gesagt –
So toll ist ein Penis nicht.
Ich sage es ganz unverfroren,
Hat Dr. Freud ein Kind geboren?
Es ist wohl davon auszugehn,
Dass Sie nach einem Uterus sich sehn'n.

Wir hatten unser Stück im Wohnzimmer aufgeführt, uns Sofakissen unter unsere T-Shirts gestopft und zu einer Choreographie getanzt, die auch die Supremes nicht besser hinbekommen hätten. Hugh hatte noch eine Stunde später gelacht. Damals hatte ich das Gefühl gehabt, dass der Kitt zwischen uns so stark wäre, dass nichts uns trennen könnte.

Ich rieb mir mit einem Stück Seife über die Arme und sah dabei auf die rosa Kacheln an der Wand. Mike hatte es gehasst, sich mit mir das »Mädchenbadezimmer« teilen zu müssen. Die rosa Organzavorhänge hingen noch immer vor dem kleinen Fenster, aber mittlerweile waren sie so verschossen, dass sie fast orangefarben wirkten. Ich wusch mir die Haare, schrubbte mich ab.

Ich hatte, als ich die Einlieferungspapiere unterzeichnet hatte, auch das Datum angeben müssen. Es war der 17. April. Unser Jahrestag. *Im ersten Jahr feiern wir unseren Jahrestag jeden Monat,* hatte ich zu Whit gesagt.

Ich wünschte, ich könnte ihn anrufen. Ich wusste, dass er heute in der Kolonie gewesen war, obwohl Sonntag war. Ich malte mir aus, wie er am Pier angekommen, das rote Kanu entdeckt und nach mir Ausschau gehalten hatte. Ich fragte mich, ob er wohl eine Weile auf mich gewartet hatte, bevor er hinausgefahren war, ob er sich ans Ufer gesetzt und auf das leise Geräusch meines Paddels gelauscht hatte, dort, wo er mir die Füße gewaschen hatte. Vielleicht hatte sich ja zur Stunde der Vesper, bevor die Ordensregel ihnen allen das nächtliche Schweigen auferlegte, die Neuigkeit mit Nelle schon über die Insel verbreitet und war auch über die Ziegelmauer des Klosters gedrungen. Vielleicht wusste er ja, warum ich nicht zu ihm kommen konnte.

Ich hörte, wie Hugh im Korridor hin und her schritt. Als es still wurde, stand er offensichtlich direkt vor der Tür. Ich sah hin, um mich zu vergewissern, dass ich abgeschlossen hatte, aber Hugh würde ohnehin nicht hereinkommen, ohne anzuklopfen. Der Riegel, ein altmodischer Haken, hing lose herab. Ich wartete. Hielt den Atem an. *Ping, ping, ping.* Schließlich ging er weg.

Ich kam in Mutters blauem Morgenmantel aus dem Badezimmer. Ich hatte mir das nasse Haar nach hinten gekämmt, es lag wie eine Emailleschicht an meinem Kopf an. In dem Moment, als die kalte Luft mein Gesicht traf, fiel es mir ein. Ich hatte meine Leinwände in Mikes Zimmer ausgebreitet, auf dem Bett, der Kommode und auf dem Fußboden. Ich bewahrte sie dort auf, aber manchmal ging ich auch in das Zimmer, um mir meine Gemälde erneut anzusehen. Mir war dann, als stünde ich in einer Bildergalerie in meinem Innern und betrachtete deren tiefe und dunkle Wunderwerke. Meine dreizehn Tauchenden mit ihren wilden, sinnlichen Körpern. Die großartigen Akte.

Ich stellte mir vor, wie Hugh sie betrachtete, wie er sich all die Gegenstände ansah, die zurück an die Oberfläche trieben, die sie aus ihrem Leben entsorgt hatten: die Pfannenwender, die Apfelschalen, die Eheringe, die Gänse ... oh mein Gott, die küssenden Gänse. *Unsere* küssenden Gänse.

Als ich wie angewurzelt im Flur stehen blieb, schoss mir durch den Kopf, dass selbst die Buntstiftzeichnung, die ich damals im Februar gemacht hatte, in dem Zimmer war, die Zeichnung, die ich monatelang hinter dem Bild des Leuchtturms über dem Kaminsims verborgen hatte. Er würde mein verzücktes Paar sehen, das sich umschlang, umrankt von den langen Haaren der Frau. Wenn ich manchmal das Bild betrachtete, sah ich nur ihr Haar, und dann musste ich daran denken, wie Dee mich damit aufgezogen hatte, dass mein Atelier Rapunzels Turm wäre, und wie sie mich gefragt hatte, wann ich denn endlich mein Haar herunterlassen würde.

Hugh hatte dazu immer ein Gesicht gezogen. Er hatte mich vor Dee in Schutz genommen, manchmal sogar ziemlich schnippisch. »Deine Mutter ist nicht in einen Turm eingesperrt, Dee«, hatte er gesagt. »Also hör auf damit.« Vielleicht hatte er ja geglaubt, sie wollte ihm damit etwas sagen, oder vielleicht hatte er auch tief in seinem Innern gewusst, dass es doch so war, und das hatte ihm Angst gemacht. Niemand von uns hatte jemals das Ende des Märchens erwähnt – als Rapunzel schließlich ihre Haare herabgelassen hatte und mit dem Prinzen geflohen war.

Hugh Sullivan war der scharfsinnigste Mann der Welt. In meiner Brust machte sich ein schmerzhafter Druck breit. Ich ging zu Mikes Zimmer und blieb vor der Tür stehen. Im Innern war es düster, nur eine kleine Tischlampe mit einer schwachen Birne erleuchtete den Raum.

Hugh starrte auf mein Unterwasserpaar – *Die Liebenden in der blauen See*, so hatte ich sie genannt, nach Chagalls *Die Liebenden vor rotem Himmel*. Er hatte mir den Rücken zugewandt. Seine Hände steckten in den Hosentaschen. Er drehte sich um, und in dem Moment schied er diese Nacht von allen anderen Nächten. Er ließ seine verschatteten und ungläubigen Augen langsam über mein Gesicht wandern, und ich konnte fühlen, wie sich die Luft um uns herum mit der Entsetzlichkeit dessen auflud, das nun über uns hereinbrechen würde.

»Wer ist es?«, fragte er.

KAPITEL 31

Whit

Er saß im Musikzimmer und schaute auf den Fernseher, der auf einem ausgerechnet mit einem alten Altartuch bedeckten Tisch stand. Er sah sich auf TBS die erste Spielhälfte zweier aufeinander folgender Baseballspiele der Atlanta Braves an. Whit nahm einen Stift und zeichnete ein kleines K in die Tabelle, auf der letzten Seite seines Tagebuchs.

Mit Baseball konnte er sich vollkommen ablenken. Es funktionierte besser als Meditieren. Er konnte nie länger als zwei Minuten meditieren, ohne dass ihm ein Gedanke nach dem anderen durch den Kopf jagte oder er sich so komisch vorkam, dass das ganze Vorhaben sinnlos wurde. In einem Baseballspiel aber konnte er vollkommen aufgehen. Er verlor sich in der Spannung des Spiels, der Strategie, den Verzwicktheiten des Punktesystems – in all den Diagrammen, Symbolen und Zahlen. Er hätte niemals Pater Sebastian oder einem der anderen erklären können, warum ihm das Spiel eine solche Zuflucht bot. Aber als er dort saß, fühlte er sich befreit. Vom Kloster. Von sich selbst.

Vor der Vesper hatte der Abt von Nelles jüngster »Tragödie« berichtet, wie er ihre Amputationen nun vornehm umschrieb, und hatte die Mönche gebeten, für Nelle, ihre geschätzte Köchin und Freundin, zu beten. Whit hatte im Chor gestanden und stoisch geradeaus geblickt, er war sich der Tatsache bewusst gewesen, dass sich Dominikus zu ihm umgedreht hatte. Er hatte in dem Moment daran denken müssen, wie er den ganzen Nachmittag in der Kolonie damit verbracht hatte, vergeblich auf Jessie zu warten, und als er dann zurückgekommen war, war er auf Dominikus getroffen, der rastlos auf der Veranda ihres Cottages hin und her gegangen war. Er hatte Whit die Neuigkeit überbracht, und auch die von Jessies Ehemann, der aus Atlanta gekommen war, um ihr beizustehen. Er hatte ihm diese Einzelheit mit besorgtem Nachdruck berichtet.

Whit hatte nicht die Geistesgegenwart besessen, Dominikus zu fragen, woher er das eigentlich alles wusste, erst später hatte er herausgefunden, dass Hepzibah Postell, die Gullah-Frau, zum Kloster gekommen war und Dominikus alles erzählt hatte. Warum aber war Hepzibah damit ausgerechnet zu Dominikus gekommen?

Während der Vesper hatte sich Whit nur danach gesehnt, hierher zu kommen, den Fernseher einzuschalten und beim Baseball alles zu vergessen. Er war wie ein Rennpferd aus seinem Chorstuhl gestürzt, damit er hier sein konnte, bevor die anderen Mönche herbeischwärmten, um ihre Gemeinschaftszeit vor dem Fernseher zu verbringen.

Es wurden grundsätzlich die Abendnachrichten angesehen. Und die waren meistens darauf beschränkt, dass Reagans jüngste Einschnitte ins soziale Netz verkündet wurden. Als Whit zum letzten Mal in diesem Zimmer gewesen war, war ein Programm gelaufen, indem es um Kleider- und Stilfragen gegangen war und Designeranzüge von Perry Ellis und Calvin Klein präsentiert worden waren – die Mönche hatten wie gebannt vor dem Fernseher gesessen und mit solch entrückter Aufmerksamkeit zugesehen, dass er am liebsten aufgesprungen wäre und gerufen hätte: *Aber ihr tragt doch den Habit!* An den Wochenenden legte Bruder Fabian häufig eine der alten, zerkratzten Langspielplatten des Klosters auf, meistens Wagners *Ring des Nibelungen*.

Er drehte so weit auf, dass die Luft von den Bässen vibrierte.

Als die Mönche an diesem Abend in den Gemeinschaftsraum gekommen waren und feststellen mussten, dass Whit schon das Fernsehprogramm bestimmt hatte und die Stimme eines Sportkommentators durch das Zimmer drang, hatten sie sich bei Pater Sebastian beschwert, der die souveräne Jurisdiktion über den Raum hatte. Sebastian hatte Whit prüfend gemustert, bevor er den anderen Männern gesagt hatte, sie sollten aufhören zu jammern, es würde sie ja wohl nicht umbringen, einen einzigen Abend auf die Nachrichten zu verzichten. Sie waren alle in ihre Zimmer zurückgekehrt und hatten auf die Komplet gewartet, bis auf Dominikus und Sebastian.

Whit hatte sich eigentlich über sie ärgern wollen, hatte dies als einen weiteren Beweggrund ins Feld führen wollen fortzugehen, aber die Haltung der Mönche, die alle mehr oder weniger beleidigt in verschiedene Richtungen davongeschlurft waren, unterschied sich ja im Grunde nicht sehr von seiner arroganten Weigerung, sich mit ihnen zusammen die Nachrichten anzusehen oder Siegfried und Brunhild zu lauschen.

Es hatte ihn schlagartig an den eigentlichen Grund erinnert, warum er hier mit diesen verdrießlichen, alten Männern zusammenlebte – nämlich seine feste Überzeugung, dass es irgendwo auf dem Antlitz dieser Erde doch Menschen geben musste, die unerschütterlich miteinander verbunden waren und versuchten, gemeinsam einen Weg zu finden. Nicht, dass er eine Art Insel der Glückseligen erwartet hatte – jeder liebt jeden, Böses wird mit Gutem vergolten, die andere Wange wird auch noch hingehalten. Mönche, so hatte er gelernt, waren auch keine besseren Menschen. Er hatte allmählich mit einer Art ehrfürchtigen Staunens begriffen, dass sie auserwählt worden waren, auserwählt für ein geheimes, aber edles Experiment – bei dem es darum ging zu sehen, ob Menschen tatsächlich in der Lage wären, friedlich miteinander zu leben, oder ob Gott möglicherweise einen Fehler gemacht hatte, als er die Spezies Mensch erschaffen hatte.

Im Moment dachte er ununterbrochen darüber nach, was es bedeutete, hier im Kloster zu sein, Teil all dessen zu sein – all die Dinge, die er nicht fassen konnte. Er dachte ebenso über Jessie nach und was es bedeutete, sie zu lieben, Teil von ihr zu sein. *Das* war auch unfassbar. Worüber er bisher noch nicht nachgedacht hatte, war ihr Ehemann gewesen. Der war real, ein Mann, der hierher geeilt war, um seiner Frau in einer Notlage beizustehen. Wie hieß er noch? Er zwang sich, sich zu erinnern. *Hugh.* Richtig, Hugh. Der Name hallte in seinem Kopf wider, zusammen mit dem Dröhnen aus dem Stadion, dem aufgeregten Geschrei des Kommentators und der Zuschauerfrage.

Hugh hatte bisher in einem versiegelten Raum in Whits Gewissen gehaust, ihn hatte er bisher, aus einer Art Selbstschutz heraus, außen vor gelassen. Aber jetzt, nach zwei Walks und Bases Loaded, als er eigentlich schon völlig in dem Spiel hätte versunken sein müssen, konnte er nicht aufhören, an diesen Mann zu denken. Er begriff, dass Hugh, dass das Wissen um seine Existenz, die ganze Zeit über in ihm gewesen war und sich langsam zu einem Abszess ausgewachst hatte. Und jetzt brach der giftige Eiter hervor.

Nach dem dritten Aus, als das ganze Stadion für den Seventh Inning Stretch aufstand, stand auch er auf und legte sein Tagebuch auf den Stuhl. Er musste an den Tag denken, als er Jessie gesagt hatte, dass er sie liebte. Sie waren in der Vogelkolonie gewesen und hatten auf der Decke gelegen.

Unsere Liebe bedeutet Verdammnis und Erlösung zugleich, hatte er ihr gesagt. Und wie Recht er damit gehabt hatte.

Er schloss die Augen und versuchte, sich auf die Fanhymne zu konzentrieren, die im Stadion gesungen wurde. Er hatte geglaubt, er könnte hier alles ausradieren, die Unruhe zähmen, die in ihm von dem Moment an aufgekommen war, als Dominikus mit ihm auf der Veranda gesprochen hatte, aber nun wollte er nur eins, Reißaus nehmen und zu ihr stürzen. Er wurde von dem Verlangen, sie in seine Arme zu schließen, geradezu aufgezehrt. Sie wieder zu der Seinen zu machen. *Jessie,* dachte er. Er konnte kaum still stehen.

Auf der anderen Seite des Zimmers saß Dominikus in einem alten Sessel, seinen Hut auf dem Schoß. Nachdem Whit ihm vor all den Wochen gebeichtet hatte, dass er sich verliebt hatte, hatten sie nie mehr darüber gesprochen. Sicher wusste der alte Mönch, dass es Jessie war. Warum sonst hätte er wohl Whit beiseite genommen und ihm auch von ihrem Ehemann berichtet, der auf die Insel gekommen, der in Nelles Haus bei ihr war?

Er wollte seinen Kummer darauf konzentrieren, wie aufgebracht Jessie wegen ihrer Mutter sein musste, und dennoch stand er vor dem Fernseher und konnte die Vorstellung von ihr mit Hugh nicht verscheuchen. In der Küche bei einem Glas Wein, eine tröstende Umarmung, ein kleiner Scherz, um die Qual zu lindern – die unendlich vielen Arten und Weisen, auf die Hugh sie trösten könnte. Er hatte Angst vor all den kleinen, vertrauten Ritualen, die sich aus einem gemeinsamen Leben ergaben und die sie in Momenten wie diesen geteilt haben mussten, und er hatte Angst vor dem, was sie jetzt bedeuten konnten.

Er ist ihr Ehemann, sagte er zu sich selber. *Bei der Gnade des Herrn, er ist ihr* Ehemann.

KAPITEL 32

Hugh

Seine Ehefrau stand im Haus ihrer Mutter auf der kleinen Insel vor South Carolina und nannte ihm seelenruhig den Namen ihres Geliebten. »Sein Name ist Bruder Thomas«, sagte sie.

Einen Augenblick lang hatte Hugh auf die Wassertropfen geblickt, die ihren Hals hinunterliefen, in den Ausschnitt ihres Bademantels. Ihr Haar war nass und lag eng an ihrem Kopf an. Er sah, wie sie mit offenem Mund scharf Luft holte und den Blick senkte.

Sie standen in der Tür zum ehemaligen Kinderzimmer ihres Bruders, er streckte die Arme aus und musste sich mit den Händen im Türrahmen abstützen. Er sah sie an, ganz ohne Schmerz, noch war er geschützt und betäubt von der Macht der Illusion, die jedoch schon zerrann und starb. Die Wahrheit flog mit Pfeilgeschwindigkeit auf ihn zu, aber sie hatte ihn noch nicht getroffen. So war es ihm möglich, sie noch ein einziges Mal zu sehen, bevor der Zorn in ihn fuhr und alles veränderte. Was er gedacht hatte, war, wie schön sie ausgesehen hatte, mit den Tropfen des Badewassers, die auf ihrer Haut glänzten, die zwischen ihren Brüsten perlten. *Wie schön.*

Sein Name ist Bruder Thomas.

Sie hatte es ihm so unverhohlen und sachlich mitgeteilt, als ob sie ihm gesagt hätte, wie ihr Zahnarzt heißt.

Dann traf ihn der Schmerz mit voller Wucht. Er verlor das Gleichgewicht, als ob er von einer Orkanböe umgeweht worden wäre. Er musste sich am Türrahmen festklammern und fragte sich, ob er womöglich einen Herzanfall hatte. Die Macht des Gefühls vernichtete ihn.

Er trat zurück, er brannte plötzlich vor Wut. Er wollte seine Faust gegen die Wand schlagen. Stattdessen aber wartete er, bis sie die Augen wieder hob und ihn ansah. »Bruder Thomas«, sagte er mit ätzender Schärfe. »Nennst du ihn so, wenn du ihn fickst?«

»Hugh«, sagte sie. Es klang heiser und rau. Auf eine Weise flehentlich, die ihn nur noch rasender machte.

Er sah, dass sie selbst über ihr Geständnis völlig bestürzt und fassungslos war, ihre Augen blickten verwirrt und entsetzt. Als sie auf ihn zustolperte, die Hand ausstreckte, um seinen Arm zu berühren, sah sie aus wie ein tödlich getroffenes Tier, das versucht zu begreifen, was ihm widerfahren ist.

Als ihre Hand seinen Arm gefunden hatte, entwand er sich ihrer Berührung.

»Fass mich nicht an«, presste er zwischen den Zähnen hervor.

Sie ging aus dem Zimmer, ihre Lippen bewegten sich wortlos, ihre Augen waren weit aufgerissen. Er knallte die Tür zu und schloss ab. Sie stand davor.

»Hugh, mach die Tür auf. Bitte, Hugh.«

In dem Zimmer gab es nur wenig Licht, und er starrte auf die Tür, auf die Schatten, die wie Drähte und schwarze Adern darüber verliefen. Er wollte sie mit seinem Schweigen verwunden. Später jedoch wurde ihm bewusst, dass er sie in dem Moment auch hatte schützen wollen, schützen vor all den vernichtenden Dingen, die er ihr hätte sagen können.

Sie rief unerträglich lange nach ihm. Als sie endlich ging,

traten ihm Tränen in die Augen. Er saß auf dem einen der beiden Betten und versuchte, die Tränen hinunterzuschlucken. Er wollte auf keinen Fall, dass Jessie ihn weinen hörte. Er musste sich zusammenreißen. Die Heftigkeit seiner Wut hatte ihm Angst gemacht. Er wurde von dem überwältigenden Drang gepeinigt, zum Kloster zu gehen und diesen Kerl zu finden. Ihn bei der Gurgel zu packen und an die Kirchenwand zu nageln.

Er blieb stundenlang in dem kleinen, dunklen Raum sitzen. Anfangs war er von einer Reihe von Angstanfällen geradezu geschüttelt worden, von einem Zittern in seinen Gliedern. Als das endlich nachließ, konnte er wieder denken.

Als er Jessie die Frage gestellt hatte – *Wer ist es?* –, hatte er nicht wirklich damit gerechnet, dass es einen anderen geben könnte. Nicht wirklich.

Die Möglichkeit war ihm intuitiv durch den Kopf gegangen, als er ihre Bilder betrachtet hatte. Sie hatten ihn aufgewühlt, er war davon betroffen gewesen, mit wie viel Erotik sie aufgeladen waren, wie tief die Frau auf diesen Bildern tauchte. Es war, als hätte er einen Sterbeprozess betrachtet – die Jessie, die er kannte, starb. Ihr früheres Leben fiel mit all seinen Ausprägungen und Rollen von ihr ab und trieb zur Oberfläche, während die Frau selbst tiefer und immer tiefer tauchte. Er hatte völlig verwirrt dort gestanden und sich gefragt, wohin sie tauchte. Und dann hatte er die Zeichnung der beiden Liebenden gesehen, die sich am Grunde des Ozeans umarmten. Die Eingebung war wie der Blitz in ihn gefahren. Es hatte ihn bis ins Mark erschüttert.

Das Paar am Grunde des Ozeans. Der äußerste Ort, an den man gehen konnte. Als er das Bild gesehen und ihm diese aberwitzige Idee zum ersten Mal gekommen war, hatte er einige Minuten lang da gestanden und gedacht: *Nein.* Es wäre grotesk, Jessie zu so etwas für fähig zu halten. *Grotesk.* Er hatte ihr immer vertraut. Fraglos.

Aber es erklärte so viel. Ihr merkwürdiges Verhalten, von dem Moment an, als sie nach Egret Island gekommen war. Ihre Weigerung, ihn zu sehen oder auch nur mit ihm zu sprechen. Die Plötzlichkeit, mit der sie auf einmal Zeit für sich selbst wollte, ihre Unfähigkeit, ihm dafür einen triftigen Grund zu nennen. Sie war schon so eigenartig unnahbar gewesen, noch bevor sie aus Atlanta abgereist war, sie war deprimiert gewesen, weil Dee das Haus verlassen hatte und nun aufs College ging, sie hatte sich selbst hinterfragt, ihr Leben hinterfragt.

Ihm wurde klar, dass Jessie ihm nicht nur aufrichtig geantwortet hatte, weil sie die Heimlichkeiten beenden wollte, sondern auch, weil sie erzwingen wollte, dass etwas geschah. Als ihm dies bewusst wurde, spürte er einen Anflug von Panik in seiner Brust. *War dies etwa mehr als nur eine flüchtige Affäre? Liebte sie diesen Mann womöglich?* Er legte seine Hand auf seine Brust und drückte sie fest auf die Stelle, an der das elende Gefühl des Betrogenseins saß.

Er wurde bis in alle Glieder von einer maßlosen Traurigkeit erfasst. Er legte sich immer wieder hin und versuchte zu schlafen, aber es war vollkommen sinnlos, und jedes Mal stand er wieder auf und ging vor Jessies Bildern auf und ab, die dem Bett gegenüber auf dem Boden standen.

Durch das kleine Fenster konnte er sehen, wie der Himmel ein ganz klein wenig hell wurde, wie sich das Schwarz in Grau verwandelte, in den rauchigen Himmel vor Sonnenaufgang. Er sah zum hundertsten Mal auf seine Uhr. Er konnte nicht vor neun Uhr von der Insel, wenn die erste Fähre ging, aber sobald es hell genug war, würde er das Haus verlassen.

Als er in den Flur trat, war es noch nicht einmal sechs Uhr. Er trug seinen Koffer ins Wohnzimmer und stellte ihn dort ab, dann ging er zurück zu Jessies Zimmer.

Ihre Tür war zu, aber er öffnete sie einfach und ging hinein. Sie schlief, so wie er sie seit zwanzig Jahren schlafen sehen hatte, auf der rechten Seite, ihr Haar auf dem Kissen ausgebreitet, eine Hand unter ihrer Wange. Die Fensterscheiben schimmerten silbrig. Das Tageslicht kroch heran. Er stand da und sah sie an, musterte das Grau in ihren Haaren, die Spucke, die sich in ihrem Mundwinkel angesammelt hatte, lauschte dem sanft rasselnden Atem, der fast, aber nicht wirklich ein Schnarchen war, und all dies weckte den Wunsch in ihm, sich neben sie zu legen.

Sie hatte ihren Ehering abgelegt. Er sah ihn zusammen mit ihrem Verlobungsring auf einem samtenen Nadelkissen auf der Kommode, sie steckten auf einer dünnen Nadel. Er berührte die Ringe leicht mit seinem Finger und musste dabei an die Gänse auf ihrem Bild denken, die sie weit hinter sich an der Oberfläche gelassen hatte.

Er wand seinen Goldreif vom Finger und legte ihn zu dem Verlobungsring und dem Platinring, den er ihr vor so langer Zeit angesteckt hatte.

Neun Tage später, als er längst wieder nach Atlanta zurückgekehrt war, war er noch immer in derselben Hoffnungslosigkeit gefangen, die in jener Nacht über ihn gekommen war.

In den letzten zwanzig Minuten hatte die Patientin, die in seinem Sprechzimmer saß, ununterbrochen über den Tod ihres achtzehn Jahre alten Dackels Abercrombie gesprochen, Geschichten aus seinem Hundeleben erzählt und dazwischen geweint. Er ließ sie heute gewähren, ließ sie sich über ihren Hund verbreiten, weil es einfacher war, denn er vermutete, dass sie sowieso nicht um den Hund trauerte, sondern um ihren Bruder, mit dem sie sich entzweit hatte und um den sie, als er vor drei Monaten gestorben war, nicht eine einzige Träne vergossen hatte.

Seine Patientin nahm das letzte Taschentuch und hielt

ihm fordernd die leere Schachtel entgegen, wie ein Kind, das ein Glas nachgeschenkt haben möchte. Er stand aus seinem Ledersessel auf und holte neue Taschentücher aus dem Schiebetürschrank unter seinem Regal, dann setzte er sich wieder und zwang sich, nicht an Jessie zu denken, sondern seine Aufmerksamkeit auf die dissoziierten Gefühle dieser Patientin zu richten.

So war es ihm ergangen, seit er zurückgekommen war, er litt unter seiner Unfähigkeit, sich zu konzentrieren. In einem Augenblick noch hörte er einem Patienten zu, und im nächsten war er im Geiste schon wieder bei dem einen Moment – als Jessie ihm den Namen genannt hatte.

»Ich weiß nicht, was ich noch hätte tun können«, sagte seine Patientin, die mit angezogenen Beinen auf seinem Sofa saß. »Abercrombies Arthritis war so schlimm geworden, dass er kaum noch laufen konnte, und er hatte ja schon so viele Steroide bekommen. Wirklich, was hätte ich denn sonst noch tun können?«

»Ich bin sicher, Sie haben genau das Richtige getan, indem Sie ihn einschläfern ließen«, sagte Hugh zu ihr, was sie dazu veranlasste, erneut loszuweinen.

Er beobachtete, wie sich ihr Kopf hinter ihren Händen hob und senkte, und geißelte sich, dass er hier mit ihr in einem Raum saß und dennoch nicht anwesend war, dass er alles, was sie sagte, zwar wahrnahm, ihr aber dennoch kein Gehör schenken konnte.

Seine Gedanken schweiften ab, und wieder einmal stand er vor dem Bild, das Jessie mit kindlichen Buntstiften gemalt hatte. Der Mann war Mönch. Das war noch nicht einmal so schockierend wie die Tatsache an sich, dass Jessie, seine Jessie eine Affäre hatte, aber es machte ihn dennoch einigermaßen fassungslos. Sie hatte gewollt, dass er es wusste, sonst hätte sie ja einfach antworten können: »Thomas.« Er konnte sich nicht vorstellen, warum sie »Bruder«

hinzugefügt hatte, es sei denn, darin läge eine unbewusste Botschaft. Aber welche? Wollte sie, dass er wusste, wie viel dieser Mann würde aufgeben müssen, um mit ihr zusammen zu sein?

Seit er von der Insel zurückgekehrt war, hatte er das Gefühl gehabt, dass sein Leben implodierte, eine Leere wie die unbegreifliche Größe des Raums hatte sich um ihn herum geballt. Vor zwei Nächten hatte er geträumt, er wäre Astronaut und auf einem Weltraumspaziergang. Die Leine, die ihn mit seiner Kapsel verband, war plötzlich gerissen. Er war davongetrieben, einem Abgrund aus Dunkelheit entgegen, und hatte gesehen, wie sein Raumschiff immer kleiner wurde, bis es nur noch ein weißer Fleck im Vakuum des Alls gewesen war.

Sein Hass auf den Mann, mit dem Jessie zusammen gewesen war, überfiel ihn mit sintflutartiger Gewalt. Er stellte sie sich zusammen vor – wie dieser Mann Jessie an Stellen berührte, die doch nur ihm gehörten, wie er in ihr Haar atmen würde. Wie oft hatten sie es gemacht? Wo? Eines Nachts war er schweißgebadet wach geworden und hatte sich gefragt, ob sie gerade Sex hatten, jetzt, in diesem Augenblick.

Es war für ihn beschämend gewesen zu entdecken, dass auch er zu Gewaltfantasien und Rachegelüsten fähig war. Theoretisch hatte er das, wie alle guten Analytiker, verinnerlicht, als er Jungs Konzept vom persönlichen und kollektiven Schatten studiert hatte, aber jetzt tobten diese Gefühle wirklich in ihm. Er hatte damit aufgehört, sich auszumalen, wie er zum Kloster gehen und den Mann bei der Gurgel packen würde, aber er konnte nicht leugnen, dass es Augenblicke gab, in denen er dem Mönch die Pest an den Hals wünschte.

Er würde sich niemals seinem Rachedurst ergeben, natürlich nicht, aber allein der Gedanke, dass er darunter litt, von ihm bedrängt wurde, trieb ihm das Bild aus, das er von sich selbst gehabt und so lange hochgehalten hatte. Er war nichts Besonderes. Er stellte keine Ausnahme dar. Seine Güte, sein erhellendes Wissen hoben ihn nicht aus der Masse heraus. Er war wie alle anderen auch und trug das gleiche Maß an Dunkelheit in sich.

Diese Erkenntnis hatte ihn demütig gemacht, an seine eigene Menschlichkeit geführt. In den wenigen Momenten, in denen er mehr als nur den Schmerz wahrnehmen konnte, hoffte er, dass sein Leiden nicht vergebens wäre, sondern dass es ihn verständnisvoller und sanfter machen würde.

Die Frau auf seinem Sofa erzählte ihm jetzt bis in alle Einzelheiten, wie ihr Hund zu Tode gekommen war.

»Er hat solche Schmerzen gehabt – wenn man ihn nur auf den Arm genommen hat, hat er ja schon gejault –, dass der Tierarzt zu uns ans Auto kommen musste, um ihm die Spritze zu setzen. Abercrombie hat auf dem Rücksitz gelegen, und als er Dr. Yarborough gesehen hat, wissen Sie, was er da getan hat?«

Hugh schüttelte den Kopf.

»Er hat mit dem Schwanz gewedelt! Können Sie sich das *vorstellen*?«

Ja, das konnte er. Hugh konnte sich das gut vorstellen.

Als Jessie ihn an jenem Sonntag angerufen und gebeten hatte zu kommen, war er wie ein dämlicher Hund angekrochen – und hatte mit dem Schwanz gewedelt. Er hatte geglaubt, sie würden sich versöhnen. Er hatte geglaubt, was auch immer ihr im Kopf herumgegangen war, es hätte sich nun erledigt.

Es war nicht zu übersehen gewesen, wie sehr sie sich verändert hatte. Sie hatte müde und ausgelaugt ausgesehen, was ja angesichts ihres Kummers mit Nelle nur zu verständlich war, aber darunter hatte er ihre Lebendigkeit gespürt. Ganz unbestreitbar war eine Unabhängigkeit in ihr gewesen, die vorher nicht da gewesen war, Jessie schien auf eine ganz neue Weise in sich selbst zu ruhen. Er hatte gesehen, wie sich auch ihre Bilder verändert hatten, wie sie aus ihren kleinen Kistchen geradezu herausgeborsten waren, wie sie zu kühnen Umsetzungen der rätselhaften Prozesse geworden waren, die in ihr vorgingen.

In der Vergangenheit war ihm so viel von ihr verborgen geblieben. Als er sie im Wartezimmer des Krankenhauses gesehen hatte, nachdem er so lange von ihr getrennt gewesen war, hatte er sie mit ganz neuen Augen gesehen.

Wie oft passiert uns das eigentlich, fragte er sich – wie oft sehen wir jemanden an und erkennen nichts? Warum war es für ihn so schwierig gewesen, seine Frau anzublicken und sein Verlangen nach ihr zu verstehen, zu verstehen, wie sehr sein Leben in all den gemeinsamen Augenblicken ihrer Ehe aufgehoben war?

Er sah auf die Frau vor ihm und versuchte eine Sekunde lang, sie wirklich zu sehen. Sie war jetzt mit ihrer Erzählung beim Tierfriedhof angelangt.

Er berührte das seltsame, kleine Armband an seinem Handgelenk.

Dee hatte ihn das letzte Mal an seinem Geburtstag angerufen. »Wann kommt Mom eigentlich nach Hause?«, hatte sie gefragt.

Er hatte geschwiegen. Ein wenig zu lange.

»Irgendwas stimmt nicht, oder? Sie ist ja schon ewig weg.«

»Ich will dich nicht anlügen, Liebes. Wir haben ein paar Schwierigkeiten«, hatte er zu seiner Tochter gesagt. »Aber nichts Ernstes, okay? Das kommt in jeder Ehe vor, wir kriegen das schon hin.«

Fünf Tage später war das Armband angekommen. Sie hatte es selbst gemacht.

Er wusste nicht, wie er Dee jetzt die Dinge erklären sollte. Er wusste nicht, wie er sich selbst das alles erklären sollte.

Er sah auf die Uhr in seinem Sprechzimmer, direkt über dem Kopf der Frau. Er fürchtete sich vor dem Ende des Tages. Bei Nacht verfolgten ihn Jessies Gemälde bis in den Schlaf und ließen ihn hochfahren. Dann setzte er sich auf die Bettkante und musste daran denken, dass die Farben immer intensiver geworden waren, je tiefer die Frau getaucht war.

Bei seinem verzweifelten Unterfangen, seine Ängste ein wenig zu lindern, hatte er vergangene Nacht versucht, das, was Jessie getan hatte, als Psychiater zu betrachten. Die Idee war grotesk gewesen, aber das analytische Denken hatte ihm eine Schonfrist von ein zwei Stunden geschenkt, in denen er etwas Abstand von seinen Qualen gefunden hatte. Es hatte ihm eine Atempause gewährt, seine Gefühle relativiert, ihm einen neuen Blickwinkel eröffnet. Er war für jede kleine Gnade dankbar.

Er war in sein Arbeitszimmer gegangen und hatte in verschiedenen Büchern geblättert, gelesen, sich Notizen gemacht. Immer wieder war er dabei auf den gleichen Gedanken gestoßen – der ihm nicht im mindesten fremd war –, dass, wenn jemand einen radikalen Wechsel brauchte, seine Persönlichkeit ganz neu verankern musste, die Psyche eine starke erotische Anziehungskraft aufbauen würde, eine unbewusste Bereitschaft, sich intensiv zu verlieben.

Er wusste das. Jeder Analytiker wusste das. Sich zu verlieben war der Auslöser, und es war der älteste, schlimmste Selbstbetrug der Seele auf Erden.

Aber bei dieser seelischen Konstellation verliebte man sich typischerweise in etwas, das einem selbst fehlte, das man aber im anderen erkannte. Er konnte nur nicht verstehen, was Jessie in diesem angeblich spirituellen Mann gesehen hatte, das sie so sehr ergriffen hatte.

Nach ungefähr einer Stunde analytischen Überlegens hatte er seine Notizen in eine Schublade gesteckt und war zurück ins Bett gegangen. Es war ihm plötzlich wie ein Haufen abstrakter Blödsinn vorgekommen. Nichts davon wollte er auf Jessie anwenden. Er wollte ihr nicht die Gnade des Verstehens gewähren. Ihre Gründe waren unverzeihlich, gleich, wie machtvoll sie auch waren.

Seine Frau war mit einem anderen Mann zusammen gewesen. Sie hatte ihn betrogen, und selbst wenn sie auf Knien vor ihm liegen würde, er wusste nicht, ob er sie jemals zurücknehmen könnte.

»Dr. Sullivan?«, sagte seine Patientin.

Er hatte sich von ihr weggedreht, sein Ellbogen lag auf der Lehne, sein Kinn auf die Faust gestützt. Er starrte auf die Umrisse der Pfirsichbäume von Bradford, deren Blütenmeer sich hinter der Scheibe ergoss. In seinen Augen brannten Tränen.

Als er sich der Frau wieder zuwandte, fühlte er sich unendlich beschämt. Sie reichte ihm die Schachtel mit den Taschentüchern, die sie in ihrem Schoß gewiegt hatte. Er nahm ein Tuch und tupfte sich die Augenwinkel trocken. »Es tut mir leid«, sagte er. Er schüttelte den Kopf, entsetzt über sich selbst.

»Nein, bitte«, sagte sie und überkreuzte die Hände vor ihrem Hals. »Sie brauchen sich nicht zu entschuldigen. Das ist ... das ist wirklich rührend.«

Sie glaubte, er würde ihretwegen weinen. Um ihren Dackel. Sie lächelte ihn an, ergriffen von seinem göttergleichen Herzen. Er wusste nicht, wie er ihr sagen sollte, dass sein Gefühlsausbruch überhaupt nichts mit ihr zu tun hatte, dass er, im Gegenteil, momentan wohl der denkbar schlechteste Psychiater überhaupt war.

»Wir alle enttäuschen die, die wir lieben«, sagte er unvermittelt.

Die Augen der Frau weiteten sich, sie suchte nach der Bedeutung seiner Worte.

»Ich habe meine Frau enttäuscht«, fügte er hinzu.

Jessie hatte ihn enttäuscht, ganz schrecklich enttäuscht sogar, ja, aber auch er hatte sie enttäuscht. Er hatte sie sich nicht entfalten lassen. Er hatte nicht die Güte besessen, ihr zu erlauben, sich zu sich selbst zu entwickeln.

»Auch ich ... habe jemanden enttäuscht«, sagte die Frau.

»Meinen Sie Ihren Bruder?«, fragte er sanft, und dann brach das Schluchzen erneut aus ihr hervor.

KAPITEL 33

Ich holte Mutter an St. Senara, dem Namenstag der Heiligen, aus dem Krankenhaus. Es war Samstag, der 30. April, ein von Licht durchfluteter Tag.

Nach dreizehn Tagen in der Klinik hatte sich Mutter so weit erholt, dass sie nach Hause kommen konnte, was eigentlich hieß, sie stand unter ausreichend Medikamenten, dass sie sich nicht wieder selbst verletzen würde. Der Krankenschwester zufolge war sie eine angenehme Patientin gewesen, hatte niemals ein anomales Verhalten an den Tag gelegt, hatte sich jedoch geweigert, sich zu öffnen. »So etwas braucht Zeit«, hatte die Krankenschwester gemeint und mich dann in leicht herablassendem Ton darüber belehrt, wie wichtig es wäre, dass Mutter einmal in der Woche käme, um mit einem Psychiater zu sprechen, und dass sie gehorsam ihre Pillen nehmen müsste.

Als ich am Morgen die Fähre betreten hatte, waren die Vorbereitungen zur Feier der Heiligen Senara schon in vollem Gange gewesen. Einer der Mönche war auf allen Vieren auf dem Dock herumgekrochen und hatte den länglichen, korallenfarbenen Teppich ausgelegt, auf dem der Stuhl der Meerjungfrau nach seiner langen Prozession vom Kloster hinunter zum Meer schließlich zum Stehen kommen würde. Während meiner Kindheit war der Teppich immer rot gewesen, nur in einem Jahr hatte er einen rosa Farbton gehabt und dazu noch Fransen. Er hatte einer Bademattte verdächtig ähnlich gesehen, was auf der Insel eine heftige Kontroverse ausgelöst hatte.

Ein Klapptisch war aufgestellt worden, und Shems Frau, Mary Eva, hatte Schachteln mit Meerjungfrauentränen darauf aufgebaut, die im Laufe der Feierlichkeiten ins Meer geworfen werden sollten.

Als ich die Bucht überquert hatte, hatte ich an die Meerjungfrauentränen denken müssen, die ich auf der Krebsfalle in Whits Klause zurückgelassen hatte. Seit Mutter ins Krankenhaus gekommen war, war ich nicht mehr dort gewesen, ich hatte Whit nicht mehr gesehen – nicht ein einziges Mal, in zwei Wochen. Ich hatte ihm durch Kat die Nachricht zukommen lassen, dass ich in der nächsten Zeit die Tage im Krankenhaus bei Mutter verbringen würde und ihn daher nicht sehen könnte.

Er hatte nicht zurückgeschrieben. Er war auch nicht an die Ziegelmauer gekommen, die Mutters Garten vom Kloster trennte, und hatte nach mir gerufen. Ich war jede Nacht ganz alleine im Haus gewesen, aber er war nicht zur Mauer gekommen. Vielleicht hatte er ja geahnt, dass meine Worte nicht die ganze Wahrheit enthüllt hatten. Vielleicht hatte er in ihnen meine Traurigkeit gespürt.

Am Morgen, nachdem ich Hugh meine Affäre gebeichtet hatte, hatte ich seinen Ehering auf dem Nadelkissen neben meinen Ringen entdeckt, aber von ihm hatte sich im ganzen Haus keine Spur mehr gefunden. Ich war nach draußen gestürzt, hatte ihn am Fährdock abfangen wollen, bevor er die Insel verließ, aber als ich den Sklavenfriedhof erreicht hatte, hatte ich mein Vorhaben aufgegeben. Mir war eingefallen, wie er mich auf beinahe gewalttätige Art zurückgewiesen hatte, als ich die Hand nach ihm ausgestreckt hatte, und es war so viel Wut in seiner Stimme gewesen, als er mir gesagt hatte, ich sollte verschwinden. Er hatte es mir regelrecht zugezischt. In seinen Augen hatte so viel Schmerz, so viel Entsetzen gelegen, ich hatte ihn nicht wiedererkannt. Ich hatte gefunden, ich könnte ihm wenigstens in diesem Moment meinen Anblick ersparen. Wenigstens das konnte ich für ihn tun. Dann hatte sich der Kummer wie eine bleierne Müdigkeit auf mich herabgesenkt. Ich hatte mich neben die Gräber gesetzt und zugesehen, wie eine Taube in der Erde scharrte. Das leise, flehentliche Geräusch, das sie dabei machte, hatte herzzerreißend geklungen. Es war gewesen, als hätte mir jemand einen gewaltigen Stein gereicht, der all das Leiden, das ich verursacht hatte, in sich barg, und gesagt: *Hier, diesen Stein musst du jetzt tragen.*

Und das hatte ich. Dreizehn Tage lang.

Es ist immer noch schwer für mich, die Ernüchterung, die nun folgte, zu verstehen, geschweige denn, sie zu erklären, ganz gleich, wie notwendig sie auch war. Sie kam über mich wie die Finsternis über das Land.

Es war nicht so, dass ich bereute, was ich getan hatte, oder dass ich die Dinge ungeschehen machen wollte. Niemals hätte ich widerrufen wollen, wie mich meine Liebe zu Whit mit Lebendigkeit geschwängert hatte, wie diese Liebe mich mir selbst geschenkt hatte, wie sie mich auf so mannigfaltige Weise aufgebrochen und an mir hatte wachsen lassen. Aber jetzt *sah* ich die Auswirkungen. Ich hatte sie in dem übermenschlichen Schmerz in Hughs Augen gesehen, in dem Armband, das Dee für ihn geknüpft hatte, in der unerträglichen Zeremonie, zu der unsere Eheringe auf dem Nadelkissen verdammt worden waren.

Jeden Morgen hatte ich die Insel verlassen und war erst am späten Nachmittag zurückgekehrt. Ich hatte mit Mutter im so genannten Tageszimmer gesessen. Mit seinem Fernseher und den Sofas und all den seltsam umherschleichenden Menschen hatte mich das an Dantes *Purgatorio* aus der *Göttlichen Komödie* denken lassen. Ich erinnerte mich kaum an das Buch, nur an eine Passage, in der die Rede davon war, dass die Menschen im Purgatorium von Steinlasten gebeugt waren.

Ich hatte beobachtet, wie die Medikamente Mutter gefügig gemacht hatten, während mein eigenes Herz brachlag und Trauer trug. Im Geiste hatte ich immer wieder den Augenblick vor mir gesehen, in dem Hugh alles durchschaut und mir die Frage gestellt hatte. Ich war jeden Tag aufs Neue fassungslos darüber gewesen, dass ich ihm so ganz ohne Zögern geantwortet hatte und dass ich Whits Mönchsnamen gebraucht hatte. Als ob ich Hugh gegenüber Whits Spiritualität ins Feld hatte führen wollen. Als ob dadurch das, was wir getan hatten, irgendwie erhabener würde.

Mutter hatte jeden Tag in sich zusammengesunken auf einem Stuhl gesessen und ihre Finger um den Zauberwürfel herum bewegt, den ich ihr von zu Hause mitgebracht hatte. Sie hatte so oft nach ihrem abgeschnittenen Finger verlangt, dass ich ihn schließlich auch mitgebracht hatte. Ich hatte ihn eines Nachts unter dem Wasserhahn abgespült, nach dem ich mich dazu überwunden hatte, ihn in die Hand zu nehmen und vom Blut zu reinigen. Ich hatte ihn in einem Einmachglas in Alkohol eingelegt, damit er nicht verweste. Ich hatte die Erlaubnis eingeholt, dass sie ihn in ihrem Zimmer aufbewahren durfte, aber für alle Fälle hatte ich BITTE NICHT WEGWERFEN auf das Glas geschrieben.

Abends hatte ich dann immer Kat und Hepzibah am Telefon berichtet, wie es um Mutter stand, hatte mir Konserven aus der Vorratskammer aufgewärmt und dem endlosen Monolog aus Trauer und Schuld gelauscht, der sich in meinem Innern abspulte. Ich hatte mich danach gesehnt, bei Whit zu sein, aber ich hatte nicht mehr sagen können, ob meine Sehnsucht Ausdruck von Liebe oder Ausdruck eines Bedürfnisses gewesen war, einfach nur getröstet zu werden.

Trotzdem hatte ich mir noch nicht erlaubt, wieder mit

ihm zusammen zu sein. Es war mir pervers erschienen, ihn jetzt zu lieben, jetzt mit ihm zu schlafen, angesichts des frischen Schmerzes, den Hugh durchlitt, den wir beide durchlitten. Das war natürlich absurd, aber ich hatte das Gefühl gehabt, ich müsste aus Respekt für den Tod meiner Ehe Enthaltsamkeit üben.

Mutter war an dem Nachmittag, als wir das Krankenhaus verließen, regelrecht aufgekratzt. Sie klappte die Sonnenblende in unserem Mietwagen herunter und fuhr sich mit einem Kamm durch ihr weißes Haar, und dann verblüffte sie mich damit, dass sie ihren alten, feuerwehrroten Lippenstift auflegte. Sie tupfte sich die Lippen mit einer Tankquittung ab. Es war eine derart gewöhnliche, alltägliche Geste, dass ich sie anlächelte. »Gut siehst du aus«, sagte ich, und im gleichen Moment hatte ich Angst, dass sie sich die Farbe daraufhin wieder von den Lippen wischen würde, aber sie lächelte bloß zurück.

Die Fähre war vollbepackt mit Touristen, es gab nicht einmal genug Platz zum Stehen. Mutter umklammerte ihr Glas mit dem Finger darin so fest wie ein Kind, das einen Goldfisch aus einer Zoohandlung nach Hause bringt. Ich hatte das Glas in eine Papiertüte gesteckt, aber Mutter erntete dennoch etliche neugierige Blicke.

Als wir uns der Insel näherten, konnte ich die Krabbentrawler sehen, die sich an der Südostseite der Insel schon zu einer Linie formierten, draußen auf dem Atlantik. »Heute ist St. Senara«, sagte ich zu Mutter.

»Meinst du, das wüsste ich nicht?«, gab sie beleidigt zurück.

Sie war seit Vaters Tod nicht mehr bei den Feierlichkeiten gewesen. Sie hatte sie, wie auch die Allerfrauen-Picknicks, einfach aus ihrem Leben gelöscht. Dass sie dieses Ereignis jedoch aufgegeben hatte, hatte mich wirklich verwirrt. Schließlich war Senara doch *ihre* Heilige.

Am Dock wartete Kat auf uns. Sie roch nach Lavendelcreme. Keine Benne, nur Kat. Sie küsste Mutter auf die Wange.

Ich hatte sie nicht erwartet.

Mutter schaute sich auf dem Dock um, sah die Meerjungfrauentränen, den kleinen Tisch aus dem Kloster mit einem Silberkrug darauf – es war derselbe, den sie jedes Jahr benutzten, um den Stuhl mit geweihtem Meerwasser zu übergießen. Ich beobachtete, wie ihre Augen nach dem korallenfarbenen Teppich am Rand des Docks suchten. Max hatte sich wohlig darauf ausgestreckt, als ob der Teppich für ihn dort ausgelegt worden wäre.

Sie blickte voller Abscheu auf den Teppich. Wohl, weil sie sich den Stuhl darauf vorstellte.

»Lass uns ein wenig spazieren gehen«, sagte Kat und hakte sich bei Mutter ein. »Du auch, komm mit, Jessie.«

Sie führte Mutter über das Dock, hinunter zu dem Weg, wo ich das Golfwägelchen abgestellt hatte. Ich wollte schon hinter das Lenkrad klettern, aber Kat schob Mutter daran vorbei. Ich stellte ihren Koffer auf den Sitz und folgte ihnen.

Ich erinnere mich, dass ich einen kurzen, flüchtigen Stich verspürte, eine Furcht, die ich gleich wieder beiseite schob. Ich fragte nicht, wohin wir gingen, ich glaube, ich war wohl der Meinung gewesen, Kat wollte Mutter einfach von dem ablenken, was sie auf dem Dock gesehen hatte. Ich ging hinter ihnen her, an der Reihe der kleinen Geschäfte vorbei, vorbei am *Braunen Pelikan* und der Pension *Zum Inselhund*, und hörte zu, wie Kat Mutter mit unverfänglichen Fragen überfiel. Der Geruch von frittierten Krabben, der aus *Max's Café* drang, hing so schwer in der Luft, dass man das Öl beinahe greifen konnte.

Ich sah auf die Uhr. Es war fünf Uhr nachmittags, das Licht zog sich zurück, die Wolken waren rot geädert. Die

Feierlichkeiten würden um sechs Uhr beginnen, wenn jeder Mönch und jeder Insulaner, der zwei gesunde Beine hatte, zum Dock kommen und sich hinter den Stuhl der Meerjungfrau drängen würde. An der Spitze der Prozession würde der Abt gehen, ausgestattet mit Messgewand, Stola und Krummstab. Und irgendwo in diesem ganzen Trubel würde Whit sein.

Kat blieb unter der gestreiften Markise ihres Meerjungfrauenschuppens stehen und öffnete die Tür. Auf dem Schild im Fenster stand GESCHLOSSEN. So absurd das auch klingen mag, selbst in diesem Moment war es mir noch nicht in den Sinn gekommen, dass unser kleiner Spaziergang einen anderen Zweck haben könnte als den, Mutter von der schrecklichen Erinnerung abzulenken, die sie scheinbar auf dem Dock bedrängt hatte.

Als ich hinter ihnen das Geschäft betrat und die Geräusche der Straße gedämpft wurden, sah ich Hepzibah, Shem und Pater Dominikus bei der Ladentheke stehen, im hinteren Teil des Geschäfts, unter meinem Bild von dem Schiffswrack, das ich gemalt hatte, als ich elf war. Dominikus trug weder seinen Habit noch seinen Strohhut, sondern einen Anzug mit Priesterkragen. Shem stand völlig verkrampft mit hochrotem Kopf da, er hatte die Arme vor seiner mächtigen, tonnenförmigen Brust verkreuzt und die Hände unter seine Achseln gesteckt, als ob ihn jemand mit Waffengewalt hierher gezwungen hätte.

Mutter schien sie alle im gleichen Moment zu bemerken wie ich und blieb wie angewurzelt mitten im Laden stehen. Sie war wie gelähmt, und um sie herum dräute Kats Versammlung der Meerjungfrauen. Sie hingen in Form von Windspielen über ihr von der Decke herab und umgaben sie von allen Seiten, eine Vielzahl von Keramikskulpturen, Seifenstücken, Kerzen und Badehandtüchern. Ich sah, wie sie langsam Richtung Tür zurückwich.

Hepzibah eilte auf sie zu, mit einer sonderbaren Mischung aus Entschlossenheit und Unwillen auf ihrem Gesicht. Sie umarmte Mutter. »Alles ist gut, Nelle, das verspreche ich dir. Wir werden uns nur ein bisschen unterhalten, einverstanden?«

Dieses Bild werde ich nie vergessen – Mutter steht umfangen von Hepzibahs dunklen Armen und rührt sich nicht, nur ihr Glas hält sie fest umklammert.

Es machte zweimal scharf »klick«, ich begriff, dass Kat die Tür hinter uns abgeschlossen hatte. Ich fuhr herum. »Um Himmels Willen, Kat, was *soll* das hier alles?«

Sie griff nach meinen Händen und hielt sie eine Weile ganz fest. »Es tut mir leid, Jessie«, sagte sie. »Ich bin nicht aufrichtig mit dir gewesen. Ich war eine starrsinnige, besserwisserische, verdammte Idiotin, die geglaubt hat, das Richtige zu tun, aber ich hab' das Gefühl, ich hab' alles noch viel schlimmer gemacht.«

Ich drehte meinen Kopf ein wenig zur Seite und musterte sie. Ihr Gesicht war wie von einer Schicht Eis überzogen, die kurz vor dem Aufbrechen stand. Ihre Augen waren schmal, ihr Mund verzerrt, um ein Weinen zu unterdrücken, und ich verstand, wie viel Überwindung sie diese Worte gekostet hatten. Ich merkte, wie ich mich langsam, aber sicher auf etwas gefasst machte.

»Es ist nur ... ich schwöre dir, ich hätte niemals gedacht, dass es Nelle *so* schlecht geht.«

»Aber warum sind wir *hier*?«

»An dem Tag, als wir drüben im Krankenhaus gesessen haben, hab' ich begriffen, wenn ich nicht versuchen würde, alles ans Tageslicht zu holen, dann würde Nelle eines Nachts verbluten. Wenn sie sich erinnern muss, um er-löst zu werden, wie du gesagt hast, und auch Hugh, dann werden wir uns jetzt in Gottes Namen hier hinsetzen und uns erinnern.«

Mein Verstand raste. Allmählich dämmerte es mir: Kat, Hepzibah, Dominikus, Shem – sie alle wussten Bescheid. Sie kannten den Grund, warum sich Mutter verstümmelt hatte, warum der Tod meines Vaters in gewisser Weise auch das Leben meiner Mutter beendet hatte. Sogar, warum seine Pfeife in ihrer Schublade begraben gewesen war und nicht am Meeresgrund. Die Wahrheiten waren wie verpuppte Zikaden gewesen, die, weil es ihnen ihre innere Uhr befiehlt, nach siebzehn Jahren alle gemeinsam schlüpfen und ans Tageslicht drängen.

Ich sah hinüber zu Dominikus, der zurückblickte und die Mundwinkel zu einem angedeuteten Lächeln verzog, der offensichtlich versuchte, mich zu beruhigen.

Sie hatten es seit dreiunddreißig Jahren gewusst. Als ich noch ein Kind gewesen war und das Bootswrack gemalt hatte, als ich im Klostergarten Rosen gepflückt und wie die Asche meines Vaters auf der Insel verstreut hatte. Und auch jedes Mal, wenn ich hierher zurückgekommen war, hatten sie mich angesehen und hatten es gewusst.

Hepzibah hatte Mutter in einen der Klappstühle bei der Theke gesetzt. Irgendjemand hatte ihr das Glas abgenommen und zwischen die Registrierkasse und eine Schachtel zuckerfreier Kaugummis gestellt. Mutter ließ alles mit bemerkenswerter Resignation über sich ergehen.

Hepzibah trug an diesem Tag keinen ihrer Kopfputze, aber sie hatte die Haare zu Cornrows geflochten. Ich sah in dem Augenblick zu ihr hinüber, als sie mit einer Hand an einem ihrer Zöpfe entlangfuhr und mit der anderen Hand Mutters Arm tätschelte. Als ich das letzte Mal hier gesessen hatte, hatten Kat, Hepzibah und Benne Nusseis gegessen.

In dem Moment kam mir zum ersten Mal der Gedanke, dass das, was sie hier vorhatten – die so genannte Er-Lösung –, Mutter möglicherweise nicht gut tun würde. Ich konnte nicht fassen, dass ausgerechnet ich so dachte, nach allem, was ich vorher gesagt hatte, aber was, wenn die Wahrheit zu viel für sie wäre? Wenn sie zusammenbrechen, sich auf dem Boden krümmen würde?

Ich beugte mich hinüber zu Kat und sagte leise: »Ich will ja auch, dass Mutter mit den Dingen konfrontiert wird, aber ist *das* hier die richtige Methode? Sie kommt ja schließlich gerade erst aus dem Krankenhaus!«

»Ich hab' Hugh heute Morgen angerufen«, sagte Kat.

»*Hugh?*« Ich spürte, wie sich sein Name um mich herum ausdehnte und mir die Luft nahm.

»Ich würde das hier nicht machen, wenn er es nicht abgesegnet hätte«, versicherte sie mir. »Ich hatte sogar den Eindruck, er schien es für eine ausgesprochen gute Idee zu halten.«

»*Wirklich?*« Ich tat überrascht, aber ich konnte mir gut vorstellen, dass das hier genau sein Ding war: Eine Gruppe liebender Freunde sammelt sich um Mutter und hilft ihr, den Dingen ins Auge zu sehen, die sie allmählich von innen heraus zerfressen.

Kat sagte: »Hugh hat vorgeschlagen, dass wir mit ihr wie Freunde reden, sie nicht zu sehr bedrängen. Sie muss diejenige sein, die es schließlich sagt.«

Es. »Und hast du ihm auch erklärt, was *es* ist?«, fragte ich.

Sie sah zur Seite. »Ich hab' ihm alles erklärt.«

»Oh. Aber *mir* konntest du es nicht erklären?« Meine Stimme kippte vor Wut und Verzweiflung. »Mich musst du mit Mutter hierher in einen Hinterhalt locken?«

Sie schüttelte den Kopf, Haarbüschel flogen um ihr Gesicht. Ich konnte hören, wie die anderen leise murmelten.

»Ich kann dir nicht verübeln, dass du wütend bist«, sagte Kat, sie war wieder ganz die Alte, gereizt und schroff. »Schön, ich verdiene es. Ich glaube, darüber sind wir uns einig. Aber tu mir einen Gefallen und nenn das hier *nicht* einen Hinterhalt. Ob du's glaubst oder nicht, wir tun das hier aus Liebe zu Nelle, und aus keinem anderen Grund.«

Sie stand gestikulierend vor mir, klein und entschlossen, und ich zweifelte nicht, dass sie Mutter liebte, dass sie das Leid meiner Mutter die letzten dreiunddreißig Jahre getragen hatte, als sei es ihr eigenes.

»*Du* bist es doch gewesen, die mich davon überzeugt hat, dass wir über all das sprechen müssen«, schimpfte sie. »Und der Anblick von Nelle in ihrem Krankenbett, mit einem weiteren Finger in einem Einmachglas. Ich hätte ja viel früher mit dir darüber geredet, aber ich hab' einfach bis letzte Nacht gebraucht, um mir alles zurechtzulegen. Ich hab' bis heute Morgen noch nicht gewusst, ob ich das hier durchziehen kann.«

Ich holte tief Luft und fühlte, wie ich mich beruhigte. Ich war verärgert, dass sie sich an Hugh gewandt hatte, aber gleichzeitig auch erleichtert.

Kat fasste sich wieder. »Hugh hat gemeint, die Medikamente hätten Nelle weitgehend stabilisiert und selbst ihr Arzt hätte gesagt, sie wäre jetzt soweit, dass sie dahin zurückschauen könnte, wo alles angefangen hat.«

So, dachte ich, Hugh hat also Kontakt zu Nelles Arzt gehalten.

Kat und ich setzten uns zu den anderen – ich neben Mutter, Shem und Dominikus auf die verbleibenden Stühle.

»Ich habe keine Ahnung, was hier vorgeht«, sagte ich zu Mutter.

»Wenn du mich nicht jetzt schon hasst, hiernach wirst du es«, antwortete sie.

»Niemand wird hier jemanden hassen«, sagte Kat. »Ich weiß, dich hierher zu holen war nicht gerade die feine Art, aber wir müssen da jetzt durch, daran gibt's nichts zu rütteln.«

Mutter blickte auf ihre Hände, die wie kleine Wasserschalen auf ihren Knien ruhten.

»Hier, sieh mal, ich war vorhin kurz bei dir und hab' dir deinen Rosenkranz geholt«, sagte Kat. Sie griff in ihre Tasche, zog die roten Perlen hervor und ließ sie in Mutters Hand gleiten.

Sie schloss ihre Hand darum. »Was soll ich tun?«

»Versuch einfach, das, was mit Joe passiert ist, in deine eigenen Worte zu fassen«, sagte ihr Dominikus.

Wir warteten.

Mein Herz fing an, wie wild zu schlagen. Ich wollte es nicht wissen. Ich hatte alle hier mehr oder weniger in diese Situation gebracht, aber jetzt war ich völlig aufgelöst, wenn ich versuchte, mir vorzustellen, was »es« wohl sein könnte.

Wenn du mich nicht jetzt schon hasst, hiernach wirst du es.

Mutter wandte sich mir zu und sah mich an, und mir war, als würde ich in zwei schwarze Luken schauen, so viel düsterer Kummer lag in ihrem Blick.

»Ich werde dich nicht hassen«, sagte ich. »Du musst daruber sprechen. Was immer es auch ist.«

Ich konnte sehen, wie ihr Widerstand bröckelte. Wir alle konnten es sehen. Wir saßen da und vermieden es, einander in die Augen zu schauen. Die Stille schwoll zu einem gewaltigen Meer an. Draußen auf dem Bürgersteig baute sich die Menge auf, um dem Stuhl der Meerjungfrau zu huldigen. Es waren Touristen, die mit der Fähre übergesetzt hatten. Ich konnte sie durch die Fensterscheibe sehen. Ich stellte mir vor, wie sie dort draußen all die Dinge taten, die gewöhnliche Leute tun – vor Schaufenstern stehen bleiben, ein Eis essen, Kinder auf die Schultern heben, all die schlichten, alltäglichen Handlungen, in denen so viel Unschuld liegt. Der Gedanke erfüllte mich mit Schmerz und Wehmut. Erst wenn man die selbstverständlichen, scheinbar nebensächlichen Dinge verliert, weiß man sie zu schätzen. Ich wollte, dass alles wieder ganz normal wäre. Ich wollte wieder mit der segensreichen Nonchalance durch die Welt gehen, die den Gedankenlosen vorbehalten ist.

»Dein Vater, er war krank«, sagte Mutter. Sie spie die Worte in unsere Mitte wie den harten, bitteren Kern einer Frucht.

Sie hielt inne und sah zur Tür.

»Nelle«, sagte Dominikus, »fahr fort und erzähl es uns. Es wird für uns alle gut sein. Tu es für dich. Und für Jessie. Tu es für unsere gesegnete St. Senara.«

Mit einem Mal füllte sich der Raum mit einem Leuchten. Es war lediglich die Sonne, die sich ihren Weg durch den Himmel gebahnt hatte, nun auf das Fenster traf und uns mit Lichtstrahlen überflutete, aber wenn man an höhere Mächte glaubte, so konnte es einem vorkommen, als ob Senara ihre Hand erhoben und uns ein Licht gesandt hätte, um Dominikus' Worte zu segnen. Mutter bekreuzigte sich.

»Es war das Gleiche, was schon *sein* Vater hatte«, sagte sie. Sie war nun entschlossen, es stand deutlich in ihren Augen. »Die Picksche Krankheit.«

Sie blickte auf die Holzdielen auf dem Fußboden, als ob sie ihnen ihre Geschichte erzählen würde, aber sie sprach eindeutig zu mir. »Als kleiner Junge hat Joe mit ansehen müssen, wie sein Vater – dein Großvater – senil geworden und schließlich gestorben ist. Damals hat man einfach nur von Altersdemenz gesprochen. Erst als es bei Joe diagnostiziert worden ist, ist offensichtlich geworden, dass es wohl auch die Ursache für die Demenz seines Vaters gewesen war.«

Ich schloss die Augen. *Picksche Krankheit.* Ich hatte noch nicht einmal davon gehört. Ich spürte, wie etwas in mir aufstieg, wie etwas in mir aufquoll. Es war Schmerz. Ich stellte mir vor, wie ein schwerer Sturm über Bone Yard Beach tobt, das Wasser aufpeitscht und in die Dünen fährt, und ich wusste, dieser Sturm würde das Antlitz der Insel für immer verändern.

»Als wir uns kennen gelernt haben, hat mir Joe von seinem Vater erzählt, davon, wie die Krankheit sein Gehirn zerstört hatte.« Sie sprach in abgehackten Silben, als ob jedes Wort ein schwerer Ziegelstein wäre, den sie anheben und an den richtigen Platz legen musste. »Aber ich glaube, es ist ihm niemals in den Sinn gekommen, dass er es bekommen könnte, die Wahrscheinlichkeit, dass es vererbt wird, ist unglaublich gering. Er hat lediglich davon gesprochen, dass es kein Heilmittel gäbe, solche Dinge hat er mal erwähnt.«

Sie bekreuzigte sich wieder. Tränen perlten in ihren grauen Wimpern. Sie sagte: »Einmal hat sein Vater ihn mit einem anderen Jungen verwechselt. Es hat Joe das Herz gebrochen. Später dann hat sein Vater gar nicht mehr gewusst, wer Joe überhaupt war. Die Krankheit hatte sein Gedächtnis vollkommen aufgefressen. So hat Joe es immer genannt, dass es war, als ob die Krankheit seinen Vater von innen heraus verschlungen hätte. Am Ende konnte sein Vater nicht mehr richtig sprechen, und die Spucke ist ihm aus dem Mund gelaufen. Joes Mutter musste ihrem Mann dann ständig das Kinn abwischen, bis sie ihm schließlich ein Lätzchen umgebunden hat.«

Sie beugte sich vor, die Worte sprudelten plötzlich wie ein gewaltiger Strom aus ihr heraus. Nachdem die Geschichte sich erst einmal ein kleines Rinnsal gebahnt hatte, schien die Macht der Worte den Damm durchbrochen zu haben.

»Am Anfang hat sich wohl nur die Persönlichkeit seines Vaters verändert. Er muss sich komisch verhalten haben, hat fremde Leute grundlos angebrüllt oder hat völlig unvermittelt irgendwelche verrückten Sachen gesagt. Anstößige Sachen. Als ob er all seine Hemmungen verloren hätte. Aber was Joe am meisten zugesetzt hat, war, dass sein Vater ihn eines Tages so fest geschlagen hat, dass er zu Boden gegangen ist. Als sein Vater begriffen hat, was er da getan hatte, muss er wohl angefangen haben zu weinen und gesagt haben, ›Es tut mir leid, mein Kleiner, es tut mir leid.‹ Als ob er nicht einmal mehr wusste, wen er da vor sich hatte. Joe ist jedes Mal in Tränen ausgebrochen, wenn er darüber geredet hat. Ich glaube, es war für alle eine Erleichterung, als sein Vater endlich gestorben ist. Joe war damals zehn. Und sein Vater erst achtundvierzig.«

Ihre Augen schrumpften zu kleinen Mandeln zusammen. Das Kruzifix am Ende ihres Rosenkranzes hing lose über ihren Schoß und schwang jedes Mal leicht hin und her, wenn sie ihre Finger mit der frommen Geübtheit einer alten Nonne über die Perlen gleiten ließ.

Hepzibah tätschelte Mutters Arm und Hände, knetete ihre Haut, als ob sie alles wieder in Form bringen wollte. »Na komm, erzähl uns den Rest, Nelle.«

Mutter wischte sich die Augen. »Joe ist eines Tages zu mir gekommen und hat gesagt, er wäre sich sicher, dass er die Krankheit seines Vaters hätte. Er war mit dem Boot draußen gewesen, und als er versucht hatte, den Anker über Bord zu werfen, konnte er sich nicht mehr erinnern, wo der lag, ja nicht einmal mehr, wie man Anker sagt. Er war so durcheinander gewesen, dass er auf der Stelle zurück zum Dock gefahren war, weil er Angst hatte, dass er auch vergessen könnte, wo *das* lag. Ich sehe noch heute sein Gesicht vor mir, als er in die Küche gekommen ist, er war so bleich und verängstigt. ›Gott mit mir, Nelle, ich habe die Krankheit‹, hat er gesagt. Er hat es gewusst, und ich glaube, ich auch. Es hatte schon andere Anzeichen gegeben – manchmal hatte er irgendwelche Kleinigkeiten vergessen, oder dann hatte er aus völlig nichtigen Gründen die Beherrschung verloren. Ein paar Monate später haben uns die Ärzte in Charleston dann nur noch gesagt, was wir ohnehin schon wussten.«

Sie sah uns nicht an. Sie konzentrierte ihren Blick auf den

Fußboden wie auf einen kleinen Altar, die Lichtstrahlen und die flimmernden Staubkörnchen.

»Dein Vater hat eines nicht gewollt, deinen Namen zu vergessen«, sagte sie, und ich hörte die Verzweiflung in ihrer Stimme, hörte, wie sie in ihrem Hals kratzte. »Er hat natürlich auch Mikes Namen nicht vergessen wollen, aber es war *dein* Name, Jessie, den er nachts gerufen hat, wenn er im Schlaf hochgefahren ist. Manchmal ist er aufgeschreckt und hat geweint ›Es tut mir leid, meine Kleine, es tut mir leid!‹« Sie wiegte sich vor und zurück, und ich wusste instinktiv, dass sie in solchen Momenten wohl auch ihn in ihre Arme genommen und gewiegt hatte.

Ich konnte es nicht ertragen, sie anzusehen. Ich erinnerte mich daran, dass ich Mutter und Vater einmal in der Küche dabei zugesehen hatte, wie sie ohne Musik miteinander getanzt hatten. Sie hatten sich gegenseitig mit Liebe und Zärtlichkeit geradezu überschüttet.

»Ich habe es ihm tausendmal gesagt, ›Du wirst den Namen deiner Kinder *nicht* vergessen, das lasse ich nicht zu. Gott wird dich heilen.‹« Sie drehte den Rosenkranz in ihren Händen hin und her. Ich bewegte mich auf sie zu und streckte die Hände nach ihr aus. Ich wollte meiner Mutter nahe sein. Ich wollte mich über sie beugen und sie küssen, wie eine Mutter ein verletztes Kind küsst. Meine Gefühle für sie waren so widersprüchlich.

Der Rosenkranz fiel zu Boden. Sie fing an, mit meinem Vater zu reden, als ob er hier bei uns im Raum sitzen würde. »Bitte mich nicht, das zu tun, Joe. Nicht das. Ich werde auf den Knien um die Insel rutschen, wenn es sein muss. Ich werde nicht mehr essen. Ich werde auf dem Boden schlafen, im Dreck. Ich *werde* Gott dazu bringen, uns zu erhören. *Jesus und Maria*. Aber bitte mich nicht, das zu tun. Das wäre die sichere Verdammnis für uns beide.«

Ihr Gesicht glühte.

Das Licht auf dem Boden war verschwunden, als ob eine Flamme erloschen wäre. Mutter starrte auf die Dunkelheit, die sich zu ihren Füßen ausbreitete, auf die Schatten, die leise unter den Stühlen hervorkrochen.

Kat bückte sich und hob den Rosenkranz auf. Keiner von uns sagte ein Wort. Ich hatte das verschwommene, verwirrende Gefühl zu schweben, wie ein Aal im Ozean zu treiben. Ich begriff gar nichts. Was versuchte sie zu sagen?

Obwohl, ich glaube, tief in meinem Innern habe ich es schon gewusst. Denn meine Luftröhre saugte sich voll Luft, meine Lungen dehnten sich aus. Es war, als würde man Baumwolle in ein Kissen stopfen, das einen schweren Schlag abfangen muss.

Mutter wandte sich langsam zu mir. »Er hat nicht auf mich gehört. Ich habe mich immer und immer wieder geweigert, und er hat jedes Mal nur gelächelt und gesagt, ›Nelle, mach dir keine Sorgen. Gott wird dir keinen Vorwurf machen. Denn du wirst einen Akt der Gnade begehen. Hilf mir, meine Würde zu bewahren. Lass mich tun, was ich tun muss.‹«

Da begriff ich.

Ich muss wohl einen Ton von mir gegeben haben, ein Klagen. Alle drehten sich zu mir und sahen mich an. Selbst Mutter. Ihr Anblick erfüllte mich mit so viel Schmerz.

»Ich hätte nicht auf ihn hören sollen«, sagte Mutter. »Warum nur habe ich auf ihn gehört?«

Dominikus' Augenlider flimmerten, und alles, was ich denken konnte, war, wie durchsichtig sie waren, zwei bläulich-weiße Folien.

Auf einmal lag alles ganz klar vor mir, das Leben war zu einer Perle zusammengeschrumpft, die ich in ihrer grausamen Vollkommenheit nun von allen Seiten betrachten konnte. Alles war plötzlich da – das Leben zeigte sich mir so, wie es wirklich ist, überwältigend, abstoßend, zerstörerisch. Ich sah die Lecks, die es in unsere Herzen schlägt, und die unbeschreibliche Mühsal, die Liebe auf sich nimmt, wenn sie versucht, dem anderen das Verlorene zu ersetzen.

Mutter fing an zu weinen. Ihr Kopf fiel auf ihre Brust und hob und senkte sich zusammen mit ihren Schultern. Ich fasste ihre Hand, weil sie dort lag und weil sie einfach ergriffen werden musste. Weil ich sie für das, was sie getan hatte, zugleich liebte und hasste, vor allem aber hatte ich Mitleid mit ihr.

Ihre Hand war schwer und feucht. Ich berührte die Adern, die sich über ihre Knöchel wanden. »Du hast das einzig Mögliche getan«, sagte ich. Das war alles, wozu ich fähig war – dieses eine Zugeständnis, diese eine Geste der Nachsicht.

Ich war nicht sicher, ob sie mir sagen würde, wie sie es getan hatte, und ob ich es überhaupt wissen wollte.

Ich verspürte ein ganz klein wenig Erleichterung. Ich sah, wie Dominikus still die Lippen bewegte, und dachte, er spräche ein Dankesgebet dafür, dass sich Mutter endlich von der Vergangenheit befreit hatte. Ich hatte gedacht, dass die Wahrheit zwar entsetzlich war, aber zumindest war sie nun *heraus*. Ich hatte geglaubt, es könnte nicht noch schlimmer kommen. Hier habe ich geirrt.

Hepzibah reichte Mutter ein Glas Wasser. Wir sahen feierlich zu, wie sie die Fassung wiedererlangte, wie sie trank, ihr Schlucken drang unnatürlich laut durch die Stille. Mir kam ein Bild in den Sinn: wie ich durch ihre Schublade gewühlt und die Pfeife gefunden hatte.

»Es war nicht die Pfeife, die es verursacht hat«, sagte ich ihr. »Es war nicht die Pfeife.«

»Nein«, sagte sie. Die Haut hing schlaff und ausgebeult unter ihren Augen, wie kleine Luftballons, aus denen die Luft gewichen ist. Aber in ihren Augen selbst lag ein Ausdruck – es war die erschöpfte Ruhe, die der Katharsis folgt.

»Weißt du, was Toter Finger ist, Jessie?«, fragte Kat.

Ich drehte mich verwirrt zu ihr um. »*Was?*« Ich dachte in meiner Naivität, sie würde von Mutters Finger, dort in dem Glas auf der Theke sprechen. Der Raum war vollkommen still.

»Toter Finger«, wiederholte sie. Sie sagte es ganz sanft, geradezu liebevoll. »Es ist eine Pflanze. Ein Nachtschattengewächs.« Sie sah mich fragend an, um zu sehen, ob ich die Bedeutung ihrer Worte begriff. »Es ist sehr giftig«, fügte sie hinzu.

Ich verstand augenblicklich, mein Vater war gestorben, nachdem er irgendeine giftige Pflanze zu sich genommen hatte.

Ich stand auf, ich schüttelte den Kopf. Wie korrigiert man mit einem Mal Bilder und Vorstellungen, die man dreiundvierzig Jahre lang mit Leib und Seele verinnerlicht hat?

Ich ging zur Theke und lehnte mich an das abgenutzte Holz und ließ meinen Kopf in meine Hände sinken. »Toter Finger«, sagte ich, und allmählich dämmerte mir, dass dieser Name in der verdrehten Gedankenwelt meiner Mutter die Kette von Ereignissen in Gang gesetzt hatte, an deren Ende sie sich schließlich selbst verstümmelt hatte.

Hepzibah kam zu mir und stellte sich neben mich. Sie berührte mich an den Schultern. »Er ist früher auf dem Sklavenfriedhof gewachsen. Auch heute sprießt er dort noch manchmal, wenn man nicht Acht gibt. Ein Busch mit krausen Blättern und gräulich-weißen Blüten, die wie Finger aussehen und die entsetzlich nach Fäulnis stinken. Du hast bestimmt schon mal einen auf der Insel gesehen.«

»Nein«, sagte ich, ich hielt noch immer die Hände vor mein Gesicht, ich wollte es mir nicht ausmalen.

»Er ist gnädiger als andere Nachtschattengewächse. In den vierziger und fünfziger Jahren haben ihn viele hier benutzt, um ihre alten und kranken Tiere einzuschläfern. Dein

Vater ist sehr friedlich gestorben, Jessie. Er ist einfach eingeschlafen und nicht wieder aufgewacht.«

Ich wandte mich zu Mutter, die ruhig, aber völlig erschöpft aussah. »Woher hast du das alles gewusst? Ich hatte keine Ahnung, dass du etwas von Pflanzen verstehst.«

Sie antwortete mir nicht. Stattdessen sah sie zu Kat und dann zu Hepzibah.

Sie waren daran beteiligt gewesen.

»Ihr habt ihr geholfen«, sagte ich und sah von einer zur anderen.

Kat blickte auf den Boden, dann wieder zu mir. »Wir haben es getan, weil dein Vater uns darum gebeten hat. Er ist zu jedem Einzelnen von uns gekommen – auch zu Shem und Dominikus – und hat uns angefleht, ihm zu helfen, so wie er deine Mutter angefleht hat. Wir haben Joe geliebt. Wir hätten alles für ihn getan, aber keine von uns hat es sich leicht gemacht.«

Ich sah Dominikus völlig verwirrt an. Warum sollte mein Vater *ihn* mit einbeziehen? Kat und Hepzibah, das konnte ich verstehen. Sie waren Mutter treu ergeben, und Vater war sicher bewusst gewesen, dass Mutter danach ihren Beistand brauchen würde. Shem war sein bester Freund gewesen. Aber Dominikus ...

Er verstand meinen Gesichtsausdruck. »Komm, setz dich«, sagte Dominikus zu mir und wartete, bis ich mich in einen Stuhl neben ihn gesetzt hatte. »Joe ist eines Tages zu mir gekommen und hat mir gesagt, dass er sterben müsse und dass es ein langes und entsetzliches Sterben sein würde und dass er sich das nicht zumuten könne, und schon gar nicht seiner Familie. Er hat gesagt, dass er dieses Leben gerne verlassen und dabei im Stuhl der Meerjungfrau sitzen würde. Er hat am heiligsten Ort der ganzen Insel sterben und dabei seine Frau und seine Freunde um sich wissen wollen.«

Dominikus hätte nichts sagen können, was mich mehr überrascht hätte – auf der anderen Seite aber auch nichts, was mir selbstverständlicher, meinem Vater angemessener vorgekommen wäre.

»Dein Vater hat so ein gewinnendes Wesen gehabt«, sagte er. »Und, wie ich es immer genannt habe, einen sehr kreativen Sinn für Humor, selbst noch in dieser Lage. Er hat mir grinsend gesagt, dass Gott einmal echte Meerjungfrauen zu seinem Boot geschickt hätte, was ja wohl ein sicheres Zeichen dafür wäre, dass er bei seinem Tod in diesem Stuhl sitzen und sich an ihnen festhalten sollte. Aber was er vor allem gewollt hat, war ...« Dominikus sah zu Mutter. »Er wollte in dem Stuhl sitzen, weil es um Nelles willen ein geweihter Ort sein musste. Ich war auserkoren, sein Offiziant zu sein – weißt du, seinem Sterben beizuwohnen, ihm sein Sterbesakrament und dann Nelle und uns anderen die Absolution zu erteilen. Ich habe mich lange geweigert. Ich war die letzte Hürde.«

Ich versuchte immer noch, mir das Sterben meines Vaters ganz neu vorzustellen – die Bilder auszutauschen, meine Gefühle neu zu ordnen. Ich versuchte, ihn im Stuhl der Meerjungfrau vor mir zu sehen, wie er in das Gesicht meiner Mutter blickt und langsam in ein Koma sinkt. Hatte ich in meinem Bett gelegen und geschlafen, während all das passiert war? Eine Erinnerungskapsel hing in meinem Kopf wie eine kleine, grüne Frucht, die niemals ganz gereift war: Ich schlage die Augen auf, und er steht an meinem Bett. Die Apfelschale, die er mir zuvor am Abend gezaubert hatte, liegt auf meinem Nachttisch, schon leicht bräunlich, und er fährt sanft darüber.

»Daddy?« Meine Stimme ist vom Schlaf ganz benommen.

»Psch«, macht er. »Es ist alles gut.«

Er kniet sich auf den Boden und schiebt einen Arm unter meine Schulter, drückt mich an seine Brust, meine Wange quetscht sich an den rauen Flor seines Kordhemds. Er riecht nach Pfeifentabak und Äpfeln.

»Jessie«, sagt er. »Mein Wildäpfelchen.«

Ich bin mir sicher, ich habe ihn leise weinen hören. Er hat meinen Namen immer wieder ganz sanft in mein Ohr gesungen, bevor er mich wieder auf mein Kissen gelegt hat, zurück in die verschwommene Welt meiner Träume.

Ich habe immer gewusst, dass er eines Nachts an mein Bett gekommen ist. Jedes Mal, wenn ich als Kind meinen Namen durch das leere Marschland gerufen habe, habe ich es gewusst. Ich hatte nur bis jetzt nicht begriffen, dass es in der Nacht war, in der er gestorben ist.

Ich hielt mich mit beiden Händen an meinem Stuhl fest. Ich versuchte, nicht umzukippen.

»Warum haben Sie Ihre Meinung geändert?«, fragte ich Dominikus.

»Joe war fest entschlossen«, sagte er. »Und er war nicht nur sehr charmant, sondern auch gerissen. Er hat mir ganz klar zu verstehen gegeben, dass er sich das Leben nehmen würde, ob ich helfen würde oder nicht, aber dass es für Nelle sehr viel besser wäre, wenn ich helfen würde. Ich habe damals verstanden, dass ich mich entweder auf das Dogma der Kirche zurückziehen und mich weigern oder dass ich in einer entsetzlichen und ausweglosen Lage einen Akt der Gnade gewähren könnte. Ich habe mich schließlich entschieden, die seelische Not ein wenig zu lindern und zu helfen.«

Ich stand kurz davor, das Offensichtliche zu sagen, nämlich, dass es Mutter letztlich doch nicht sehr geholfen hatte, an einem heiligen Ort gewesen zu sein und die Absolution erhalten zu haben, aber was wusste ich schon.

»Das Boot«, sagte ich, »war er überhaupt jemals auf dem Boot?«

Shem, der bisher noch kein einziges Wort gesprochen

hatte, sah mich mit rot umrandeten Augen an. »Er war auf dem Boot. Ich habe ihn selbst dorthin gebracht – auf die alte *Chris Craft* – ich habe ihn hineingelegt. Sie hat an meinem Dock geankert.«

Die *Jes-Sea*.

Mir wurde plötzlich klar, dass Shem nicht nur darin verwickelt worden war, weil er ein enger Freund meines Vaters gewesen war, sondern weil er wusste, wie man ein Boot so zum Explodieren bringen konnte, dass es wie ein Unfall aussah.

Shem sah Mutter an, als ob er sie um Erlaubnis bitten würde, fortfahren zu dürfen. In den letzten Minuten war sie still und in sich gekehrt gewesen, in sich zusammengesunken. »Nelle?«, sagte Shem, und sie nickte ihm zu.

Ich sah, wie er tief Luft holte. Als er ausatmete, zitterte sein Kinn. »Joe hatte die Bilge schon mit Benzin gefüllt und das Steuer so festgebunden, dass es ihn hinaus in die Bucht führen würde. In der Nacht, als ich ihn ins Boot gelegt habe, hab' ich das Boot gestartet und auf Leerlauf stehen lassen und das Batteriekabel abgetrennt. Dann hab' ich das Gas auf zehn Meilen die Stunde aufgedreht und die Bootsklampe gelöst. Als das Boot auf kabbeliges Wasser gestoßen ist, hat das Kabel angefangen, herumzutanzen und Funken zu sprühen. Das Boot ist explodiert, da war es noch keine zweihundert Yard draußen.«

»Aber warum all diese Anstrengungen, nur damit es wie ein Unfall aussieht? Das ist doch verrückt!«

Mutter sah mich an. Auf einmal war sie wieder wie früher, kämpferisch und entschieden. »Das war für deinen Vater das Allerwichtigste. Er wollte es so um deinetwillen, also wag ja nicht zu sagen, dass das verrückt war.«

Ich ging zu ihr und kauerte mich neben ihren Stuhl.

Es war mir eine große Erleichterung, dass sie wütend sein konnte, dass etwas von ihrem alten Selbst überlebt hatte.

342

»Was willst du damit sagen, er hat es so um meinetwillen gewollt?«

Sie beugte sich zu mir herunter, und ihre Augen wurden wieder wässrig. »Er hat immer gesagt, dass sein Tod schlimm für dich würde, aber dass es noch viel schlimmer für dich sein würde, mit seinem Selbstmord zu leben. Er hat den Gedanken nicht ertragen können, dass du glauben könntest, er hätte dich im Stich gelassen.«

Es wurde ganz still.

Vor den Trümmern meiner Kindheit, die ich versuchte, neu zusammenzufügen, zeichnete sich das Wissen ab, dass mein Vater das, was er getan hatte, für *mich* getan hatte, für sein Wildäpfelchen, und ich wusste nicht, wie ich diese neuerliche Last nun tragen sollte – schuld an seinem Opfer zu sein.

Ich schloss die Augen und hörte, wie mein Vater meinen Namen sanft in mein Ohr sprach. Er hatte sein Abschiedslied gesungen.

Jessie Jessie Jessie.

Solange er gelebt hatte, hatte er meinen Namen nicht vergessen.

Ich ließ meinen Kopf in den Schoß meiner Mutter fallen und weinte meinen Kummer in ihren dünnen Baumwollrock. Ich spürte, wie die harte Spitzenkante ihrer Unterhose gegen meine Stirn drückte. Eigentlich hatte doch meine Mutter all die dunklen Kammern in ihrem Herzen leeren und deren Inhalt ordnen sollen. Es hatte doch hierbei darum gehen sollen, dass sie sich erinnert und dadurch ihr gebrochenes Selbst wieder neu zusammensetzen konnte. Und jetzt war es dahin gekommen. Dass ich mich über ihren Schoß beugte und sich ihre geschundene Hand auf mein Haar legte.

Als wir auf die Straße traten, lag der dunkelblaue Schleier

der Dämmerung über der Insel. Die Prozession mit dem Stuhl der Meerjungfrau war schon am Dock angekommen. Als ich in das Golfwägelchen stieg, sah ich, wie sich die Massen entlang der Reling drängten. Ich stellte mir vor, wie die Krabbenboote an ihnen vorbeifuhren, farbige Lichter um ihre hochgezogenen Netze gewunden. Ich stellte mir vor, wie der Stuhl der Meerjungfrau in dem weichen, schimmernden Licht auf seinem korallenroten Teppich stand, mit frischem Wasser übergossen und gesegnet.

Mutter saß neben mir im Golfwägelchen. Wir fuhren durch die sich niedersenkende Dunkelheit, und sie hatte nicht bemerkt, dass sie ihren Finger auf der Ladentheke hatte stehen lassen.

KAPITEL 34

Im Mai holten sich die Gezeiten das tote Marschgras. Es trieb wie ein steter Strom verrottender, heubrauner Flöße die kleinen Buchten entlang. Frühmorgens, wenn ich wusste, dass ich allein sein würde, stahl ich mich hinaus zum Dock in der Vogelkolonie. Wenn ich dort ankam, erhob sich das Licht gerade über der Marsch. Ich nahm den fruchtbaren Geruch von Rogen, Laich und Samen tief in mich auf und verfolgte den machtvollen Exodus auf dem Wasser, die reinigende, gewaltige Kraft, mit der die Natur sich selbst erneuert.

Nachdem ich nun erfahren hatte, wie mein Vater wirklich gestorben war, fiel mein Kummer allmählich von mir ab. Ich kann es nicht genau erklären, aber ich empfand es als Erleichterung, die Wahrheit zu kennen, gleich, wie schrecklich sie auch war. Wenn man erst einmal an den Kern der Dinge gelangt ist, bleibt einem nichts weiter übrig, als ihn zu ergreifen und zu bewahren. Wenn man die Wahrheit erst einmal angenommen hat, kann man seinen Frieden machen.

Mutter schien erleichtert darüber zu sein, dass die Wahrheit endlich aus ihrem langen Winterschlaf hervorgekommen war. Nach und nach beichtete sie mir nun immer weitere Einzelheiten, meistens am Abend, wenn der Tag dunkel und körnig wurde und draußen vor den Fenstern zerrann. Sie erzählte mir, dass Kat und Hepzibah große Mengen an

Blättern und Wurzeln kochen und simmern lassen hatten, bis sie die Konsistenz von Erbsensuppe erreicht hatten. Mein Vater hatte darauf bestanden, das Gebräu aus einem der Messkelche zu trinken. Sicher hatte er auf diese Weise versucht, meiner Mutter begreiflich zu machen, dass auch sein Sterben ein Sakrament war, dass sein Opfer etwas Geheiligtes war, obwohl ich davon überzeugt bin, dass sie es niemals so verstanden hat.

Ich bin nicht einmal sicher, ob *ich* es vollkommen verstehe. Ich kann nicht sagen, ob sich mein Vater in Gottes Werk eingemischt hatte, indem er den Faden durchtrennt hat, der in den Händen der Schicksalsgötter liegt ... Ob er sich etwas angemaßt hatte, das ihm nicht zustand – die fürchterliche Macht, zu sagen, *wann*. Oder hatte er sich lediglich Gottes unendliche Güte angemaßt, indem er sein eigenes Leben als Opfer niedergelegt hatte, um uns Leid zu ersparen? Ich wusste nicht, ob aus seinem Akt Hybris sprach oder Angst oder Mut oder Liebe oder alles zugleich.

Nachts träumte ich oft von Walen, die mit ihren kranken Leibern an den Strand drängten, um einen willentlichen Tod zu sterben. Anfangs hatte ich in meinem Traum immer entsetzt am Strand gestanden und ihnen zugeschrien, sie sollten zurück ins Meer schwimmen, aber nach einigen Nächten änderte sich mein Traum, und schließlich ging ich einfach zwischen ihnen umher, ließ meine Hände über ihre gebirgigen Rücken gleiten und behütete sie auf dem Weg, den sie für sich gewählt hatten.

Mutter sagte, Vater hätte den Kelch mit beiden Händen gehalten und sehr schnell geleert. Dominikus hatte den Kelch dann später Shem gegeben, damit er ihn mit auf das Boot nehmen konnte, aus Angst, dass sich das Gefäß womöglich niemals ganz von dem Gift reinigen ließe. Sie erzählte mir, dass sie angefangen hatte zu weinen, aber er hatte den Kelch bis zur bitteren Neige geleert, sie dann angesehen und gesagt:

»Es ist nicht mein Tod, den ich gerade getrunken habe, Nelle. Bewahre das für mich in deinem Herzen. Es ist mein Leben.«

Was ich mir am meisten wünschte, war, dass meine Mutter es so für sich hätte bewahren können, so, wie er es gewollt hatte.

Hepzibah kam eines Tages an die Tür und brachte das Glas, das Mutters Finger enthielt. Mutter stellte es auf ihren Frisiertisch, auf ein Spitzentaschentuch, zwischen die Marienstatue und das Foto von Vater auf seinem Boot. Nach und nach gesellten sich andere Gegenstände dazu – die Schalen von drei Jakobsmuscheln, ein alter Seestern, ein Sanddollar. Ihr Tischchen verwandelte sich allmählich in einen kleinen Schrein.

Ich fragte sie nicht, was es bedeutete – es schien mir irgendwie falsch, in sie zu dringen –, aber ich hatte das Gefühl, dass sie auf ihre ganz eigene Weise dem Meer ihren Finger darbot, in der Hoffnung, dass er in etwas anderes verwandelt würde, so wie Sednas Finger.

Eines Nachts, als eine Brise vom Bone Yard Beach her den Geruch der See durch das offene Fenster trug, ging ich zu Mutters Schlafzimmer, um ihr Gute Nacht zu sagen. Sie saß vor ihrem Frisiertisch und starrte auf das Glas mit dem Finger. Ich ließ meine Hände über ihren Daumen fahren, berührte die Narbe an ihrem Zeigefinger. »Ich wünschte, du würdest mir sagen, warum du geglaubt hast, dir das antun zu müssen.«

Als sie mich ansah, waren ihre Augen erschreckend klar. Sie sagte: »Im Februar, kurz vor Aschermittwoch, habe ich Toten Finger im Garten entdeckt, direkt beim Haus, am Wasserhahn. Ich hab' es von der Veranda aus gerochen. Zwei kleine Pflanzen. Am nächsten Tag waren es schon drei. Er war noch *nie* in meinem Garten gewachsen, nicht ein einziges Mal, und auf einmal war er da. Das hat mich verfolgt, Jessie. Nachts habe ich geträumt, dass die Blätter durch die Fenster bis ins Haus wachsen. Ich musste etwas tun, damit das aufhört. Damit alles aufhört.«

Sie hob ihre Hand vor Dads Gesicht auf der Fotografie, und ihre Augen füllten sich mit Tränen. »Ich wollte das, was ich getan habe, wieder gutmachen. Es ungeschehen machen. Ich wollte ihn doch nur wiederhaben.«

Das war alles, was sie sagte. Was sie jemals dazu sagte.

Sie wollte es ungeschehen machen. Sie wollte ihn wiederhaben.

Ich weiß nicht, ob ich sie jemals verstehen werde. Was sie auch versucht hat, als sie ihren Finger in den Rosengarten gepflanzt und das Glas mit den Pretiosen des Meeres geschmückt hatte, es war mehr als eine traurige Geste der Buße gewesen. Es war ein letzter, verzweifelter Versuch gewesen, ihn zu erreichen. Ich glaube, sie hatte ihn von all den geschundenen, gepeinigten Orten in ihrem Innern wieder auferstehen lassen wollen, ihn in ihr Gedächtnis zurückholen, so, wie er gewesen war, wie sie *beide* gewesen waren, bevor das alles geschehen war. Sie hatte gewollt, dass ihre Schuldgefühle und ihre Sehnsucht ein Ende nahmen.

In jenen Tagen malte ich wie unter Zwang Bilder von meinem Vater, so, wie ich ihn mir nun in jener Nacht vorstellte, als er im Stuhl der Meerjungfrau gesessen und seinen Tod und sein Leben getrunken hatte. Ich benutzte die Fotografie auf Mutters Frisiertisch als Vorlage für sein Gesicht, ich gab ihm einen leicht schielenden Blick und grub Wetterfalten in sein Gesicht, es war braun und gegerbt – »altes Salz«, wie sie hier dazu sagten. Er saß sehr aufrecht und stolz, wie auf einem Thron, hielt sich an den geflügelten Meerjungfrauen fest und blickte mich an.

Direkt unterhalb des Stuhls, am unteren Bildrand, malte ich eine kleine, rechteckige Kammer, als läge sie in einem verborgenen Bereich unter der Erde. Ein geheimes, verzaubertes Gemach. Dort hinein malte ich ein kleines Mädchen.

Ich arbeitete im Wohnzimmer und manchmal auch auf der Veranda. Ich wollte nicht vor meiner Mutter verbergen, was ich tat, und sie saß stundenlang neben mir und sah mit ehrfürchtigem Staunen zu, wie sein Bild Gestalt annahm, als ob sie einer Geburt beiwohnen würde.

Ich empfand ebenso, aber aus ganz anderen Gründen. Mir wurde zum ersten Mal bewusst, dass sich mein Leben ganz und gar um meinen Vater herum entsponnen hatte, um sein Leben und sein Sterben, die Apfelschalen und die Pfeife. Ich sah es ganz deutlich, als ich ihn mit meinen Pinselstrichen erschuf: Joe Dubois, der verborgene, pulsierende Kern, um den herum sich mein Leben gebildet hatte.

»Wer ist denn das in der Kiste unter dem Stuhl?«, fragte Mutter, die über meine Schulter spähte.

»Das bin wohl ich«, antwortete ich ein wenig verwirrt darüber, dass sie das Wort »Kiste« gebraucht hatte. So hatte ich es noch gar nicht gesehen, aber jetzt fiel mir auf, wie zutreffend das war. *Das kleine Mädchen kniete nicht in einer verzauberten Kammer, einem behaglichen Raum. Es hockte in einer Kiste. Es war das gleiche Mädchen, das später als erwachsene Frau seine Gefühle in enge Kunstkistchen zwängen würde.*

Als ich mit dem Porträt fertig war, hängte ich es in mein Schlafzimmer, wo es durch seine Anwesenheit beinahe zu einer Ikone wurde, wo wir stille Zwiesprache hielten. Es war kein Geheimnis, dass ich meinen Vater idealisiert hatte, dass ich alles getan hätte, ihm zu gefallen – sein Augapfel zu sein –, aber was ich bis zu dem Tag, als ich das Bild gemalt hatte, nie wirklich verstanden hatte, war, wie viel Traurigkeit in all meinen Anstrengungen gelegen hatte. Ich hatte nicht verstanden, dass ich mich dadurch selbst in kleine Kammern gesperrt hatte, in denen ich ohnmächtig war. Aber, was noch schlimmer war – ich begriff nun auch zum ersten Mal, dass ich das Gleiche dann mit Hugh fortgeführt hatte. Ich hatte mich zwanzig Jahre lang ihm angepasst, ohne eine Vorstellung davon zu haben, was es heißt, von sich selbst Besitz zu ergreifen. Sich selbst zu *gehören*.

Es kam mir vor, als hätte ich mit einem Mal wie im Märchen die Erbse unter all den Matratzen entdeckt, das, was mich in so vielen Nächten um den Schlaf gebracht, mich still und leise gedrückt und bedrückt hatte.

Ich saß mit überkreuzten Beinen auf dem Bett, starrte auf das Bild, hörte mir Kassetten auf meinem Walkman an und dachte, was für ein perfekter Vater Hugh gewesen war, nicht nur für Dee, sondern auch für mich. *Oh Gott*, auch für mich.

Ich konnte mir nicht vorstellen, wie es wohl sein würde, wenn ich das ändern würde. Wenn ich versuchen würde, eine Beziehung zu ihm zu finden, die nicht auf seiner väterlichen Seite aufbaute. Wenn ich ihn Hugh sein ließe. Einfach nur Hugh.

Am Muttertag rief Dee an. Ich stand mit dem Telefon in der Küche und lehnte am Kühlschrank. Anfangs wünschte sie mir nur alles Gute zum Muttertag und sprach über ihre Pläne für den Sommer. Sie sagte mir, dass sie keine Kurse belegen, sondern nach Hause fahren wollte, um bei ihrem Vater zu sein.

Als sie Hugh erwähnte, trat eine Pause ein, und dann schlug mir ihre Stimme entgegen, voller Ärger und Verständnislosigkeit. »Warum tust du das?«

»Tue ich was?« Das war natürlich eine völlig dumme Reaktion.

»Du weißt genau, was ich meine!«, rief sie. »Du hast ihn verlassen. Und du hast es mir noch nicht einmal gesagt.« Ich hörte sie am anderen Ende der Leitung weinen, und sie war so entsetzlich weit von mir entfernt.

»Oh Dee, es tut mir so leid.« Der Satz entwickelte sich allmählich zu meinem Standardrefrain. *Es tut mir leid, es tut mir leid, es tut mir leid.*

»Warum?«, fragte sie flehentlich. »Warum?«

»Ich weiß nicht, wie ich dir das auch nur ansatzweise erklären soll.«

Im Geiste hörte ich Whit sprechen, damals, auf dem Boot, ich hörte jedes Wort, das er gesagt hatte. *Ich habe ihnen nie begreiflich machen können, dass ich einfach nur mit mir selbst allein sein muss. Auf eine spirituelle Weise, meine ich.* Er hatte dieses Alleinsein *mit sich selber sein* genannt.

»*Versuch* es«, sagte sie.

Alles konnte ich ihr natürlich nicht sagen. Ich holte Luft.

»Das wird jetzt sicher albern klingen, aber ich hatte das Gefühl, mein Leben wäre festgefahren, mir war, als ob es verkümmern würde. Alles war auf die Rollen reduziert, die ich gespielt habe. Ich habe es geliebt, Ehefrau, Hausfrau und Mutter zu sein, wirklich, aber diese Rollen waren irgendwann erschöpft, und sie waren nicht wirklich ich. Verstehst du, was ich meine? Ich habe gespürt, dass es noch ein anderes Leben unter dem Leben geben musste, wie ein unterirdischer Fluss oder so, und dass ich zu Grunde gehen würde, wenn ich nicht danach graben würde.«

Sie schwieg, nachdem ich gesprochen hatte, und das war für mich eine Erleichterung. Ich ließ mich am Kühlschrank hinuntergleiten und setzte mich auf den Boden.

Damals hatte ich mein Mit-mir-selbst-Sein noch nicht errungen, die Sicherheit, die mir sagte, wer ich war. Die unergründliche Tiefe meines Selbst. Damals war ich noch nicht fähig gewesen, die Erde auf meinem Körper zu tragen, in meine erotischen Tiefen einzutauchen und gestärkt aus ihnen hervorzutreten.

»Liebst du Dad denn nicht mehr?«, fragte Dee.

»Aber natürlich doch. Sicher. Wie könnte ich je aufhören, ihn zu lieben?« Ich wusste nicht, warum ich das sagte. Ob es mehr zu ihrer Beruhigung war oder ehrlich gemeint.

Hugh und ich waren mit so guten Absichten durch unsere Tage gegangen, aber unser Zusammensein war zu einer berechenbaren Routine verkommen. Wir waren außergewöhnlich gut funktionierende Partner gewesen, als es darum gegangen war, uns ein gemeinsames Leben einzurichten. Und auch darin, dem anderen das zu sein, was er brauchte: ein guter Vater, eine gute Tochter, ein kleines Mädchen in einer Kiste. All die Schemata, die unter der Oberfläche einer Beziehung lauern.

Es schien mir richtig, all dies zerstört zu haben. Aber nicht, Hugh verletzt zu haben. Das würde mir ewig Kummer bereiten.

»Bleibst du den ganzen Sommer da?«, fragte Dee.

»Ich weiß nicht«, sagte ich ihr. »Ich weiß nur, dass ich ...« Ich wusste nicht, ob ich es sagen sollte, ob sie es hören wollte.

»Dass du mich liebst«, sagte sie, und genau das hatte ich sagen wollen.

Mitte Mai ging ich zum Kloster. Die Hitze hatte sich wie über Nacht auf die Insel gelegt – wie ein drückendes, schweres Dach. Sie würde sich erst im Oktober wieder heben.

Als ich mich dem Empfangszentrum näherte, sah ich ein Dutzend Mönche auf dem weiten Rasen im Innenhof der Abtei sitzen und Netze knüpfen. Sie waren so gleichmäßig auf dem Gras verteilt wie Schachfiguren auf einem grünen Brett, und jeder von ihnen hatte ein Knäuel Baumwollgarn in seinem Schoß liegen. Ich hielt inne und wurde einen Augenblick lang in meine Kindheit zurückversetzt, in jene Tage, als die Mönche aus der beklemmenden Hitze des Netzhauses in die Brisen flohen, die von der Marsch kamen.

»Die Klimaanlage hat sie wohl im Stich gelassen«, sagte eine Stimme hinter mir. Ich drehte mich um und sah den kahlen Mönch, den ich an dem Tag im Laden des Klosters getroffen hatte, als ich Dominikus' Buch gekauft hatte. Er sah mich hinter seiner riesigen Jack-Benny-Brille stirnrunzelnd an. Ich brauchte eine Weile, bis mir sein Name wieder einfiel. Pater Sebastian. Sebastian, der Humorlose. Derjenige, der im Kloster für Ruhe und Ordnung sorgte.

»Ich weiß nicht, wie Sie es in Ihren Habits durch den Sommer schaffen«, antwortete ich.

»Das ist nur ein kleines Opfer«, meinte er. »Heutzutage ist ja niemand mehr bereit, Opfer zu bringen.« Der durchdringende Blick, mit dem er mich ansah, und die Art, mit der er das Wort »Opfer« betonte, verursachten ein merkwürdiges Gefühl in mir, und ich musste plötzlich an meinen Vater denken.

Ich drehte mich wieder um und sah zu den Mönchen auf dem Rasen.

»Suchen Sie Bruder Thomas?«, fragte er.

Ich fuhr herum. »Nein, warum sollte ich?« Ich war völlig fassungslos angesichts seiner Frage, und ich bin sicher, es stand mir ins Gesicht geschrieben.

»Sie wollen doch nicht wirklich, dass ich Ihnen darauf eine Antwort gebe, oder?«, erwiderte er.

Er konnte doch unmöglich von Whit und mir wissen? Ich konnte mir nicht vorstellen, dass Whit ausgerechnet ihn ins Vertrauen gezogen hatte. Dominikus, möglicherweise, aber doch nicht Sebastian.

»Nein«, sagte ich, und es war kaum mehr als ein Flüstern, »das will ich nicht.« Ich drehte mich um und ging weg, über den Innenhof zur Kirche.

Der Wind hatte lose Garne und Fäden über den ganzen Hof geweht. Es sah aus, als ob die Schicksalsgöttinnen ihre Scheren seit Tagen nicht mehr aus der Hand gelegt hätten. Einer der Mönche jagte einem Faden nach, versuchte ihn zu greifen, aber der Wind wehte ihn wieder fort. Der Anblick erfüllte mich mit Kummer und Wehmut. Ich fing an, die Enden aufzusammeln, die auf meinem Weg lagen, und steckte sie in meine Tasche. Ich spürte, dass Sebastian noch immer an seinem Platz stand und mir nachschaute.

Ich hatte nicht gelogen. Ich war nicht gekommen, um Whit zu sehen. Ich war hier, weil – wie sehr ich es auch versuchte – ich mich der morbiden Faszination des Stuhls der Meerjungfrau nicht entziehen konnte, jetzt, wo ich ihn mit dem Wissen um den Tod meines Vaters in einem ganz neuen Licht sah. Aber natürlich konnte ich nicht abstreiten, dass ich am Morgen gekommen war, wenn Whit im Kloster und nicht draußen in der Kolonie sein würde. Dass ich mir die Haare gewaschen hatte. Und mein meerblaues T-Shirt trug.

Ich hatte ihn seit fast einem Monat nicht mehr gesehen, seit Mutter ins Krankenhaus gekommen war. Die Trennung hatte ein seltsames Gefühl in mir hervorgerufen, sie hatte eine wachsende, sich aus sich selbst nährende Distanz zwischen uns geschaffen, und ich wusste nicht, wie ich dem begegnen sollte. Unsere Trennung war sicher zu einem großen Teil notwendig gewesen, sie war einfach von den Umständen diktiert worden. Aber zu einem ganz erheblichen Teil auch nicht. Ich konnte mir nicht erklären, warum ich mich von ihm entfernt hatte.

Die Kirche war leer. Ich huschte in den Altarumgang und blieb am Eingang zu der kleinen Kapelle kurz stehen. Der Stuhl der Meerjungfrau stand verlassen da, der Lichtgaden dahinter umhüllte ihn mit einem spröden, matten Schein. Meine Augen wanderten zu den Meerjungfrauen. Ihre leuchtenden Grün-, Rot- und Goldtöne waren die einzig hellen Stellen im Raum.

Als ich das Porträt meines Vaters gemalt hatte, hatte ich mir den Stuhl wie einen mütterlichen Schoß vorgestellt – wie eine Pieta, ein Bild des Schmerzes. Die Meerjungfrauen zu seinen Seiten hatte ich als fremdartige Hebammen gesehen, ihre Flügel hatten in meiner Vorstellung Bilder von Engeln heraufbeschworen, die ihn gen Himmel tragen, während ich bei ihren Fischschwänzen an nächtliche Totengeister gedacht hatte, die ihn hinab zur dunklen Mutter der See tragen würden. Ich hatte mir ausgemalt, dass sie düstere Klagelieder singen und weinen würden, nicht die falschen Kiesel in den Schachteln aus Kats Laden, sondern echte Tränen.

Ich ging in die Kapelle und setzte mich in den Stuhl. Ich lehnte meinen Kopf gegen die keltischen Knoten in seiner Lehne, legte meine Hände auf die Rücken der Meerjungfrauen. Mir schoss durch den Sinn, dass ich als Kind, als ich für meinen Vater Rosenblätter auf der Insel verstreut hatte, sie besonders oft *hier* niedergelegt hatte, hier, auf den Sitz des Stuhls. Ich fragte mich, ob ich damals möglicherweise etwas gespürt hatte, das sein Tod hier hinterlassen hatte, als ob sich die Macht seiner Liebe und sein Abschied hier konzentriert hätten.

Ich verstand so wenig, aber dennoch so viel mehr als je zuvor. Hier war mein Vater gestorben, und auf eine gewisse Weise auch ich – als ich vor all diesen Wochen in diesem Stuhl gesessen und mich der Liebe zu Whit übereignet hatte, als ich mein früheres Leben hinter mir gelassen hatte. Hier hatte mein altes Ich begonnen abzusterben.

Ich spürte, dass Whit in die Kapelle gekommen war, noch bevor ich ihn sah. Er rief mich beim Namen. »Jessie.«

Er trug den Habit und ein Kreuz.

Als er auf mich zukam, stand ich auf. Das Pochen in meiner Brust setzte ein.

»Wie geht es Nelle?«, fragte er.

»Viel besser. Sie ist nicht mehr im Krankenhaus.«

Sein Gesicht war verkniffen, und ich wusste, dass er sich ebenso entfernt hatte wie ich.

»Da bin ich aber erleichtert«, sagte er.

»Ja, ich auch.«

Ich spürte, wie sich die Kluft zwischen uns dehnte, und dachte, wie sehr unser Schweigen sie noch vertiefte. Er schien darauf zu warten, dass ich etwas sagte.

»Pater Sebastian hat mir gesagt, du wolltest mich sehen«, sagte er schließlich, seine Förmlichkeit war nicht zu überhören.

Mir blieb vor Überraschung der Mund offen stehen. »Aber das stimmt nicht!« Als ich merkte, wie das klingen musste, fügte ich rasch hinzu: »Ich meine, ich bin sehr froh, dich zu sehen, aber das habe ich nicht zu ihm gesagt.«

Whit runzelte die Stirn.

»Als ich ihm vor einiger Zeit einmal begegnet bin, hat er mir klar zu verstehen gegeben, dass er von uns beiden weiß. Er war sehr deutlich.« Ich hatte ein komisches Gefühl, als er »uns« sagte.

»Ich fürchte, Sebastian hat die unangenehme Angewohnheit, in meinem Tagebuch zu lesen.«

»Aber das ist unverzeihlich!«

Das Licht flackerte. Ich erinnerte mich, wie es auf seinem Gesicht gespielt hatte, während er geschlafen hatte. Wie er meine Füße mit Meerwasser gewaschen hatte. Ich konnte nicht begreifen, wohin sich unsere Intimität zurückgezogen hatte.

»Nun, ich bin nicht sicher, ob er es wirklich gelesen hat«, sagte er. »Ich vermute es nur.«

»Ich hatte das Gefühl, Sebastian hat mir zu verstehen geben wollen, dass ich dich in Ruhe lassen soll – ohne es direkt auszusprechen. Ich kann nur ahnen, wie unangenehm er es *dir* gemacht haben muss.«

»Das sollte man meinen, aber er ist in letzter Zeit sogar freundlicher zu mir gewesen als je zuvor. Als ob er ernsthaft wollte, dass ich das tue, was das Beste für mich ist. Er hat mir geraten, mich zu fragen, warum ich hierher gekommen bin, und was es bedeutet, hier mit Gott verborgen zu sein. Ich glaube, er ist es einfach leid, darauf zu warten, dass ich es irgendwann von allein herausfinde.« Er zuckte mit den Schultern. »Sebastian geht die Dinge gerne sehr direkt an.«

Heutzutage ist ja niemand mehr bereit, Opfer zu bringen.

Ich glaube, in jedem Anfang ist auch schon das Ende enthalten. Als ich Whit dort in der Kapelle gegenüberstand, wusste ich, dass unser Ende schon in der ersten Nacht beschlossen gewesen war, in der wir uns begegnet waren, damals, als er auf der einen Seite der Klostermauer und ich auf der anderen gestanden hatte. Die mächtigen Ziegel zwischen uns.

Whit wusste es. Ich konnte es daran sehen, wie er seine Hände in den Ärmeln seines Habits verbarg, ich sah es an der Traurigkeit, die in seinem Blick lag. Ich konnte es ganz deutlich erkennen, er *hatte* sein Opfer bereits gebracht.

Wir standen da und sahen einander an. Ich fragte mich, ob ich mich auch in ihn verliebt hätte, wenn er in einem Schuhgeschäft in Atlanta gearbeitet hätte. Es war ein ganz und gar abwegiger Gedanke, aber irgendwie, so fand ich, war das auch der vernünftigste Gedanke seit langem. Ich bezweifelte, dass ich mich unter diesen Umständen in ihn verliebt hätte, und das raubte mir die letzten Illusionen, die ich mir über uns gemacht hatte, denn es führte mir ganz deutlich meine wahren Gefühle für ihn vor Augen. Dass ich mich in ihn verliebt hatte, hatte allein daran gelegen, dass er Mönch war, es hatte an seiner treuen Verbundenheit zu dem gelegen, was er tief in seinem Innern barg, an seiner Genügsamkeit, in der Einsamkeit Erfüllung zu finden, an seinem Verlangen, verwandelt zu werden. Aber was ich am meisten an ihm geliebt hatte, war, dass er mich lebendig gemacht hatte, dass er die Fähigkeit gehabt hatte, mich mir zu schenken.

Es war grausam und erstaunlich zu begreifen, dass unsere Beziehung niemals der Wirklichkeit dort draußen angehört hatte, wo man in richtigen Häusern lebt, Socken wäscht und Zwiebeln schält. Unsere Liebe hatte in die verschatteten Furchen der Seele gehört.

Ich war nun auch hier an den Kern der Wahrheit gelangt und konnte wieder nichts weiter tun, als das zu akzeptieren, zu lernen, es zu akzeptieren, mich jeden Abend schlafen zu legen und es zu akzeptieren.

Ich schloss die Augen, und vor mir sah ich Hugh. Seine Hände, die Haare auf seinen Fingern, die Pflaster an seinen Daumen. Wie wirklich all das wahr. Wie alltäglich. Wie unerträglich schön. Ich wollte ihn wiederhaben. Aber nicht so wie zuvor, sondern auf neue Weise, auf ganz und gar neue Weise. Ich wollte mit ihm das haben, was kam, nachdem die Leidenschaft abgeflaut war: eine reife, eheliche Liebe.

Whit sagte: »Ich habe wirklich geglaubt, ich könnte das hier tun, ich habe es wirklich gewollt.« Er schüttelte den Kopf und schaute nach unten auf eine durchgescheuerte Stelle auf dem dunklen Teppich unter dem Stuhl.

»Ich weiß. Ich habe es ja auch gewollt.«

Ich wollte nicht, dass er sonst noch irgendetwas sagte. Ich wollte, dass wir uns still und schnell loslassen könnten.

Whit nickte. Es war ein ernsthaftes, nachdrückliches Nicken, mit dem er etwas bekräftigte, das ich weder sehen noch hören konnte. Er sagte: »Du wirst mir fehlen.«

»Es tut mir leid.« Meine Worte klangen brüchig. Ich hatte das Gefühl, ich wäre die Verführerin gewesen. Ich hätte ihn wie eine der homerischen Sirenen von meinem Fels im Meer in sein Verderben gelockt. Und obwohl er es ebenso beendete wie ich, fühlte *ich* mich als die eigentliche Verräterin. Als hätte ich meine Liebeserklärungen an ihn verraten, mein Versprechen gemeinsamer Jahrestage gebrochen.

»Ich will nicht, dass du das je bereust«, sagte er. »Es ist nämlich so, ich habe« – er streckte die Hand aus und berührte mein Gesicht – »ich habe die Liebe zu dir *gebraucht.*«

Er hätte damit unendlich vieles meinen können, aber ich wollte glauben, dass es bedeutete, dass der Schmerz über den Verlust seiner Frau sein Herz ausgelöscht und dass seine Liebe zu mir es wieder zum Leben erweckt hatte. Ich wollte glauben, dass er sein Herz jetzt dem Kloster schenken könnte. Dass er seine Runden in der Kolonie machen, dass er aufwachen und das Quaken der Frösche zwischen den windgebeugten Eichen der Insel hören, das frische Brot, das Bruder Timotheus buk, riechen könnte, dass er in der Lage sein würde, all diese kleinen Augenblicke zu erfassen, in denen Gott sich zeigt.

»So geht es uns beiden. Auch ich habe deine Liebe gebraucht.« Das klang so merkwürdig, so unpassend, dass ich das Gefühl hatte, ich sollte mich ihm erklären, aber er lächelte mich an und kam näher.

Er sagte. »Ich habe damals gesagt, unsere Liebe würde Verdammnis und Erlösung zugleich bedeuten. Erinnerst du dich?«

Ich versuchte, ihn anzulächeln, aber ich konnte nur kurz und schmerzhaft meine Lippen verziehen, bevor das Lächeln wieder erstarb. Ich streckte die Arme nach ihm aus. Wir hielten einander umarmt, ohne uns auch nur im Geringsten darum zu sorgen, ob irgendjemand vorbeikam. Ich weinte nicht, nicht in diesem Moment. Ich hielt ihn in meinen Armen und spürte, wie die Flut von der kleinen Insel wegrauschte, auf der wir uns geliebt hatten. Ich spürte, wie sich ein Ort in mir öffnete, ein geheimer Ort, an dem ich ihn in meinem Herzen tragen würde. Als er gegangen war, blieb ich ganz allein zurück, und ich spürte in mir die Unruhe, die in die Reiher fahren muss, wenn der Mond in der frühen Dunkelheit aufgeht – den unwiderstehlichen Drang, der sie nach Hause zieht.

Ich ging zum Bone Yard Beach und setzte mich auf ein Stück Treibholz, das über den Strand ragte. Ich sah hinaus aufs Meer, wo die Krabbenboote auf satten, grünen Wellen schaukelten. Die Flut strömte heran, was mir völlig falsch vorkam. Sie sollte sich zurückziehen. Ich fand, alles sollte gehen. Es sollte nichts als endlose Wüsten der Leere geben. Ich hatte sie beide verloren.

Vor langer Zeit, als Mutter, Kat und Hepzibah bei dem Allerfrauen-Picknick ins Meer gewatet waren, hatte ich sie von ungefähr dieser Stelle aus beobachtet. Ich konnte sie wieder dort draußen sehen und kichern hören, während sie ihre drei Fäden zusammenknoteten und in die Wellen warfen. Benne und ich hatten mit ihnen gehen wollen, wir hatten sie regelrecht *angefleht*.

Nein, das ist nur für uns. Ihr bleibt mal schön da.

Wer hätte ahnen können, was aus diesem Band, das sie in jener Nacht geknüpft hatten, erwachsen würde?

Ich zog meine Sandalen aus und rollte meine Hose hoch. Trotz der frühsommerlichen Hitze war das Meer noch eiskalt. Ich musste sehr langsam hineingehen.

Als das Wasser über meine Knie schwappte, blieb ich stehen und holte die Fäden, die ich im Kloster aufgesammelt hatte, aus meiner Tasche. Ich wollte ein Band knüpfen, das auf ewig halten würde. Aber nicht mit einem anderen Menschen. Sondern mit mir.

Mein ganzes Leben lang hatte ich auf unbestimmte, für mich selbst nicht greifbare Weise versucht, mich durch einen anderen Menschen zu vervollständigen – erst durch meinen Vater, dann durch Hugh und schließlich sogar durch Whit. Das wollte ich nicht mehr. Ich wollte nur mir selbst gehören.

Ich strich die Baumwollfäden glatt und fragte mich, ob ich irgendwie geahnt hatte, was ich tun würde, als ich sie vorhin im Kloster aufgelesen hatte.

Ich stand ganz ruhig da, während die Wellen um meine Beine spülten und gemächlich hinter mir zum Ufer ausrollten.

Jessie. Ich nehme dich, Jessie ...

Der Wind spielte mit meinem Haar, und ich konnte seine Selbstgenügsamkeit riechen.

In guten und schlechten Tagen.

Die Worte kamen aus meinem Herzen und wiederholten sich in meinem Geist.

Ich will dich lieben, achten und ehren.

Ich nahm den längsten Faden und knotete ihn in der Mitte zusammen. Ich sah eine Weile darauf, dann warf ich ihn hinaus ins Meer, es war ungefähr 13.00 Uhr, am 17. Mai 1988. Seither denke ich jeden einzelnen Tag in meinem Leben mit Ehrfurcht und Achtung an diesen bindenden Moment zurück, der für mich das Gewicht und die feierliche Würde eines Eheversprechens birgt.

KAPITEL 35

Am letzten Samstag im Mai stand ich mit Mutter, Kat, Hepzibah und Benne am Fährdock. Wir hatten uns alle entlang der Reling aufgereiht und sahen auf das vom Wind aufgewühlte Meer. Weiße Ibisse flogen wie Bumerangs über die Bucht.

Neben dem Landungssteg stand mein Koffer. Kat hatte einen Korb mit violetten Strandphlox, Carolinajasmin und rosa Oleanderblüten mitgebracht, die sie über das Pontonboot verstreuen wollte, wenn es ablegte, als wäre es die *Queen Mary.* Sie schüttete Limonade aus einer Thermoskanne in kleine Pappbecher und reichte Bennewaffeln. Sie hatte darauf bestanden, eine kleine Abschiedsfeier zu veranstalten.

Ich hatte wenig Appetit und verfütterte meine Waffeln an Max.

»Wo wirst du jetzt wohnen?«, fragte Benne.

Ich dachte an mein großes, zugiges Haus, den kleinen Turm und das farbige Glas über den Türen, mein Atelier oben unter dem Dach. *Zu Hause,* wollte ich gerne antworten, *ich werde zu Hause wohnen,* aber ich war nicht sicher, ob ich mein Zuhause im Moment einfordern konnte.

»Ich weiß nicht«, antwortete ich.

»Du kannst jederzeit hierher kommen«, sagte Mutter.

Ich sah auf die verblichenen, orangefarbenen Bojen, die auf dem Wasser hüpften und Krebsfallen markierten, und spürte den Knoten in meinem Herzen, der mich an sie, an diesen Ort band. Einen kurzen Augenblick lang glaubte ich sogar, ich könnte bleiben.

»Ich komme wieder«, sagte ich und brach in Tränen aus, was eine ganze Kettenreaktion auslöste: Hepzibah weinte, dann Benne, Mutter und schließlich sogar Kat.

»Na, ist das nicht *lustig*?«, Kat verteilte Taschentücher. »Ich hab' schon immer gesagt, es geht nichts über 'nen Haufen heulender Weiber, um 'ne Party so richtig in Schwung zu bringen.«

Dankbar retteten wir uns in Gelächter.

Ich ging als Letzte an Bord und stellte mich an die Reling, so wie Kat es mir befohlen hatte, damit ich die Blumen sehen konnte. Es regnete Oleander, Jasmin und Phlox – ganze dreißig Sekunden lang, aber ich habe mir diesen Anblick sorgsam eingeprägt und in meinem Gedächtnis bewahrt. Wenn ich heute die Augen schließe, kann ich immer noch schon, wie die Blüten auf dem Wasser wie kleine, schillernde Meeresvögel glitzern.

Ich stand noch immer an der gleichen Stelle und blickte zurück, als das Dock schon lange außer Sicht war, als sie alle bestimmt schon längst in Kats Golfwägelchen geklettert waren. Als die Insel immer weiter von mir fortglitt, prägte ich mir alles ein – die helle Weite des Wassers, den würzigen Geruch des Marschlands und den Klang des Windes, der sein Hohes Lied über der Bucht sang – und versuchte, nicht an das zu denken, was mich nun erwartete.

Hugh war im Ledersessel in seinem Arbeitszimmer eingeschlafen, er trug schwarze Socken, die an den Fersen durchgescheuert waren, auf seinem Schoß lag ein aufgeschlagener Band – aus der *C.G. Jung Taschenbuchausgabe*. Er hatte vergessen, die Vorhänge zuzuziehen, und in den dunklen Fenstern hinter ihm spiegelte sich das Lampenlicht.

Ich stand regungslos da, überrascht von seinem Anblick, mit einem Flattern in der Magengegend.

Mein Flug von Charleston nach Atlanta hatte wegen eines Gewitters Verspätung gehabt, so war es schon spät, fast Mitternacht. Ich hatte mich nicht angekündigt. Zum Teil aus reiner Feigheit, aber auch, weil ich gehofft hatte, wenn ich ihn unvorbereitet treffen, er in diesen ein oder zwei Augenblicken der Überrumpelung vielleicht vergessen würde, was ich getan hatte. Ich hoffte, er würde dann so von Liebe überwältigt werden, dass dieses Gefühl alle berechtigten Gründe, mich auf der Stelle fortzuschicken, überlagern würde. Mit dieser verrückten, vollkommen grundlosen Hoffnung war ich nach Hause gekommen.

Ich hatte mich mit dem Schlüssel hereingelassen, den wir immer unter einer Steinplatte hinter dem Haus versteckten, und ließ meinen Koffer in der Eingangshalle neben der Tür stehen. Als ich das Licht in seinem Arbeitszimmer gesehen hatte, hatte ich gedacht, er hätte nur vergessen, es auszuschalten, als er ins Bett gegangen war. Aber hier war er nun.

Ich stand minutenlang da und lauschte dem Pusten, das er machte, wenn er schlief – es war regelmäßig, wohlklingend und barg so viele Jahre in sich.

Sein Arm hing lose über einer Armlehne. Das kleine Armband, das Dee ihm gemacht hatte, trug er noch an seinem Gelenk. Draußen, in der Ferne, war ein Donnergrollen zu hören.

Hugh.

Ich musste an früher zurückdenken, an das Jahr, bevor Dee geboren worden war. Wir waren im Pisgah Nationalpark wandern gegangen, in den Blue Ridge Mountains, und waren auf einen Wasserfall gestoßen. Er war von einem Felsüberhang aus acht oder zehn Meter in die Tiefe gestürzt, und wir waren stehen geblieben und hatten hinaufgesehen zu dem tosenden Wasser, das geschillert und die

Sonne in Hunderten kleiner, blinkender Regenbogen eingefangen hatte, die Tropfen hatten wie ein Schwarm Libellen getanzt.

Wir hatten uns ausgezogen, hatten unsere Kleider auf Felsen und Farnen abgelegt. Es war heiß, es war mitten im August gewesen, aber das Wasser hatte noch die Erinnerung an Schnee in sich getragen. Wir hatten uns an den Händen gehalten und waren über bemooste Steine geklettert, bis wir unter dem Überhang gestanden hatten und das Wasser vor uns in die Tiefe stürzte. Die Gischt war wie ein Regenmeer gewesen, das Tosen ohrenbetäubend. Hugh hatte mir mein nasses Haar hinter die Ohren gestrichen und mich auf Schultern und Brüste geküsst. Wir hatten uns an den Felsen gepresst geliebt. Noch Wochen später hatte ich spüren können, wie das Wasser durch meinen Körper hindurchrauschte.

Als ich ihn schlafen sah, hätte ich ihn am liebsten zurückgezerrt in diese Nische in den wilden Felsen. Ich wäre sogar damit zufrieden gewesen, ihn nur in die ganz gewöhnliche, behagliche Nische zurückzuzerren, die wir uns in all den Jahren mit Hilfe des Pfannenwenders und der küssenden Gänse geschaffen hatten, aber ich wusste nicht, wie ich an diese Orte zurückfinden könnte. Wie ich aus ihnen wieder unsere Nischen schaffen könnte.

Sein Kopf rollte zur Seite, er veränderte seine Lage. Manchmal glaube ich, dass ihn meine Erinnerungen geweckt haben, dass der Wasserfall ihn geweckt hat. Er öffnete die Augen.

Er sah mich verschlafen und verwirrt an. »Du bist das«, sagte er. Nicht zu mir, eher zu sich selbst.

Ich lächelte ihn an, ich sagte nichts, ich war nicht in der Lage, auch nur einen Ton herauszubringen.

Er stand auf. Er reckte die Schultern. Ich glaube, er wusste weder, was er fühlen, noch was er sagen sollte. Er stand auf Socken vor mir und sah mich an, auf seinem Gesicht lag ein ganz eigener, für mich nicht zu deutender Ausdruck. Auf der Straße fuhr ein Auto vorbei, der Motor heulte auf und schwoll in der Ferne ab.

Als er sprach, klang er wie ein waidwundes Tier. »Was machst du hier?«

Heute fällt mir eine Unzahl von Sätzen ein, die ich ihm in dem Moment hätte sagen können, und ich frage mich, ob es etwas geändert hätte, wenn ich auf die Knie gegangen und all meine Missetaten heruntergebetet hätte.

»Ich ... ich habe dir etwas gebracht«, antwortete ich. Ich hob meine Hand, als ob ich ihm bedeuten wollte zu warten, ging zurück in die Eingangshalle und suchte meine Brieftasche. Ich kam zurück und wühlte darin herum. Ich öffnete das Münzfach und nahm seinen Ehering heraus.

»Du hast etwas auf Egret Island zurückgelassen«, sagte ich und hielt ihm den Ring entgegen, hielt ihn zwischen meinem rechten Daumen und Zeigefinger, hob meine linke Hand, damit er sehen konnte, dass ich meinen Ring wieder trug. »Oh Hugh, ich will nach Hause kommen«, sagte ich. »Ich will hier sein, bei *dir*.«

Er rührte sich nicht, griff nicht nach dem Ring.

»Es tut mir leid«, sagte ich. »Es tut mir so leid, dass ich dir wehgetan habe.«

Er rührte sich noch immer nicht, und ich hatte das Gefühl, als hielte ich den Ring über einen Abgrund, und wenn ich ihn fallen lassen würde, dann würde er bis in die Tiefen der Erde hinabsinken. Aber ich konnte meine Hand auch nicht zurückziehen. Sie wurde von jener geheimnisvollen Macht gehalten, die Katzen überkommt, die, wenn sie zu hoch in einen Baum geklettert sind und voller Entsetzen sehen, wo sie sind, sich weigern, wieder herunterzukommen. Ich hielt ihm den Ring entgegen. *Nimm ihn, bitte nimm ihn* – ich presste den Ring so fest, dass sich sein Abdruck auf meinen Fingerkuppen einprägte.

Er trat zurück, dann drehte er sich um und verließ das Zimmer.

Als er gegangen war, legte ich den Ring auf den Tisch neben seinem Sessel. Ich legte ihn neben die Lampe, aber ich konnte es nicht ertragen, sie auszuschalten.

Ich schlief im Gästezimmer, genauer gesagt, ich lag im Gästezimmer *wach*. Zur Buße zwang ich mich, mich immer wieder an den Moment zu erinnern, als er sich umgedreht und das Zimmer verlassen hatte. Ich sah sein Profil vor den schimmernden Fensterscheiben. Die Härte, die er in seinem Herzen trug, war in sein Gesicht gestiegen und hatte seine Züge verspannt.

Vergeben ist so viel schwieriger als Bereuen. Ich konnte mir nicht vorstellen, was für eine gewaltige Überwindung es kosten würde.

Es regnete fast die ganze Nacht, das Wasser stürzte in großen, schwarzen Wogen vom Himmel und rüttelte an den Bäumen. Als ich endlich einschlief, sah ich, wie sich die Morgendämmerung vor die Fenster schob. Kurz darauf wurde ich wieder wach, mich weckte der Duft von Würstchen und Eiern, der überwältigende Geruch, der bedeutete, dass Hugh in der Küche stand und für uns Frühstück machte.

Manches kann und muss man mit Worten nicht erklären.

Mit einem Frühstück hatte unsere Ehe aufgehört, an jenem Tag im Februar – am 17. Februar, am Aschermittwoch. Hugh hatte Wurst und Eier gemacht. Es war seine letzte Handlung gewesen, bevor ich gegangen war. Es war der Segen gewesen, den er mir mit auf den Weg gegeben hatte.

Ich ging nach unten. Hugh stand in der Küche und hielt einen Pfannenwender in der Hand. Auf dem Herd brutzelte es wild. Er hatte zwei Teller hingestellt.

»Hunger?«, fragte er.

Ich hatte natürlich überhaupt keinen Hunger, aber da ich seinen unbedingten Glauben an die Macht solcher Frühstücksrituale kannte, nickte ich und lächelte ihm zu. Ich spürte, wie sich ein neuer, ruhiger Rhythmus einstellen wollte.

Ich kletterte auf den Stuhl an der Bar. Er legte ein halbes Gemüseomelett auf meinen Teller, Würstchen und einen Muffin. »So, dann iss mal schön«, sagte er.

Er hielt inne, ich spürte ihn hinter mir, er atmete unregelmäßig. Ich starrte auf meinen Teller, wollte mich zu ihm umdrehen, aber ich hatte Angst, ich könnte das zerstören, was gerade zu geschehen schien.

Wir wagten beide nicht, den Augenblick zu durchbrechen, er war ein Stück Glas, das man gegen die Sonne hält und vorsichtig dreht, um das Licht darin zu fangen.

Plötzlich legte er seine Hand auf meinen Arm. Ich rührte mich nicht, als er sie langsam bis zu meiner Schulter hoch und wieder zurückgleiten ließ.

»Du hast mir gefehlt«, sagte er und beugte sich dicht an mein Ohr.

Ich griff mit nahezu grimmiger Inbrunst nach seiner Hand, zog seine Finger an mein Gesicht, berührte sie mit meinen Lippen. Nach einer Weile zog er seine Hand sanft zurück und legte die andere Hälfte des Omeletts auf seinen Teller.

Wir saßen in unserer Küche und frühstückten. Durch die Fenster konnte ich eine Welt sehen, die vom Regen der vergangenen Nacht gereinigt worden war, Tropfen glänzten silbern auf Bäumen, auf Grashalmen und Sträuchern.

Es würde keine große Absolution geben, aber Vergebung, die in kostbaren Dosen ausgeteilt wurde. Sie strömte aus Hughs Herz, und er nährte und heilte mich damit. Und es genügte.

Als die Fähre gegen das Dock von Egret Island rumpelt, lässt der Kapitän sein Schiffshorn ein zweites Mal tuten, und ich gehe hinaus an die Reling. Als ich das Boot das letzte Mal betreten hatte, im Mai vergangenen Jahres, waren Blumen auf dem Wasser getrieben. Ich sehe sie wieder vor mir. Unsere kleine Abschiedsfeier. Ein Stück Geschichte, das langsam zu Staub zerfällt, aber gleichzeitig habe ich das Gefühl, es wäre erst gestern gewesen. Als würden die Blütenblätter noch immer auf dem Wasser schillern.

Es ist Februar. Das Marschland ist eine Flut goldener Gelbtöne. Die Farbe erscheint mir wie die Wärme und das Licht der Sonne. Die Insel wie der Fixpunkt der wandelnden Erde.

Drüben auf dem Dock bellt Max. Ich muss an die Meerjungfrauen denken, die von der Decke in Kats Laden hängen, an die Reiher, die über die Pelikanbucht fliegen, an die nackten Rosensträucher im Klostergarten. Ich stelle mir den Stuhl der Meerjungfrau vor, der majestätisch und verlassen in seiner Kapelle steht. Die ganze Insel ersteht vor meinen Augen auf, und einen Atemzug lang bin ich nicht sicher, ob ich von Bord gehen kann. Ich warte darauf, dass das Gefühl vorübergeht, ich *weiß*, dass es vorübergeht. Alles geht vorüber.

Als ich zu Hugh gesagt hatte, dass ich auf die Insel fahren und am Aschermittwoch bei Mutter sein müsste, hatte er gesagt: »Natürlich.« Und einen Augenblick später: »Willst du wirklich nur zu deiner Mutter?«

Nicht oft, aber hin und wieder schleichen sich Kummer und Misstrauen in seine Augen. Seine Miene verschließt sich. Er ist unerreichbar. Sein Verstand und sein Körper sind noch da, aber sein Herz – selbst sein Geist – ziehen sich an einen Außenposten unserer Ehe zurück und schlagen da ihr Lager auf. Ein oder zwei Tage später kommt er dann zu mir zurück. Dann macht er Frühstück, pfeift und vergibt mir wieder ein wenig mehr.

Jeden Tag bahnen wir uns unseren Weg durch unbekanntes Terrain. Hugh und ich haben nicht einfach an dem Punkt unserer Ehe weitergemacht, wo wir aufgehört haben – das habe ich nie gewollt, und auch Hugh wollte es nicht – stattdessen haben wir unsere alte Ehe beiseite gelegt und ganz neu angefangen. Unsere Liebe ist nicht mehr dieselbe. Sie fühlt sich vertraut an, aber auch ganz neu. Sie fühlt sich weise an, wie nach einem langen Leben, aber auch zart und jung, wie etwas, das wir umhegen und pflegen müssen. Wir sind uns in vieler Hinsicht näher gekommen, der Schmerz, den wir beide empfunden haben, hat ein unauflösliches Band der Vertrautheit zwischen uns geknüpft, aber zwischen uns herrscht auch Abstand, wir geben uns den nötigen Freiraum.

Ich habe ihm noch nicht von dem Knoten und von dem Bund erzählt, den ich an jenem Tag im Meer geschlossen habe. Aber ich rede mit ihm über die Meerjungfrauen. Sie gehören nur sich selbst, habe ich einmal zu ihm gesagt, und er hat die Stirn gerunzelt, wie er es tut, wenn er etwas abwägt, wenn er sich unsicher ist. Ich weiß, dass er manchmal vor unserem Abstand Angst hat, vor meiner Unabhängigkeit, vor dem neuen Ich, dem ich unerschütterlich treu ergeben bin, aber ich glaube, es wird ihm gelingen, am Ende auch diesen Teil von mir zu lieben.

Ich habe ihm mit einem Lächeln erklärt, dass die Meerjungfrauen mich nach Hause geleitet haben. Nach Hause, zu dem Wasser und dem Schlick und der Macht der Gezeiten in meinem eigenen Körper. Zu der einsamen Insel, die so lange tief in mir versunken war und die ich so dringend entdecken musste. Aber ich habe auch versucht, ihm zu erklären, dass sie mich ja auch nach Hause zu *ihm* geleitet haben. Ich bin nicht sicher, ob er es besser versteht als ich, aber mir selbst zu gehören erlaubt es mir, wirklicher zu ihm zu gehören. Ich kann nicht sagen, warum das so ist, ich kann nur sagen, dass es so ist.

»Nein, nein, ich habe nicht vor, ihn zu sehen«, hatte ich an diesem Tag zu Hugh gesagt. »Komm doch mit mir, wenn du willst. Lass uns zusammen fahren.«

»Ist schon gut. Du solltest alleine fahren«, hatte er darauf gesagt. »Du musst zurück und dich allem auf der Insel stellen und damit abschließen.«

Als ich die Insel betrete, spüre ich, wie ich mich wappne, ich spüre die Notwendigkeit, das Vergangene aufzulesen, damit ich es endlich niederlegen kann.

Mutters Haus ist frisch gestrichen, in Kobaltblau. Es leuchtet mir regelrecht entgegen, als ich in Kats Golfwägelchen ankomme. Kat drückt auf die Hupe, als wir vor dem Haus halten, und alle kommen heraus auf die Veranda. Mutter, Hepzibah, Benne.

Als wir drinnen am Küchentisch sitzen, betrachte ich sie der Reihe nach und sehe, wie alles seinen gewohnten Gang geht, aber auch, wie sich alles verändert.

Mutter erzählt, dass Kat jeden Tag mit ihr zum Festland übersetzt, damit sie ihren Arzt aufsuchen kann, und dass sie jetzt eine viel niedrigere Dosierung nimmt. Ihr Finger ist immer noch in dem Glas auf ihrem Frisiertisch. Im August hat sie sich wieder ihrer Leidenschaft hingegeben, für die Mönche zu kochen, allerdings hat sie die Rezepte von Julia

Child zugunsten der Kochkünste von James Beard aufgegeben. »Die Mönche weinen zwar Julias Küche nach«, sagt sie zu mir, »aber sie werden schon darüber hinwegkommen.«

Als ich Hepzibah frage, wie es mit ihren Gullah-Führungen läuft, setzt sie sich aufrecht hin, zupft ihr afrikanisch gemustertes Kleid zurecht und berichtet, dass sie jetzt in allen Touristenbroschüren in Charleston aufgeführt wird und dass sie ihre Führung im Sommer möglicherweise sogar jeden Tag anbieten muss.

Kat überrascht mich am meisten. Sie hat selbst ein kleines Buch geschrieben, das sie jetzt in ihrem Geschäft zusammen mit Dominikus' Erzählung der Meerjungfrau verkauft. Es heißt *Inselhund* und ist die legendäre Geschichte von Max, dem Inselhund, der jeden Tag die Fähre auf die Sekunde genau erwartet. Mit einem Kopfschütteln, das ein paar Haarsträhnen aus den Kämmen ihrer abenteuerlichen Frisur löst, verkündet sie, dass sie und Max nächste Woche ins Fernsehen kommen.

Benne fügt hinzu, dass Max sich sehr darauf freut und überhaupt nicht nervös ist.

Sie wollen über meine Bilder sprechen, also lasse ich sie gewähren. Bei dem Thema habe ich inzwischen all meine Scheu verloren. Kat jubelt über meine Ausstellung der »Tauchenden« in der Phoebe Pember Gallery in Charleston, im vergangenen Oktober. Das habe ich *ihr* zu verdanken. Sie war es gewesen, die all die Bilder, die ich hier gelassen hatte, zusammengepackt und der Inhaberin in die Galerie gebracht hatte. »Mir war klar, dass sie die Bilder nehmen würde«, hatte sie damals gesagt.

Ich war nicht zur Eröffnung gekommen – ich war zu dem Zeitpunkt noch nicht bereit gewesen zurückzukehren –, aber die Egreterinnen waren geschlossen gegangen und hatten mich vertreten. Ich arbeite jetzt an einer Serie von Insellandschaften. Gelegentlich jedoch lege ich den Pinsel nieder und male eine von meinen kuriosen Meerjungfrauen für Kat, nur ihr zuliebe. Das neueste Bild zeigt eine Meerjungfrau, die in Kats Laden als Verkäuferin arbeitet. Sie steht hinter der Theke und verkauft Andenken an Touristen und trägt ein T-Shirt, auf dem DER MEERJUNGFRAUENSCHUPPEN aufgedruckt ist.

Als mich Mutter nach Dee fragt, weiß ich erst einmal nicht, wie viel ich ihr erzählen soll. Dee war wirklich sehr erschüttert gewesen von dem, was zwischen Hugh und mir vorgefallen war. Ende des Sommers hatte sie sogar vorübergehend davon gesprochen, sich ein Semester freizunehmen und nach Hause zu kommen. Ich glaube, sie wollte einfach nur in unserer Nähe sein, uns irgendwie beschützen, als ob sie verantwortlich wäre. Wir hatten sie beruhigen und ihr erklären müssen, dass mit uns alles in Ordnung kommen würde, sogar noch mehr als das, und dass unsere Probleme nichts mit ihr zu tun hätten, sondern nur mit uns selbst. Schließlich war sie zurück zum College nach Vanderbilt gegangen, und sie war mir ernster, erwachsener vorgekommen. Trotzdem hatte sie am Tag, bevor ich auf die Insel gefahren war, angerufen, um mir zu sagen, dass sie an Hughs Geburtstagslied schrieb: »Wenn Sofas sprechen könnten.«

Ich erzähle Mutter schließlich, dass Dee im Hauptfach von Englisch zu Medizin gewechselt hat und dass sie in der Psychiatrie arbeiten will, so wie Hugh. Mutter will wissen, ob Dees Entscheidung irgendetwas mit dem zu tun hat, was sie mit ihren Fingern gemacht hat. »Nein«, sage ich, »wenn überhaupt, dann hat es eher mit dem zu tun, was *ich* gemacht habe.« Ich lache, aber da ist etwas Wahres dran.

Wir reden den ganzen Nachmittag. Bis sich der Himmel verdunkelt und die Palmen lange Schatten werfen.

Als sie gehen, nimmt mich Kat beiseite und geht mit mir zu einer ruhigen Stelle im Garten. Sie reicht mir einen Leinenbeutel. Ich erkenne ihn augenblicklich.

»Dominikus hat mir das hier vor ein paar Wochen in den Laden gebracht«, sagt sie, »und mich gebeten, es dir zu geben.«

Ich öffne ihn erst, als Mutter schon schläft und ich alleine bin.

Ich nehme den Inhalt heraus und breite ihn auf meinem Bett aus: vier vertrocknete Apfelschalen in einer Plastiktüte. Eine verbeulte Schachtel mit Meerjungfrauentränen. Weiße Reiherfedern. Der Schildkrötenschädel. Die Pfeife meines Vaters.

All die Dinge, die ich auf der Krebsfalle in Whits Klause zurückgelassen hatte, liegen vor mir. Im vergangenen Jahr war nicht ein Tag verstrichen, ohne dass ich an sie gedacht hatte, mir gewünscht hatte, ich hätte sie damals noch holen können.

Ganz unten im Beutel findet sich Whits Brief.

Liebe Jessie,
hiermit gebe ich dir deine Sachen zurück. Ich habe sie die ganze Zeit über in meinem Cottage aufbewahrt, weil ich dachte, ich könnte sie dir persönlich geben, wenn du das nächste Mal auf die Insel kommst. Ich wollte nicht in dein Leben in Atlanta eindringen und sie dir per Post schicken. Ich war mir sicher, wenn du dazu bereit wärst, würdest du sie zurückholen.
Allerdings kann ich sie dir jetzt doch nicht mehr persönlich geben. Ich werde das Kloster am 1. Februar verlassen. Ich habe meine ewige Profess im August abgelegt, aber ausgerechnet zu Weihnachten habe ich mich dann entschieden, dass ich doch nicht bleiben werde.
Ich möchte wieder in der Welt sein. Ich verstehe jetzt, dass ich mich hier nicht mit Gott verborgen

habe, sondern mich schlichtweg nur verborgen
habe. Ich habe mich entschieden, mich wieder
den Gefahren und Wirrnissen des Lebens zu stel-
len. Ich bin auf der Suche nach Gott hierher ge-
kommen, aber, wenn ich ehrlich bin, habe ich
auch nach einem Schutz vor dem Leben gesucht.
Doch den gibt es nicht.
Aber vielleicht finde ich Gott ja auch da draußen.
Dominikus hat mir ins Brevier geschrieben, dass
Gott derjenige ist, dessen Mitte überall und gren-
zenlos ist. Ich werde mich aufmachen und sehen,
ob er Recht hat.
Am Anfang ist es mir sehr schwer gefallen, in die
Klause zurückzukehren, dort an dich zu denken
und zu begreifen, dass du von nun an nie mehr
als eine Erinnerung oder eine Sehnsucht sein
wirst. Aber heute kann ich ohne Bedauern an
unsere gemeinsame Zeit denken. Du hast mich
zurück ins Leben geleitet – wie könnte ich das be
dauern?
Ich wünsche dir, dass es dir gut ergeht. Bitte wer-
de glücklich.

Dein Whit

Ich sitze im Haus meiner Mutter, verberge das Gesicht in
meinen Händen und weine. Als ich mich ausgeweint habe,
schließe ich diese Zeit in meinem Leben in dem Wissen ab,
dass sie mir erhalten bleiben wird, so wie der Schildkrötenschädel, den die See abgewaschen hat, strahlend weiß und
unvergänglich.

Das Letzte, was Hugh zu mir gesagt hatte, als ich fuhr,
war: »Diesmal *kommst* du doch zurück, oder?« Er hatte gelächelt, er hatte mich necken wollen, hatte versucht, das

Unbehagen ein wenig mildern, das wir beide bei dem Gedanken an meine Rückkehr empfanden.

Ich sehe zum Fenster. Wie gerne würde ich ihm jetzt sagen: *Aber ja, natürlich komme ich zurück, Hugh. Und wenn ich eines Tages sterbe, dann werde ich dein Gesicht vor mir sehen, wahrhaftig oder in meiner Erinnerung. Weißt du das denn nicht? Ich will doch nur dich. Ich will unsere Beständigkeit. Unsere wunderschöne Beständigkeit.*

Die Meerfrau ist eine fiktive Geschichte. Die Handlung, die Charaktere und der Schauplatz entspringen gänzlich meiner Fantasie.

Ich habe mir Egret Island als Teil der wunderschönen Inselkette vorgestellt, die der Küste von South Carolina vorgelagert ist. Aber sie ist auf keiner Landkarte zu finden. Sie existiert nicht. Dennoch ähneln ihre Strände, Wälder, Marschen, Mündungen, Buchten, Vögel und die anderen Tiere denen der Inseln von South Carolina. Ich habe dabei aus zahlreichen Geschichts- und Naturkundebüchern geschöpft. Todd Ballantines *Tideland Treasure* war hier besonders hilfreich. All die Pflanzen, Bäume und Blumen, die in meinem Buch erwähnt werden, gibt es wirklich, obwohl ich mir die Freiheit erlaubt habe, eine Pflanze zu erfinden, die im Nachhinein sicher auszumachen sein wird.

Ich habe unzählige Inseln vor South Carolina erkundet, aber es war Bull Island – ein unbewohnter und unberührter Ort –, den ich immer vor mir gesehen habe, als ich geschrieben habe. Ich habe Egret Island nicht nur geographisch dort angesiedelt, wo Bull Island liegt, ich habe mir von der Insel auch den Namen ihres wundervollen Strands geborgt: Bone Yard Beach.

St. Eudoria existiert, soweit ich weiß, nicht im Heiligenkanon der katholischen Kirche, aber ich habe ihre Legende auf dem Leben anderer Heiliger aufgebaut, die sich auf der Suche nach Heiligkeit selbst verstümmelt haben.

Die Legende der Sedna dagegen beruht auf einer Sage der Inuit, die es in verschiedenen Lesarten gibt. Ich habe bei meiner Version für den Roman versucht, so nahe wie möglich an den Originalquellen zu bleiben.

Das Kloster von St. Senara gibt es natürlich auch nicht. Als ich darüber geschrieben habe, habe ich mich auf eine Vielzahl von Büchern gestützt, deren Liste zu lang ist, um hier aufgeführt zu werden, und auf meine Kenntnisse aus jahrelangen Studien kontemplativer Spiritualität und klösterlichen Lebens.

Die Gullah-Kultur ist ein Erbe der afro-amerikanischen Nachfahren der Sklaven, die sich an der Südostküste der Vereinigten Staaten niedergelassen hatten. Die Gullah-Kultur hat ihre eigenen Sitten und Gebräuche, ihre eigene Küche, Kunst und Sprache, wovon manches im Buch seinen Niederschlag gefunden hat. Gullah wird noch heute in Teilen von South Carolina gesprochen. An dieser Stelle muss das wunderbare Buch *Gullah Cultural Legacies* von Emory S. Campbell genannt werden, in dem ich häufig Rat gesucht habe.

Der Roman hat seinen Anfang an einem Sommertag im Jahr 2001 genommen, als meine Freundin Cheri Tyree erwähnt hat, dass sie während einer Englandreise einen »Meerjungfrauenstuhl« gesehen hatte. Ich bin ihr unendlich dankbar für diese schicksalhafte Bemerkung, die mich zu dem Stuhl geführt hat, der in der Kirche St. Senara in Zennor steht, einem alten Dorf im wunderschönen und zauberhaften Cornwall. Der Stuhl ist aus den Enden zweier Sitzbänke aus dem fünfzehnten Jahrhundert gemacht, und in eine der Seiten ist eine geheimnisvolle Meerjungfrau eingeschnitzt. Sie wird mit der Legende der Meerjungfrau von Zennor in Verbindung gebracht, die sich in eines der Mitglieder des Kirchenchors verliebt und ihn hinaus in die See gelockt haben soll.

Es gibt wenig historische Fakten zu St. Senara, der Heiligen, nach der die Kirche in Cornwall benannt ist, aber am meisten hat mich eine Legende fasziniert, wonach es heißt, vor ihrer Bekehrung sei Senara eine keltische Prinzessin namens Asenora gewesen.

Diese beiden Tatsachen – der historische Stuhl der Meerjungfrau und die spärliche Überlieferung zu Senara und Asenora – haben mich inspiriert, und von dort aus habe ich begonnen, meine eigene Geschichte zu entspinnen. Ich habe einen vollkommen anderen Stuhl für diesen Roman geschaffen – sowohl was seine Gestalt, als auch was seine Geschichte und Mythologie angeht –, obwohl ich Fragmente aus dem Mythos der Meerjungfrau von Zennor habe einfließen lassen. Ich schulde der Kirche von St. Senara in Cornwall großen Dank, denn ohne ihren berühmten Stuhl hätte ich diesen Roman niemals schreiben können.

Schließlich möchte ich noch zwei Bücher erwähnen, die mir beinahe schon zu Gefährten geworden sind, als ich mich in die Symbolik, Kunst, Mythologie und Geschichte der Meerjungfrauen vertieft habe: *Sirens* von Meri Lao und *Mermaids,* zusammengetragen von Elizabeth Ratisseau.

DANKSAGUNG

Es ist mir eine besondere Ehre, all denen zu danken, die dieses Buch ermöglicht und daran mitgewirkt haben. Allen voran genannt sei meine großartige Lektorin, Pamela Dorman. Ich kann die Bedeutung, die ihre überragende Arbeit und ihre rückhaltlose Unterstützung für mich und meine Romane haben, gar nicht hoch genug preisen.

Ich bin meiner Agentin Jennifer Rudolph Walsh zu großer Dankbarkeit verpflichtet. Ich könnte mir keine bessere Ratgeberin oder leidenschaftlichere Verfechterin meiner Arbeit wünschen. Mein tiefer Dank gilt auch Virginia Barber, einer ganz außergewöhnlichen Literaturagentin, die von den ersten Tagen meiner Schriftstellerei an für mich da war.

Mein Dank gilt auch den wundervollen Mitarbeitern von Viking Penguin: Susan Petersen Kennedy, Clare Ferraro, Kathryn Court, Francesca Belanger, Paul Buckley, Leigh Butler, Rakia Clark, Carolyn Coleburn, Tricia Conley, Maureen Donnelly, John Fagan, Hal Fessenden, Bruce Giffords, Victoria Klose, Judi Powers, Roseanne Serra, Nancy Sheppard, Julie Shiroishi und Grace Veras. Danke der überragenden Verkaufsabteilung: Dick Heffernan, Norman Lidofsky, Mike Brennan, Phil Budnick, Mary Margaret Callahan, Hank Cochrane, Fred Huber, Tim McCall, Patrick Nolan, Don Redpath, Katya Shannon, Glenn Timony und Trish Weyenberg.

Zu Dankbarkeit bin ich auch all jenen verpflichtet, die sich die Zeit genommen haben, meine vielfältigen Fragen zu beantworten: Greg Reidinger, der sein Fachwissen über Bootskunde mit mir geteilt und mir viele hilfreiche Hinweise gegeben hat, Dr. Deborah Milling, die mir großzügig mit ihrem medizinischen Fachwissen zur Seite gestanden hat, Tim Currie, der mir geholfen hat, die Vertracktheiten der Kunst handgeknüpfter Netze zu verstehen, Trenholm Walker, der mir Hintergrundinformationen zur Rechtslage beim Thema Umweltschutz geliefert hat, und Dr. Frank Morris, der sich freundlicherweise bereit erklärt hat, die lateinischen Zitate zu übersetzen.

Ich hätte dieses Buch niemals ohne die Unterstützung und die Zuwendung liebevoller Freunde schreiben können, die mich mit weisen Ratschlägen ermutigt haben: Terry Helwig, Susan Hull Walker, Carolyn Rivers, Trisha Sinnott, Curly Clark, Lynne Ravenel, Carol Graf und Donna Farmer.

Ich danke Jim Helwig für seine Freundschaft und seinen Humor. Danke an Patti Morrison, die nicht nur mit Rat, sondern immer auch mit einem guten Kaffee für mich da gewesen ist.

Ich möchte meiner Familie danken. Meiner Tochter Ann Kidd Taylor, die mir bei meiner Recherche geholfen und jedes Kapitel nach seiner Beendigung gelesen hat. Anns hervorragende literarische Kenntnisse und ihre ausgezeichneten Ideen haben entscheidend zu diesem Buch beigetragen. *Die Meerfrau* hat Ann sehr viel zu verdanken. Scott Taylor, mein Schwiegersohn, war mein Berater in Sachen Computer und Internet. Er hat meine Arbeit vorbehaltlos unterstützt und mir bei der Suche nach den unterschiedlichsten Informationen geholfen – von Baseballregeln bis zur Farbe von Atlantikkrabben. Mein Sohn, Bob Kidd, und meine Schwiegertochter, Kellie Kidd, haben mich immer wieder mit ihrer bedingungslosen Begeisterung und Unterstützung aufgebaut. Roxie Kidd und Ben Taylor haben beide das Licht der Welt erblickt, während ich an diesem Buch geschrieben habe. Dass sie in mein Leben getreten sind, hat mich jeden Tag daran erinnert, was auf dieser Welt wirklich von Bedeutung ist. Meine Eltern, Leah und Ridley Monk, haben mir unendlich viel Liebe und Güte geschenkt. Sie haben sich als wahre Meister darin erwiesen, mich und meine Arbeit zu fördern.

Meine tiefste Liebe und Dankbarkeit aber gelten meinem Ehemann Sandy. Während der Arbeit an diesem Buch hat er mich mit seiner unerschöpflichen Liebe geradezu überschüttet und mit Humor, Ratschlägen. Er war sehr geduldig, und er hat mich mit seinen wunderbaren Kochkünsten am Leben erhalten. Darüber hinaus hat er wirklich nur *ein einziges Mal* damit gedroht, einer Selbsthilfegruppe für Ehemänner von Schriftstellerinnen beizutreten.